S0-BZK-882

Why Not Women?

Why Not Women? A Biblical Study of Women in Missions, Ministry, and Leadership

Published by Youth With A Mission Publishing
P.O. Box 55787
Seattle, WA 98155

Illustrations by John Darnall

선교사, 사역자, 지도자로 종사하는

여성들에 대한 성경적인 연구

Why Not Women?

로렌 커닝햄 · 데이비드 해밀턴 공저

예수전도단

바치는 글

아무런 제약과 장벽 없이
하나님이 계획하신 목표에 도달하기를 소망하며
이 책을 우리의 딸과 손녀들에게 바친다.

감사의 글

우리는 이 책이 나오는 데 도움을 주신
많은 분들께 감사를 드립니다.

차례

□추천의 글□

여성을 자유케 하라!

존 도우슨 | 국제 화해 협회 창시자

나는 오늘 제니라는 여성을 만났다. 그녀는 지도자로서 한 지역의 사역을 인도하며, 전국적 네트워크를 가진 기관의 한 부서에서 책임을 맡고 있다. 또한 호주 남부 지역에 대한 전략을 세우기 위해 모이는 목회자와 기관장 협의회의 회원이기도 하다.

제니의 사도적이며 선구자적인 역할은 성경과 모순이 되는가? 제니의 선지자적인 가르침은 남성들의 성역을 침해하는 것인가? 그 도시의 남성 지도자들은 제니를 인정하는 것 같으나, 이 세대에는 불신이 있음을 알고 있다. 제니와 같은 여성들은 흔히 가슴 아픈 기억들을 갖고 있다. 거의 대부분은 무시당하거나 거절당한 경험들을 갖고 있다.

누가 이 문제를 해결할 수 있는가? 일생 동안 실질적인 경험을 쌓은 지혜로운 사람은 어디에 있는가?

성경의 언어와 고대 문화에 대한 충분한 지식을 소유하여 성경이 성별에 대해 언급하고 있는 것을 분명하고 확실하게 드러내서 세밀한 검증을 통과할 수 있는 연구를 해낸 학자가 누가 있는가?

이것은 어려운 요구 조건이다! 그러나 당신의 손에 들린 이 책은 이 난해한 주제에 대해 성경적인 통찰력을 주려고 두 사람이 애쓴 결과다.

세계의 저명한 선교 단체를 창설한 로렌 커닝햄과 말씀 연구에 헌신한 데이비드 해밀턴의 동역으로 여성에 대한 민감한 주제를 진지하고 명쾌한 시각으로 조명하게 되었다.

40여 년 전에 로렌은 아내 달린과 함께 Youth With A Mission(YWAM, 국제예수전도단)을 창설하여, 수많은 청년, 여성, 그리고 개발 도상국 사람들이 하나님의 사역에 종사할 수 있도록 격려하고 일으켰다. 그리고 말과 실천을 통해 세대, 성별, 민족의 벽을 허물었고 사람들이 하나님 안에서 목표를 발견하도록 혼신의 힘을 기울였다.

그는 사람들이 하나님의 소명을 받아들이고 하나님이 주신 은사를 사용하도록 도왔다. 로렌 커닝햄은 이 시대 세계 선교에 있어 뛰어난 지도자 중 한 사람으로 꼽힌다.

내가 알기로는 예수 그리스도의 복음을 위해 지구상에 존재하는 거의 대부분의 나라를 방문하여 말씀을 전했던 최초의 사람이다. 로렌처럼 전세계를 가슴 속에 품은 사람을 나는 보지 못했다. 그리스도의 몸을 위해 부단히 노력하고 여행하는 가운데 로렌은, 지상 대명령을 달성하는 교회의 잠재력에 대해 독특하고 명료한 견해를 갖게 되었다.

또한 하나님의 위대한 꿈을 성취하는 데 교회를 방해하는 것들을 분별할 수 있게 되었다. 이와 같은 폭넓은 선교 개념과 다른 지도자들을 훈련시키고 밀어 준 오랜 경험이 있기에 로렌은 이 책의 핵심적인 주제를 다룰 만한 권위를 갖고 있다.

실제로 그는 그리스도의 몸 안에서 수많은 여성 지도자들을 위해 문을 열어 놓았다. 'Why Not Women?' 이라는 질문에 대답할 수 있는 합당한 자격을 로렌보다 더 가진 사람은 많지 않다.

로렌과 함께 이 책을 쓴 데이비드 해밀턴 역시 100개 이상의 나라에서 사역해 온 노장 선교사다. 데이비드는 언어에 조예가 깊어 여러 나라의 언어를 배웠을 뿐만 아니라 성경의 원어도 연구하였다.

이 책의 주제에 관해 데이비드 해밀턴처럼 해박하고 깊이 있게 연구한 사람을 나는 여지껏 보지 못했다. 그는 여성에 관련된 성경의 모든 주요 구절들에 대해 심혈을 기울여 연구했다. 또한 희랍과 로마의 역사, 고대 호머 시대로부터 초대 교회 시대까지의 문학을 연구했고 미슈나(Mishnah)와 탈무드 같은 유대 랍비 문학에서 여성을 주제로 다룬 부분에 대해 연구하였다.

이 주제로 쓴 그의 석사 학위 논문에서 무려 400여 권의 책과 글들을 인용했다. 이런 업적이나 학자로서의 타고난 명석함에도 불구하고 데이비드는 매우 겸손한 사람이다.

그리스도를 닮은 그의 인격은 더욱 기꺼이 이 책을 추천하게 한다.

□추천의 글□

여성의 지혜와 가치, 능력은 남성과 동등하다!

홍성건 | 전 예수전도단 대표

지난 몇 년 동안 한국 사회에서는 여성들의 가치, 사회 참여, 지도력에 대해 새롭게 받아들이기를 요구하는 주장이 빈번하였습니다.

실제로 우리 사회에는 엄청난 변화가 있었습니다. 예전에는 도로에서 여성 운전자를 보면 신기하게 여기고, 남성적인 여자들이라고 규정을 짓기도 했습니다. 그러나 지금은 더 이상 여성 운전자를 얕보거나 놀라는 눈으로 대하지 않습니다.

또한 정치, 경제, 교육, 대중 매체, 예술, 과학 기술 등 사회 각 방면에 종사하는 여성들의 비중이 점점 더 높아지고 있습니다. 단순한 일자리가 아닌 지도력을 발휘하는 자리에서도 많은 여성들이 그 능력을 나타내고 있습니다.

여전히 여성을 우습게 보려는 경향이 있지만 짧은 시간에 엄청나게 변화된 것만은 확실합니다. 어찌 보면 여성에 대한 이러한 말이나 시각 자체가 우스운 것입니다. 왜냐하면 여성이 처음에는 미개하고 보잘것 없다가 최근에 갑자기 변화된 것이 아니기 때문입니다. 여성은 처음부터 그 지혜와 가치, 능력에 있어서 남성과 동등합니다.

하나님은 처음 사람을 지으실 때, 남녀 모두를 하나님의 형상대로 지으셨고, 온 땅을 다스리는 권세와 능력을 남녀 모두에게 주셨습니다(창 1:26—28). 또한, 뜻을 이루시는 데 필요한 모든 지혜와 능력을 주시고 축복하셨습니다.

국제 예수전도단(YWAM)의 창설자 로렌 커닝햄 목사는 탁월한 성경적 이해를 갖고 여성을 격려하며 영향력과 지도력을 발휘하도록 하여, 많은 이들이 받은 은사를 발휘하는 기회를 갖게 되었습니다. 예수전도단에는 세계에서 가장 많은 여성 사역자들이 일하며, 그들은 각 나라와 각 방면에서 지도력을 드러내고 있습니다.

데이비드 해밀턴은 남미에서 선교사의 자녀로 태어나 지금은 국제 예수전도단의 열방대학에서 사역하며, 말씀에 대한 뛰어난 이해로 세계 여러 곳에서 성경을 강의하고 있습니다. 나는 18년 전 그와 함께 성경을 9개월간 공부하면서 그의 성실함과 열정을 보았고, 그후 선교 단체에서 함께 사역하면서 그의 지혜와 통찰력에 놀랐습니다. 특히 여성에 대한 그의 연구는 치밀하고 방대한데 이 책에는 그 중 일부분만을 실어 놓은 것입니다.

하나님의 사람들인 로렌과 데이비드의 강의는 언제나 나에게 놀라운 감격과 비전을 주고 하나님 나라의 아름다움에 대한 이해의 지평을 넓혀 주었기에 이들의 책이 속히 한국어로 출간되기를 바라고 있었습니다.

나는 이 책을 대하며 다음의 몇 가지를 기대하게 되었습니다.

먼저, 교회의 지도자들에게 여성에 대한 성경적인 이해를 주어서 많은 경건한 여성 사역자들이 일어나는 데 그들이 앞장서기를 소망합니다.

둘째, 여성 사역자들이 크게 위로를 받고 하나님이 그의 나라를 확장하기 위하여 주시는 그들의 은사가 담대함과 순종함으로 귀하게 쓰여지기를 바랍니다.

셋째, 남성과 여성이 아름답고 조화롭게 팀을 이루어 사역이 더욱 활발해지기를 바랍니다.

넷째, 여성 지도자들이 많이 일어나고 남성들이 이러한 경건한 여성 지도자들과 함께 일하는 것이 자연스럽기를 바랍니다.

여성 우월을 말하는 것이 아니라 여성으로 하여금 하나님이 지으시고 부르신 본래의 자리에서 하나님을 섬기도록 하고자 하는 것입니다.

이 책은 남성과 여성이 동등하게 서로를 이해하고 조화를 이루면서 하나님이 지으신 대로 하나님의 뜻을 온전히 이루도록 도울 것입니다.

□추천의 글□

여성과 남성이 함께 읽어야 할 책!

이동원 목사 | 지구촌 교회

세상은 주인의 자리를 차지하려는 여성과 남성으로 인해 갈등을 겪어 왔습니다. 세기가 바뀌고 순간마다 엄청난 변화가 나타나는 시대 속에 살아가지만, 언제나 '성(gender)의 대립' 은 그림자처럼 우리들 곁에 남아있습니다.

의식하든 그렇지 않든, 모든 이들은 상대 성과의 '평등' 아니면 '차별' — '차이' 가 아니라—의 잣대를 마음속에 두고 살아갑니다. 중간은 없습니다. 상대 성(性)에 대한 말과 행동과 생각의 뿌리는 둘 중 하나입니다; '평등' 아니면 '차별' .

영적으로 성숙한 그리스도인이라 할지라도, 성 문제에 있어서는 유교주의적인 사고와 세속적인 편견이 많습니다. 또한 목회자와 사역자들에게도 동일한 편견은 존재합니다. 우리나라와 같은 동양 문화권에서는 더더욱 그러할 것입니다.

성에 대해 갖고 있는 우리의 생각, 태도, 관점은 오염되어 있습니다. 여성에 대한 남성들의 인식, 자신의 성에 대한 여성들의 관점, 여성들을 바라보는 여성 스스로의 판단과 사고는 하나님의 원래 계획에서 너무 많이 빗나가 있습니다.

굳이 사례를 들지 않아도, 성차별—특히 여성에 대한—은 모든 관계와 가정과 가족 공동체와 사회를 자유롭지 못하게 묶어버릴 만큼 심각한 문제입니다. 또한 그것은 여성과 남성을 통해 이 땅 위에 하나님의 나라를 확장하시려는 주님의 뜻을 제한하게 됩니다. 우리는 이토록 민감하고 중요한 문제를 풀어나

갈 수 있는 합당한 성경적 관점과 가르침을 준비해야 합니다.

그런 의미에서 이번에 예수전도단에서 출간한 「*Why Not Women?*」은 한국의 그리스도인들과 교회가 마음을 새롭게 하고 새로운 '성경적 여성관' 을 세워 가는 데 큰 도움을 줄 것입니다.

하나님이 남성과 함께 또는 독자적으로 뛰어나게 일할 수 있도록 여성들 안에 두신 놀라운 능력과 은사들은 자유롭게 사용되어야 합니다.

그것을 돕기 위해 씌어진 이 책의 전반부에서는, 왜곡된 현대 여성관의 뿌리인 고대 희랍의 여성관과 성경의 여성관을 통해, 그것이 이스라엘 사회 속에서 어떻게 왜곡되었는지 다루고 있습니다.

후반부에서는 예수님과 사도 바울의 여성관을 살펴보고 여성의 지위와 리더십에 있어 논쟁이 되는 신약의 성경 말씀들을 새롭게 해석, 정리하고 있습니다.

저자인 로렌 커닝햄은 국제 예수전도단(YWAM)의 설립자로서 복음을 전하며 하나님의 사람들을 일으키는 데 평생을 바쳐온 목회자며, 데이비드 해밀턴은 여성의 사역에 관련된 성경의 난해 구절들을 주제로 학위 논문을 쓴 뛰어난 학자 겸 선교사입니다. 또한 커닝햄 목사와 세 권의 책을 공저한 바 있는 그의 여동생 제니스 로저스가 참여하여 섬세함과 명확함으로 책 속에 균형 있는 조화를 담아내고 있습니다.

저는 신뢰할 만한 저자들이 쓴 이 책이 크리스천 여성들뿐만 아니라, 남성들과, 사회의 여성 오피니언 리더들에게까지 전해질 것을 기대합니다.

여성들 안에 분명히 존재하지만, 사회적 · 문화적 · 관습적 배경 속에 억눌려버린 '하나님의 능력(Power)' 이 이 책을 통해 세상 속에 강한 영향력을 흘려보내게 될 것이라 믿으며, 기쁘게 독자 여러분께 추천합니다.

□추천의 글□

여성을 하나님의 시각으로 다시 보기

김성주 | 성주 인터내셔널, Hrkorea 대표

"여성은 누구인가?" 아마도 이 질문은 여성이 이 세상에 존재한 시간만큼이나 긴 역사를 가졌을 것입니다. 그동안 수많은 동 · 서양의 지식인들이 이 질문에 답해왔지만, 어느 것 하나 우리의 마음을 시원하게 하는 답은 없었습니다.

사탄은 긴 역사 속에서 여성에 대한 그릇된 이미지를 만들어 왔습니다. 서양의 역사와 한국의 역사를 통해서 볼 때, 여성에 대한 왜곡과 폄하는 이미 많은 사람들의 생각 속에 너무나 깊이 들어와 있습니다.

이 책은 역사를 돌아보며 서구 전통 사회로부터 지금까지 여성에 대한 사고가 어떻게 변천되어 왔는지에 대해 새로운 시각을 갖도록 우리를 일깨워줍니다.

반면에 기독교 역사를 통해, 특히 예수님이 오시면서 세속 문화가 인식한 것과는 완전히 다른 여성에 대한 새로운 시각에 대해서, 또한 성경 속에 드러난 여성들의 지위와 역할에 대하여 분명한 가르침을 줍니다.

고대의 여성들은 전통으로부터 엄격한 제한을 받아왔고 여성에 대한 비하와 여러 가지 금기 사항들로 자유롭지 못했음을 보게 됩니다. 그러나 기독교의 전통은 남녀의 역할에 대해 동반자적입니다.

간음하다 잡힌 죄 많은 여인은 비록 세상에서는 지탄을 받는 가장 약한 자리에 있었지만, 예수님은 그를 용서하셨을 뿐만 아니라 오히려 죄가 없다며 그를 돌로 치려던 남자들을 부끄럽게 만드셨습니다.

시대와 문화적 여건의 차이 속에서 여성의 지위와 역할, 여성성에 대한 인식은 매우 다양하며 무수한 변화를 거쳐 왔습니다. 21세기, 특히 인터넷 혁명을 통한 지식산업 사회로 접어든 지금 국가, 민족, 나이와 성, 경험, 학력에 관계 없이 누구나 새로운 지식과 문화에 접할 수 있게 되었습니다. 더욱이 여성을 제한시켜 온 육아, 가사 등의 한계성을 넘어 이제 21세기 여성들은 무한한 가능성을 향해, 세계화를 향해 뛰어갈 수 있게 되었습니다.

그러나 아직도 많은 나라에서 여전히 여성들은 압박과 고통 중에 있는 것을 보게 됩니다.

성경에서 말씀하고 있는 '돕는 배필'은, 하인이나 종이 주인을 섬기고 돕는 것이 아니라, 남성과 여성이 함께 섬기기 위해서 창조되었음을 말해줍니다. 남성과 여성 사이에는 우월감과 열등감 대신 연합과 평등이 있어야 할 것입니다.

우리는 여성이 누구인가에 대해 다시 생각해 보아야 할 때입니다. 여성을 하나님의 눈으로 다시 보아야 합니다. 이 책은 역사 속에서 왜곡되어 온 여성관을 바로잡고, '교회 내의 지위 향상'이라는 협소한 시각에서 벗어나 모든 기독 여성들이 하나님과 이 시대의 요청에 효과적으로 부응하며 하나님께서 여성을 지으신 원래의 모습을 회복시킬 수 있도록 도전하고 있습니다.

1
지금이 바로 그 때다!

로렌 커닝햄

나는 이 새로운 밀레니엄 세대 동안 영적 각성 운동이 세계를 휩쓰는 꿈을 꾸고 있다. 각 나라와 족속이 예수 그리스도의 가르침으로 제자화 되어 드디어 복음이 세계 각 사람에게 전파되는 것을 본다.

사도 시몬 베드로도 역시 이 꿈을 가졌다. 그리고 오순절에 그 꿈이 실현되기 시작하는 것을 목격하였다.[1] 선지자 요엘은 마지막 때에 아들과 딸들이 예언하게 되면 이 꿈이 실현될 것을 예고하였다.[2] 다윗 왕도 동일한 꿈을 가지고 많은 무리의 여자들이 좋은 소식을 공포할 것이라고 말했다.[3]

갓 대학에 입학했거나 그보다 어린, 인터넷을 통한 세대가 머지않아 영적 각성 운동의 핵심적인 주축이 될 것이다. 인터넷은 2천 년 전에 예수님이 전하신 복음을 신속하게 세계에 전파하는 도구로 사용될 것이다.

모든 소녀들이 자신이 가치 있는 존재라는 것, 하나님의 형상대로 지으심을 받았다는 것, 하나님이 주신 모든 잠재력을 성취할 수 있음을 확실하게 깨닫게 될 날을 그려본다. 인종, 피부색, 성별을 초월하여 은사와 기름 부음과 능력을 부여받은 지도자들을, 성령님의 뜻대로 알게 될 것이다. 이 세대는 '하나님이 원하시는 사람은 누구인가?' 라는 근원적인 질문을 던질 것이다. 그리고 균등한 기회, 균등한 가치, 성령님이 구별하여 세우시는 사람들을 따르고 좇는

민첩한 사람들이 될 것이다.

그들은 우리 세대처럼, 여성들이 하나님의 부르심에 순종하는 것을 방해하는 전통에 구속받지 않을 것이다. 이 떠오르는 세대가 자유롭게 성경을 연구할수록, 주님은 각 세대에 복음을 선포하거나 하나님의 말씀을 예언하시기 위해 남자와 여자를 언제나 동일하게 사용하셨다는 사실을 깨닫게 될 것이다.

고층 기류 타기

우리는 의도적으로 새로운 길을 가도록 노력해야 한다. 실례를 한번 들어 보자. 이 글을 쓰는 현재 나는 올해 들어 세 번째 세계 일주를 하고 있는 중이다. 40여 년 동안 줄곧 여행하면서 나는 이런 사실을 발견했다. 지는 해를 따라서 서쪽으로 여행하는 것이 해를 거슬러 동쪽으로 여행하는 것보다 시차 조절이 더 쉽다는 점이다. 서쪽으로 가면서 시차가 다른 지역들을 통과할 때는 떠나온 나라에 적응하려는 무의식적 반응에서 벗어난다. 그러나 동쪽으로 여행할 때는 고층 기류를 타기 때문에 비행기의 비행 속도가 더 빨라진다. 그러나 나의 사고와 정신적 습관은 그 속도를 따라가지 못하고 과거에 안주하려 한다.

나는 하나님이 새로운 세대에게 행하기 원하시는 것이 이와 같은 것이라고 믿는다. 안일한 옛 방식이나 관념이나 전통을 따르는 것이 아니라 선지자, 사도, 왕의 꿈(곧 하나님 자신의 꿈)인 지상 대명령의 성취를 이룰 성령의 급한 바람을 따르는 것을 통해 변화하는 고층 기류를 타게 될 것이다.

이 책에 나오는 진리를 전폭적으로 적용하는 것이 구세대에게는 매우 어려운 일이리라. 꿈이 성취되는 데 많은 문화적인 속박과 장애물들이 존재한다. 예를 들어, 내가 어떤 나라의 수도에 갔을 때 여성들이 인도하는 활력 있는 기도 모임들에 대해 들었다. 그들은 다수의 지도자들을 위해 기도해 왔으며 놀라운 결과들을 얻었다. 수상의 아내가 예수님을 영접하게 되었고 내각에 속한 몇 사람이 그 여성들의 기도 모임에 와서 자신의 삶을 주님께 드리게 되었다. 그러다가 그 기도 운동이 중단되었다. 왜인가?

그 나라의 어떤 사람들이 여성들은 공적인 사역에 참여할 수 없다고 가르쳤다. 그들은 남성이 한 명이라도 있지 않으면 여성들끼리 기도 모임을 할 수 없다고 말했다. 왜냐하면 남성들보다도 더 쉽게 미혹되기에 여성들이 모여서 기도하려면 '영적인 보호'가 있어야 한다고 주장했다. 여성들은 그 의견에 따르기로 했으나 보호해 줄 남성들이 기도 모임에 나타나지 않았다. 결국 기도 모임은 취소되고 성령의 효과적인 사역이 중단되었다.

이 이야기는 영적 원수가 세계 전역에서 무엇을 하고 있는지—대개의 경우에는 더욱 은밀한 방법으로—보게 되는 한 예다. 나는 매해 대략 30~40개국을 여행하는데, 유사한 상황을 도처에서 보게 된다. 수세기에 걸쳐 내려오는 이와 같은 공격은 21C를 맞는 교회가 당면하는 가장 큰 위기다.

어떤 사람들은 여성 사역자에 대한 문제는 종교 개혁 이래 교회의 분란을 일으키는 주제라고 말한다. 성경을 믿는 복음적인 사람들이 이 주제를 놓고 충분히 논의하면서 하나 되기보다는, 날카로운 대립으로 세간의 빈축을 사고 있다. 어떤 사람들은 이 논제가 자신들과는 무관한 사소한 논쟁이라고 무시해 버린다.

이 논쟁은 절대 사소하거나 관심 밖에 둘 일이 아니다. 오히려 교회의 핵심적인 문제다. 여성과 그들의 역할에 관한 문제를 직시할 때 사탄과 여인 사이에 있었던 인류의 가장 오래된 전쟁터로 들어가는 것이다. 여성과 관련하여 사탄이 사용하는 전략의 몇 가지 측면을 살펴보겠다.

1. 복음 전파 세력을 대항하는 공격

사탄은 시간이 촉박하다는 사실을 알고 있다. 그는 지상 대명령의 완성을 지연시키기 위해 수단과 방법을 가리지 않고 있다. 그 중 하나는 사역자의 수를 감소시키는 것이다.

나는 지난 40여 년 동안 선교 분야에서 지도자로 일해 왔던 관점에서 여성 사역자의 문제를 바라본다. 성경을 믿는 그리스도인의 3분의 2가 여성이다. 프레드릭 프랜슨은 "그리스도인의 3분의 2가 복음 사역에서 제외될 때 하나님이 이루시려는 일에 미치는 손해는 이루 다 표현할 수 없을 만큼 크다" 고 말한다.[4]

예수님은 눈을 떠서 밭을 바라보고, 추수할 것은 많으나 일꾼이 적음을 깨달아야 한다고 말씀하신다.[5] 거대한 추수 밭과 적은 일꾼들을 바라보면서, 하나님이 부르시는 일꾼들을 제거하려고 노력하는 자는 도대체 누구일까?

우리에게는 더 적은 수의 일꾼이 아니라 더 많은 일꾼이 필요하다! 그러나 원수는 추수할 일꾼의 수를 최소한으로 줄이기 위해 온갖 수단을 사용하고 있다. 나는 여성 사역자들과 그들의 활발한 활동으로 인해 교회 안에서 혼돈이 일어나고 있는 배경에는 사탄이 도사리고 있다고 믿는다. 또한 어떤 사람들은 전통이나 어떤 성경 구절을 오용하여 여성들의 사역을 금하거나 저지시킴으로 부지중에 사탄의 전략 실행에 도움을 주고 있다.

2. 남성과 그들의 사역에 대한 공격

여성들로 하여금 하나님의 부르심에 순종하지 못하게 하려는 유혹은 한편으로는 그리스도인 남성들을 향한 공격이다. 표면적으로는 이런 공격이 여성들만을 향한 것 같지만 주의 깊게 살펴보면 남성들을 향한 공격이기도 하다. 원수는 여성들이 남성들과 동등한 가치를 지니고 있지 않다고 말함으로써 남성들의 교만함을 자극한다. 비록 어떤 문화권에서는 이것을 '남성다움' 이라고 표현하지만 사실은 교만에 지나지 않는다. 이 책의 뒷장에서 데이비드는 여성들은 열등하며 인간 이하의 존재들이라는 사고를 퍼뜨리기 위하여 어두움의 세력이 어떻게 아리스토텔레스나 플라톤과 같은 고대 철학자들을 사용했는지 보여줄 것이다. 이런 태도는 에덴 동산에서 하나님이 여성들에게 부여하셨던 평등함 대신 그들의 가치를 비하시켰던 고대 유대의 랍비들에게도 동일하게 나타났다. 이 모든 것은 남성들의 교만을 자극하는 것이었다.

교만은 진정한 자아수용을 거부하는 죄다. 즉, 다른 사람보다 우월하다고 여길 때 생겨나고 인종 차별, 민족주의, 그리고 다른 많은 '주의'의 근본이다. 교만은 스스로에 대해 거짓을 믿기로 선택하는 것이다. 이 교만은 당신을 완전히 파괴시킬 수 있다. 이사야 14장에 의하면 루시퍼는 교만으로 말미암아 하늘로부터 떨어졌다. 오늘날 악마는 남성들에게 여성들보다 우월하다고 말해 교만하도록 만들어 남성들을 공격하고 있다. 어떤 구조적인 차이점 때문에 남성은 여성이 담당할 수 없는 어떤 특정한 영적인 사역을 담당할 수 있다고 말한다.

당신은 전세계 교회 안에서 남성들을 향한 이와 같은 공격의 결과들을 목격할 수 있다. 아시아, 아프리카, 남아메리카, 유럽, 북아메리카의 교회들을 보라. 남성들보다 훨씬 더 많은 여성들을 발견하게 될 것이며 진정한 기도의 용사들, 세계적인 중보 기도 사역의 첨단에 있는 사람들은 주로 여성들이다. 그 이유는 무엇인가? 남성들이 여성들보다 영적으로 우월하다는 거짓을 믿어 왔기 때문이다. 남성의 교만은 하나님과의 친밀한 관계를 파괴하고 사역의 성장을 저해한다.

때로 남성지도자들이 남성의 교만을 부채질함으로써 우위를 차지하려고 애쓴다. 대부분이 여성들로 구성된 교회를 인도하기 위해 남성들에게 특별한 칭호, 지위, 의복, 재정권을 부여했다. 세계의 많은 곳에서 나는 전 교인이 여성으로 구성된 교회 안에 유일하게 봉급을 받는 남성 사역자가 있는 경우를 보아 왔다.

또한 그리스도의 몸은 영적인 기량이 뛰어난 여성 대신 경험이 없는 젊은 남성을 세움으로 준비되지 않은 지도자를 세우는 경우가 허다하다. 아시아에 있던 한 여성 선교사는 놀라운 지도력이 있음에도 불구하고 나이 어린 남성 지도자 밑에서 일했을 뿐, 지도자의 위치에 세워지지 않았다. 그녀는 "나는 가능성이 있는 사람이라는 말을 16년 동안이나 들어 왔다" 고 말했다.

남성들이 영적인 능력과 숫자에서 여성과 동등하게 되고 교회 안에 남녀의 균형이 잡히는 것이 하나님의 뜻이다.

3. 여성을 향한 공격

여자의 후손이 사탄의 머리를 상하게 할 것이라고 하나님이 말씀하셨던 에덴 동산 이후 사탄은 세계 곳곳에서 여성들을 공략해왔다.

비록 잠식되었을망정 성경적인 원칙에 토대를 둔 나라에서는 그렇지 않은 나라들에 비해 여성들이 훨씬 우대받고 있다. 그러나 유럽과 북아메리카 내에서도 여성들은 남성들에 비해 부당한 대우를 받고 있다. 미국 내에서는 아직도 여성들이 같은 일에 종사하는 남성들이 받는 봉급의 74%만을 받고 있다.[6] 급증하는 이혼율과 자녀 양육비를 지불하지 않는 '무정한 아버지들' 로 인해 이 여성들 중 다수는 자신과 자녀들을 부양하기 위해 고생하고 있다. 이외에도 미국에서는 올해에 대략 40만 명의 십대 소녀들이 어머니가 되고 생부의 도움 없이 혼자 아이를 양육하게 될 것이다.[7] 그래도 이 여성들은 올해 미국에서 강간당하게 될 10여 만 명의 여성에 비하면 나은 셈이다.[8] 더 많은 수의 여성들이 소녀 시절에 성적 희롱을 당하고 있으며, 대략 3명 중 1명의 소녀는 그들이 성인이 되기 전에 성적인 폭행을 당하고 있다.[9]

아내 학대가 증가 일로에 있는지, 또 정확히 보고되고 있는지 미지수다. 그러나 미국에서는 올해도 80만 명이 넘는 여성들이 남자 친구나 남편에 의해 폭행을 당하고, 그 중 천 여 명은 목숨을 잃게 될 것이다.[10]

이런 상황이 처량하게 보일지 모르지만 만약 당신이 기독교적인 유산이 거의 없는 나라들을 가 본다면 상태는 훨씬 더 심각하다. 월드 비전(World

Vision)의 보고는 다음과 같다.[11]

- 4억 5천만 명의 여성들이 어린 시절의 영양 실조로 인해 신체적인 장애를 겪고 있다. 다수의 사회에서 여아들과 어머니들은 남자들이 먹다 남긴 음식을 먹고 있다.
- 세계 인구의 절반을 차지하고 있는 여성들이 소유하고 있는 부는 세계 전체 부의 1%에 불과하다. 13억 명의 빈민들 중 70%가 여자다.
- 여자 아이가 교육을 받을 확률은 남자 아이에 비해 절반에 불과하다.
- 대부분 아프리카와 중동 지역에 사는 200백만 명의 소녀들은 성적 욕구를 저하시킨다는 구실로 할례를 당해 불구가 되고 있다. 또한 할례를 경험한 소녀들은 자라서 고통스러운 성 관계, 불임의 가능성, 그리고 출산 중 사망할 위협에 부딪히게 된다.

타임 지의 보고는 다음과 같다.[12]

- 브라질에서는 정숙하지 않은 아내를 살해하는 것이 합법적인 것으로 간주된다.
- 러시아에서는 직장의 상사와 동침하는 것은 직장 여성들의 임무 중 하나로 간주된다.
- 인도에서는 신랑이 다시 결혼하여 또다시 신부 지참금을 받으려고 때때로 남편과 시부모가 어린 신부의 지참금을 착복한 후에 신부를 살해하려는 음모를 꾸민다. 올해에 그와 같은 경우가 6,000건이 있었으며 계속 증가 일로에 있다.

정체감의 상실

특히 북아프리카와 중동의 몇 나라에서 고통당하는 여성들을 생각하면 마음이 무겁다.

수 년 전에 북아프리카의 한 공항에서 경악을 금치 못할 광경을 목격했다. 나는 당시 고급 품목으로 가득 찬 면세점이 즐비하게 늘어서 있는 멋진 복도를 걸어가던 중이었다. 갑자기 얼굴이 거무스름하고 짧은 수염을 기른 남자가 복도에서 한 젊은 여인의 허리를 2m 정도의 밧줄로 묶어서 끌어오고 있었다. 그는 마치 소라도 끄는 양 그녀에게 욕지거리를 하며 밧줄을 잡아당기고 있었다. 왜 그녀가 얼굴을 베일로 감싸고 있지 않았는지 의아했지만, 그녀의 아름답고 지적인 얼굴에는 당혹함이 가득했다. 나는 어떻게 할지 몰라서 경비원이나 혹은 경찰이 말려 주지 않을까 싶어 주변을 둘러보았다. 그러나 그 장소에는 경비원을 포함하여 적어도 40여 명의 사람들이 있었지만 아무도 주의를 기울이지 않았다. 마치 대수롭지 않은 일을 보는 듯했다. 그는 여인을 질질 끌며 복도를 지나 사라져 버렸다.

이 여인은 도대체 누구였을까? 그 남자는 다른 아랍 국가에서 아내를 구입하기 위해 이 나라에 온 것일까? 혹은 불법이지만 아직도 성행하고 있는 국제 노예 매매의 한 장면을 목격한 것일까? 그 복잡한 공항에서 나 이외에는 아무도 그 일에 관심을 보이지 않은 이유는 무엇이었을까? 나는 지금도 수치감과 절망감에 가득 차 있던 여인의 얼굴이 생생하게 떠오른다. 그녀를 구출하기에는 너무나 무력하다고 느꼈던 좌절감을 나는 아직도 느낄 수 있다.

또 한번은 중동 국가들 중 가장 보수적인 어느 나라의 수도를 가려고 스위스의 항공기를 이용한 적이 있다. 취리히에서 탄 비행기 안에는 전형적인 양복과 양장을 입은 남녀로 가득 찼었다. 그러나 비행기가 착륙하기 직전 여성들이 화장실로 몰려가기 시작했다. 그들은 두꺼운 검정색 베일로 머리끝에서부터 발끝까지 감싸고 나왔다. 그들이 누구인지 더 이상 식별할 수 없었다. 여성들은 얼굴이 없어져 버렸다. 정체 모를, 단지 검은 천에 둘러싸인 익명의 존재에 불과했다.

나는 몇몇 중동 국가의 공공 장소에서 여인들의 존재가 없는 것에 대해 충격을 받았다. 내가 보았던 여인들은 머리부터 발끝까지 감싸고 있었다. 언제나 조용하고 마치 귀신과도 같이 빠르게 길거리를 지나쳐 갔다. 다수의 종교적 권위자들은 여인들을 언제나 실내에 가두어 두기를 원한다. 아프가니스탄의 탈레반 정부는 소녀들이 학교에 가는 것과, 여성들이 집 밖에서 일하는 것을 금지하는 법을 통과시켰다. 심지어 여성들이 거주하는 집의 일층 창문을 검은 색으로 칠하도록 했다! 자기 집안에 감금되어 버린 이들 여성 중에는 고등 교육을 받은 사람들도 있다. 남편이 없는 사람들은 생계 유지의 방도가 전혀 없어 많은 수가 자살을 기도한다고 보고되었다.

여성들에 관련된 종교적 규율인 퍼르다(purdah)를 위반하는 사람들에게는 처벌이 극심하며 주로 그 여성의 가장 가까운 친지가 처벌을 수행한다. 「욕망의 아홉 가지 면모」(Nine Parts of Desire)에서 한 영국 기자는 1977년 사우디 아라비아의 수도에 위치한 주차장에서 있었던 젊은 여성의 처형을 취재했다. BBC 방송이 그 여성의 처형에 관한 다큐멘터리를 방영한 결과 그 나라에 주재해 있던 영국 대사가 추방당하였다. 그 여성의 죄명은 무엇이었는가? 그녀가 정략 결혼을 피하여 다른 나라로 도망가려고 했다는 것이다.[13]

수 년 전에 나는 서구의 한 기자와 부유한 중동 국가의 공주가 함께 쓴 「공주」(Princess)라는 책을 읽었다.[14] 그 책에서 공주는 아버지가 딸을 익사시키는 것을 보기 위해 수영장에 모여드는 어떤 왕가의 집안 모임에 대해 묘사한다. 그 딸의 죄명은 무엇인가? 그녀가 몰래 외국인과 데이트를 했다는 것이다.[15] 공주는 자기 집안에서 집단 강간을 당했던 13살짜리 소녀가 돌에 맞아 죽는 광경도 묘사했다. 소녀를 강간했던 사람들은 아무런 처벌도 받지 않았다.[16] 또 다른 젊은 여성은 가족이 살고 있는 저택의 맨 위층에 위치한 별실에 감금되어 평생을 보내게 된다. 그 방은 그 여인의 비명 소리가 새어나가지 않도록 특별한 방음 시설로 지어졌다.[17]

모든 무슬림 교도가 여인들을 부당하게 대하는 것은 아니다. 사실상 많은 사람들이 여성들을 선대하고 존경한다. 이와 같은 비인도적인 처사는 어떤 현대적인 종교의 가르침이 아니라는 것이 나의 개인적인 의견이다. 그와 같은 것들은 이전 시대와 고대 희랍의 가르침으로부터 대대로 물려 내려온 문화적인 유산이다. 그러나 현 사회에서 행해지는 이런 처사들은 중동 지방의 여러 나라 안에서 허락되고 있고 심지어는 합법화되고 있는 실정이다.

어떤 국가에서는 강간을 당한 여성들은 간음죄로 투옥되는 반면 가해자들은 아무런 법적 처벌도 받지 않는다.[18] 여성들과 소녀들에 대한 '명예 살인'(honor killings)도 증가 일로에 있다. 부도덕한 죄를 지었다는 증거 없이도 여성이 죽임을 당한다. 아버지, 남편, 남자 형제들, 혹은 삼촌들은 단지 소문에 말려들었다는 이유만으로도 여자를 살해할 수 있다. 명예 살인의 확실한 숫자가 얼마나 되는지 아무도 모르지만 이들 국가 중의 어떤 한 지역에만도 1년에 350명의 젊은 여성들—이들 중에는 12살짜리도 있음—이 살해되고 있다. 가정의 명예를 회복하기 위해 여성을 살해하는 데 자주 사용되는 방법은 산 채로 화형시키든지 혹은 염산을 뿌리는 것이다.[19]

은밀한 대학살

몇 년 전에 뉴욕 타임스에서 "1억 명 실종"이라는 제목의 기사를 읽은 적이 있다.[20] 그 기사는 인구 통계학자들이 어떻게 세계의 모든 지역에서 탄생되는 남자와 여자의 수를 예측할 수 있는지에 대해 설명했다. 그러나 최근 통계에 의하면 세계적으로 최대한 1억 명의 소녀들이 단지 여자라는 이유로 가족에 의해 살해되기 때문에 실종된다고 한다. 이들 중 수백만 명은, 여자 아이를 임신하고 있다는 사실을 발견하면 의례히 임신 중절을 하는 중국이나 인도 임신부들의 아이들이다. "모두가 남자 아이를 원하기 때문에 초음파 검사를 해서 만약 여자 아이일 경우는 임신 중절을 해요. 초음파가 우리에게 큰 기쁨을 주었어요."[21] 어떤 여자 아이들은 출생한 뒤에 죽도록 방치되기도 한다.

그 기사에 의하면 1억 명의 여자 아이들이 실종되는 또 다른 이유는 태만이라고 한다. 많은 개발 도상국에서는 아들이 병에 걸리면 치료하기 위해 온가족이 최선을 다하지만 만약 딸이 병에 걸리면 종종 죽어가도록 방치한다.[22]

뉴욕 타임스의 글이 밝힌 이 실종된 여자 아이들의 대부분이 비기독교 국가에 속해 있다는 사실은 주목할 만하다. 기독화된 나라가 많은 아프리카 사하라 사막 아래, 카리브해, 남아메리카 지역은 비록 경제적으로 빈곤하긴 해도 성장하는 여아와 남아의 비율이 정상적이다.[23] 비기독교적인 나라들에서만 유독 성별 때문에 수많은 어린 아기들이 목숨을 잃고 있다.

한번 생각해 보라. 위와 같은 기사를 나는 신문 뒷면에서 보았다. 1억 명의 인간이 학살되고 있는데 이런 기사는 전면에 실리는 혜택도 받지 못한다! 오히려 여성을 향한 극악한 공략은 세계 전역에서 은밀하게 계속되고 있다.

여성에 대한 부당함은 기독교적인 유산이 적은 먼 나라에만 국한된 문제가 아니다. 그 문제는 도처에 깔려 있다. 서구 국가의 유명 인사들이 한 말을 들어보라.

- 작가 커트 바니것은 "여성을 교육시키는 것은 마치 고급 스위스제 시계에다 꿀을 붓는 것과 같다. 시계를 망가뜨릴 뿐이다"라고 말했다.
- 전 미국 부통령 시피로 애그뉴는 말한다. "세상에서 길들이기 어려운 세 가지가 있는데 그것은 바다와 바보와 여자다. 바다는 곧 길들일 수 있을지 모르지만 바보와 여자는 시간이 좀더 걸릴 것이다."
- 전 프로 테니스 선수 바비 릭스는 "여자들의 역량은 남자들의 25%밖에 되지 않으므로 남자들 봉급의 25%만 받는 것이 타당하다"고 말했다.
- 폴란드의 전 대통령 레크 발레사는 "여자들은 노리개다. 나는

정치계에서 여자들을 보기 원치 않는다. 수선을 피는 대신에 꽃처럼 그저 가만히 있으면 좋겠다"[24]라고 말했다.

4. 하나님의 성품에 대한 공격

그리스도인들이 여성 차별을 하게 되면 하나님은 공의롭지 않다는 메시지를 전하는 것이나 마찬가지다. 과거에 이와 같은 부당함을 느꼈던 여성 중 한 사람이 그 유명한 간호사 플로렌스 나이팅게일이었다. 나이팅게일은 선교사가 되고 싶었지만 기회가 주어지지 않았다. 그녀는 "교회에게 나의 머리와 손과 마음을 주려고 했지만 교회는 그것을 거부했다"[25]라고 말했다.

그것은 19C에 있던 일이다. 몇 년 전 한 그리스도인 모임에서 말씀을 전하기 위해 짐바브웨에 갔었다. 모임이 끝나고 한 젊은 여성과 남편이 대화를 하기 위해 나를 찾아왔다. 그 여성은 막 신학교를 수석으로 졸업했다. 그러나 그녀에게는 가르치는 일도, 말씀을 전하는 일도 허락되지 않았다. "이것은 불공평한 일입니다!"라고 그녀의 남편이 말했다. 나도 그의 말에 수긍했다.

그리스도인 지도자들은 자신의 행동이 하나님의 성품을 반영시킨다는 사실을 명심해야 한다. 불신자들은 지도자의 행동을 바라보며, 그들의 하나님도 그와 같다고 단정지어 버린다. 하나님이 한 개인에게 은사를 주고 나서 그것들을 사용할 수 없게 한다면 정녕 불공평하지 않은가?

공의는 심판과 마찬가지로 하나님의 집에서부터 시작되지 않으면 안 된다.[26] 여성 해방과 평등 문제는 교회와 연관되거나 혹은 무관하게 결정될 것이다. 하나님이 영광을 받으시기 위해서는 그의 백성들이 지도력을 발휘해야 한다는 것이 내가 깊이 확신하는 바다. 그렇게 하지 않을 경우 노예 해방을 위한 투쟁 이후 가장 위대한 기회를 놓쳐 버리게 될 것이다. 지금 이 기회를 포착하지 않는다면 교회는 시대에 뒤떨어지게 될 것이다.

5. 하나님의 형상에 대한 공격

사탄은 하나님의 성품을 공격할 뿐만 아니라 또한 하나님의 형상을 파괴하기 위해 온갖 사력을 다하고 있다. 사탄은 남자와 여자 모두가 하나님의 형상에 따라 지으심을 받았다는 사실을 알고 있다.[27] 또한 남편과 아내가 연합하여 동행하는 것이 삼위일체의 연합을 나타낸다는 것을 알고 있기 때문에 가정과 결혼 관계를 공격하고 있다. 그리고 직업 전선에서 남성과 여성 사이에 갈등을 조장하고 있다. 에덴 동산에서 남성과 여성의 관계가 깨어진 이후 사탄은 그 갈등을 고조시키기 위해 온갖 짓을 다하고 있다.

사탄은 여성들이 겪어 왔던 아픔과 거절감을 충동질해 과격한 여권 운동을 일으키게 만들고 남성들과 여성들 사이를 이간시키고 있다. 여성과 남성이 함께해야만 하나님 형상의 실제적인 표현이 인간 안에서 완성되기 때문에 사탄은 남자끼리 혹은 여자끼리의 연애를 조장하고 있다. 하나님은 성별의 차이를 주셔서 그 차이를 유지하고 누리도록 계획하셨다. 사탄은 거절감과 정서적인 상처를 이용하여 하나님의 형상이 계시되는 것을 파괴하고 있다.

많은 그리스도인들이 여자 목사들을 두려워하는 이유는 과격한 여권주의자들로의 교체됨을 연상하기 때문이다. 그러나 나는 성결 교단(Christian Mission Alliance)의 데이비드 존슨 목사의 의견에 동의한다. "여자 목사를 용인하는 것은 여권 운동을 줏대 없이 받아들이는 것이라는 이야기를 평생 동안 들어왔다. 그러나 여성들을 사역에서 제외시키는 것은 실상 예수님이 개혁하려던 남성 위주의 유대 문화를 용납하는 것이다. 여권 운동이 교회에 영향을 미친 것이 아니라 여성의 구속사를 왜곡한 사회 문화를 묵인한 것이 교회의 진정한 문제였다."[28]

만일 투쟁적인 여권 운동에 관여하고 있는 젊은 여성들이, 예수님이 어떻게 파격적으로 여성들을 대하셨는가를 볼 수만 있다면 그들이 추구하고 있는 정의의 근원 되시는 예수님이야말로 자신들의 구주와 구속자임을 발견하게 될 것이다.

사탄의 5가지 공격을 살펴볼 때 낙심할 수도 있을 것이다. 그러나 예수님은 사탄의 궤계를 파하려고 이 세상에 오셨다.[29] 그리고 남성과 여성을 향한 하나님의 원래 디자인과 목적을 회복시키려고 이 세상에 오셨다.

예수님은 여성들을 부각시키셨다

예수님의 생애에 있어 가장 중요한 세 가지 사건인 출생, 죽으심, 부활에 있어 여성들은 중요한 역할을 담당했다.

예수님의 출생

뒷장에서는 아기의 유일한 생명의 근원은 아버지라고 여겼던 고대 세계의 신념을 살펴볼 것이다. 고대 사람들은 남자의 정액 안에 남자의 머리에서 만들어진 아주 작은 사람의 형태가 들어 있다고 믿었다. 이런 신념은 희랍의 '우두머리' (headship)의 개념을 낳게 되었다. 여자는 이같은 축소판 인간이 출생하게 될 때까지 자라나는 '밭' 에 불과했다. 만약 여자가 흙에 지나지 않는다고 믿는다면 여자를 흙처럼 대하는 것은 당연지사다.

하나님은 한 여성만을 육신적인 어머니로 하여 예수님을 출생시킴으로 이같은 착상을 뒤엎으셨다. 예수님의 DNA 인자는 여성인 마리아뿐이라는 사실을 한번 생각해 보라!

예수님의 죽으심

죽으심은 예수님이 이 세상에 오신 핵심적인 이유며 그의 가장 중요한 사역이었다. 구약에서는 사람들을 파송(사역에 임명)할 때 머리에 기름을 부었다.

사무엘은 비밀리에 다윗에게 기름을 붓기 위해 곤욕을 치렀다. 만일 그 예식이 사울 왕에게 탄로났다면 둘 다 죽음을 면치 못했으리라. 그럼에도 불구하고 그 예식은 행해졌다. 사무엘이 다윗에게 기름을 붓는 일은 하나님이 어떤 큰 일을 위해 다윗을 부르고 계신다는 것을 드러내는 중요한 증표였다.

누가 예수님께 기름을 부었는가? 누가 이 세상에서 가장 뜻깊은 사역을 위해 예수님을 파송했는가? 바로 두 명의 여인들이었다. 예수님의 사촌 세례 요한은 예수님께 세례를 베풀었지만 두 여인이 예수님을 사역자로 '임명' 했다. 예수님이 돌아가시기 전 나사로의 집에서 마리아가 예수님께 기름을 부었다.[30] 며칠 후에 또 다른 여인이 예수님이 식사하고 계시는 집에 나타났다. 그녀는 값비싼 향유가 든 옥합을 깨뜨려서 예수님의 머리에 부었다. 예수님은 복음이 전파되는 곳마다 그녀의 행위가 알려지게 될 것이라고 말씀하시며[31] 그 여인을 높이 칭찬하셨다.

예수님의 부활

예수님은 부활하신 후에 먼저 막달라 마리아에게 나타나심으로 또다시 여인을 존귀하게 만드셨다. 빈 무덤을 처음으로 발견한 사람들은 여인들이었다. 예수님은 그들에게 가서 그가 살아나신 것을 다른 사람들에게 전하라고 말씀하셨다.[32] 그러므로 가서 전하라는 예수님의 명령을 최초로 들었던 사람들은 여인들인 셈이었다.

사도 시대의 여인들이 남자들과 함께 사역을 했다는 사실을 이 책의 뒷부분에서 확실하게 보게 될 것이다. 그러나 세대가 지나오면서 교회는 하나님의 말씀보다 주변 문화에 점점 더 영향을 받기 시작했다. 여인들이 하나님의 말씀에 순종하고 사역에 종사할 수 있는 자유가 다시 주어진 때는 부흥이 일어났던 특별한 시기뿐이었다.

부흥 운동 시기의 여성들

하나님이 성령님의 극적인 역사를 시작하셨을 때 여성들이 선두에 서게 되는 일이 종종 일어났다. 역사가들에 의하면 대부분 영적 대각성 운동의 초기에 여성들은 사역자로서 인정을 받는다고 한다. 그 후 부흥의 흥분이 조직적인 구조로 정착되어 식어지면 여성들은 제외된다.[33]

역사상 가장 위대했던 영적 각성 운동 중 하나는 18C에 동부 독일에서 일어난 모라비안 운동이다. 남자와 여자들이 선교사로 전세계로 퍼져 나갔던 하나님의 역사하심이었다. 모라비안들은 최초의 개신교 선교사들이었다. 모라비안들은 세계에서 복음을 듣지 못한 사람들을 위해 24시간 철야 기도를 했는데 그 기도는 100년도 넘게 지속되었다. 수년 전에 아내 달린과 나는 그 운동의 시발점이었던 헤른후트를 방문했었다. 우리들은 검소한 박물관 안에 서서 사방 벽에 걸려 있는 그림들을 둘러보았다. 거기에는 모라비안 선교 운동 영웅들의 그림이 있었는데 그 중에는 여성들이 상당히 많았다.

영국과 미국을 변화시켰던 영적 각성 운동은 1700년대 말과 1800년대 초에 조지 윗필드, 요한 웨슬리, 찰스 웨슬리에 의해 주도되었다. 웨슬리 형제의 어머니 수잔나는 신앙이 돈독하고 경건한 여인이었다. 수잔나는 매일 열심히 기도하며 자신의 아홉 자녀를 가르쳤다. 웨슬리 부인은 남편 교구에서 자신이 인도하고 있던 기도 모임을 통해 매주일 이백 명도 넘는 사람들에게 말씀을 전했다. 그 후, 수잔나의 아들 요한이 부흥의 원동력이 되었던 '클래스' 라는 작은 모임들에 여인들을 지도자로 등용시켰던 일은 어머니의 영향을 받았음이 틀림없다. 웨슬리는 "죄인들을 회심시키기 위해 하나님이 여인들을 사용하신다면 내가 누구관대 하나님을 대적하겠는가?" 라고 말했다.[34]

19C 초기에 하나님은 찰스 피니를 사용하여 미국의 부흥 운동 가운데 역사하셨는데 피니는 여성이 회중 예배에서 기도하고 말씀을 전하도록 초청했다.

피니가 설립한 오벨린 대학은 당시 여성들이 남성들과 동등하게 공부하도록 허락한 최초의 대학이었다(또한 인종을 구분하지 않는 것에도 최초였다). 피니는 여인들에게 신학 훈련을 시켰던 최초의 개신교 지도자였다. 그의 제자였던 안트와넷 브라운은 1853년에 미국 최초의 안수받은 목사가 되었다.[35]

19C의 또 다른 복음주의적 지도자였던 드와이트 무디는 여인들에게 열심히 설교하도록 하였다. 무디 성경 학교는 1929년까지 여성들에게 목사 과정을 수강할 수 있게 했다.[36] 고든 대학의 설립자인 A. J. 고든은 대중적인 사역에 대한 여인들의 역할을 옹호하는 글을 썼다.[37] CMA(Christian Mission Alliance)를 창설했던 A.B. 심슨은 여성들을 각 부의 지도자로 세웠다. 여성 목사, 전도자, 교사들 외에도 CMA의 초기 부학장 8명 중 4명이 여성들이었다.[38]

19C의 경건주의 운동에 있어 막대한 영향을 미쳤던 두 여성들은 피비 파머와 한나 스미스였다.[39] 파머의 저서 「거룩함에 이르는 길」은 1867년까지 52판을 발행했다. 스미스는 1875년에 「행복한 삶을 위한 그리스도인의 비결」이라는 책을 집필했다. 이 책은 지금도 세계 곳곳에서 그리스도인들에게 사랑받고 있는 고전이다. 스미스는 영국에서 일어난 케스위크의 '고귀한 삶 운동'의 한 인쇄물을 통하여 남성과 여성을 가르치는 지도적인 역할을 담당했는데 그로 인해 수천 명의 사람들이 하나님과 더욱 친밀한 삶을 살게 되었다.

하나님의 또 다른 역사에서 여성들이 세워지는 것을 보게 된다. 웨슬리 감리 교단은 1863년에 최초로 여성에게 안수했다. 구세군 창시자 윌리엄 부스는 말씀 전하는 일과 지도적인 역할에 여성들을 세웠다. 19C 말엽에 시작되었던 나사렛교나 다른 성결 교단들 역시 여인들에게 안수를 주었다.[40] 20C 초엽 로스앤젤레스의 아주사 거리에서 시작되었던 오순절파 부흥 운동 후에 몇몇 여성 목사들이 유명해지기 시작했다. 그 중 한 사람이 바로 마리아 우드워즈로 1924년에 세상을 떠나기까지 미국에서 가장 큰 전도 집회들을 인도했던 사람이었다.

가장 어려운 일을 해내는 여성 선교사들

여성들이 진정으로 빛을 발하기 시작했던 분야는 다름 아닌 선교 현장이었다. 랄프 윈터 박사의 표현처럼 선교 분야에서 '폭발적인 여성 에너지' 가 분출되었다.[41] 브린 머 대학, 래드클리프 대학, 웨즐리 대학, 스미스 대학과 같은 유명한 여자 대학들이 여성들을 선교사로 훈련하기 위한 목적으로 설립되었다는 사실을 아는 사람은 별로 많지 않다.[42]

20C 초엽에는 40개의 복음적인 선교 단체가 여성들에 의해 주도되었다.[43] 전도뿐만 아니라 병원과 학교를 세우는 일을 위해 많은 여 선교사들이 파송되었는데 이중에는 학생 수 8,000명을 가진 한국의 대학교와 인도 벨로에 세워진 세계 최우수 미션 의과 대학도 있었다.[44] 수백 개의 언어로 성경을 번역하기 시작한 최초의 사람들도 여 선교사들이었다. 그리고 그들은 가장 험하고 외딴 지역에서 사역했다. 어느 저자가 말한 것처럼 "과업이 어렵고 위험할수록 남성보다 여성이 관여하는 비율이 높다."[45]

남성의 두 배가 되는 여성들이 선교사로서 중국을 향해 행진해 들어갔다. 여성들이 성경 학교에서 남성들을 가르치는 일이 허락되지 않았기 때문에 자신의 집이나 빨래를 하는 강가에서 여인들을 가르쳤다. 그리하여 많은 '성경 부인들' 을 길러냈기 때문에 오늘까지도 중국의 지하 교회 내에서는 여성들이 남성들보다 더 뛰어나다. 현재 중국에 있는 5만 개의 가정 교회 중 4만 개가 여성들에 의해 인도되고 있다.[46]

나는 선교 분야의 여성 영웅들에 대한 이야기를 즐겨 읽는다. 불가능하고 열악한 환경에서도 여성들은 최선을 다해 일했다. '작은 여인' 으로 알려진 글래디스 아일워즈는 중국에서도 가장 힘든 지역에서 사역했다. 모든 선교 단체에서 그녀를 받아주지 않았기 때문에 그녀는 재정적인 후원 없이 런던에서 기차를 타고 러시아와 중앙 아시아의 전쟁터를 가로질러 중국으로 갔다. 글래디스는 중국에서 담대하다는 평판을 얻게 되었다. 한번은 예수 그리스도 안에 있는 권위 하나만으로 혼자서 난폭한 유혈 폭동이 일어나고 있는 감옥을 찾아가 그들을 진압시킨 적도 있었다.

허드슨 테일러의 두 번째 아내인 제니는 여 선교사들을 이끌고 서구인들이 한번도 찾아간 적이 없는 중국 내륙 깊은 오지로 오랜 기간 동안 전도 여행을 하곤 했었다.[47] 남침례교 선교사였던 라티 문은 1800년대 말에 중국 북부에서 전도, 교회 개척, 원주민 목사 훈련에 크게 성공했기 때문에 그녀의 지도자는 "중국에 있는 한 여인이 결혼한 두 남자의 몫을 해낸다"라고 말했다.[48]

예수님이 여인들을 세우기 위해 무엇을 하셨는지, 그리고 성령님이 부흥과 열렬한 선교의 시기에 무엇을 하셨는지를 돌아볼 때 오늘날 하나님이 부르시는 이들을 세우기 위해 최선을 다하려는 결단을 하지 않으면 안 된다. 우리는 부지중에 사역자들의 힘을 약화시키려는 원수의 계획에 동참하지 않도록 주의해야 한다. 그리고 장애물을 제거하여 새로운 세대가 하나님의 인도하심을 따르도록 해야 한다

예수님이 나사로를 죽음에서 일으키셨을 때 그는 비록 살아서 무덤에서 나왔지만 아직도 수의에 묶여 있었다. 예수님은 주변에 있던 사람들에게 그를 풀어 주어 자유롭게 하라고 말씀하셨다. 나사로는 자유롭게 되기 위해 다른 사람들의 도움이 필요했다. 오늘날 수많은 여성들이 예수 그리스도 안에서 생명을 되찾았지만 아직도 그들은 열등한 존재라는 인간적 전통과 하나님 나라의 고귀한 소명을 감당할 수 없다는 문화적인 수의에 묶여 있다.

예수님이 갇힌 자들에게 자유를 선포하기 위해 이 세상에 오신 지 2천 년이 되었다. 이제는 여인들을 풀어 줄 때다. 지금이 바로 그 때다!

2
무엇을 믿고 있는지 바로 알기

로렌 커닝햄

여인들이 공적인 사역에 종사해야 하는지 아닌지에 대한 질문을 살펴보기 전에 진리에 대한 이해, 해석, 적용에 관한 근거들을 살펴볼 필요가 있다. 믿음이나 관습에 대한 질문 뒤에는 전제 조건이 있다. 만약 부정확한 전제로 시작한다면 이론적으로는 논리를 펼 수 있을지 모르지만 진리가 아닌 결론에 도달할 수밖에 없다.

건전한 전제를 바탕으로 시작하라

마크 트웨인은 인간이 모르는 것이 문제가 아니라 알고 있다고 생각하는 그것이 진리가 아닌 데 문제가 있다고 말했다. 수세기 동안 사람들은 지구가 평면으로 생겼다고 생각했다. 바다를 너무 멀리 항해하면 벼랑 밑으로 떨어지게 될 것이라고 두려워한 것도 당연하다. 처음부터 잘못된 착상, 잘못된 전제였으므로 진리가 아닌 것이다.

성경에서 한 구절만 빼내어 저자의 의도를 지레짐작하고 그 위에 거대한 구조를 세우는 경우에도 동일한 오류를 범할 수 있다. 논리에 맞는 이야기처럼 들릴지는 모르지만 진리에서 벗어날 수 있는 것이다.

우리 모두는 진리를 아는 면에 있어서 아직도 자라나야 할 부분이 많다. 오늘날 생존해 있는 하나님의 사람들 중에서 모든 진리를 다 알고 있다고 주장할 수 있는 사람은 하나도 없다고 생각한다. 바울은 우리가 사물을 부분적으로 알고 있다고 말한다.[1] 성경에서 하나님이 우리로 알게 하시기를 원하는 모든 것을 다 배웠노라고 말할 사람은 아무도 없다.

내가 만일 믿음과 지식에 자라고 있다면 작년 이맘때 알았던 진리보다 더 많은 진리를 지금 알고 있을 것이다. 하나님의 백성은 개인적으로는 구원을 체험하고 공동체로서는 그리스도의 몸으로서 계속 배울 때 변화되어 간다. 하나님은 이 과정을 '말씀으로 씻음을 받아 마음을 새롭게' 하는 것이라고 하신다.[2] 하나님이 말씀으로 우리에게 계시하시면 어떤 행동이나 태도, 심지어는 전생애를 걸쳐 배웠던 중요한 신념조차 바뀔 필요가 있다는 것을 나타낸다.

더 많은 진리를 이해하고 삶에 적용할 때에 이런 경험을 하게 된다. 바울은 우리가 영적인 유대인이며 아브라함의 유업을 물려받을 자라고 말한다.[3] 그러나 우리 중 아무도 행동이나 진리를 아는 면에서 온전한 유업을 물려받기에 합당한 사람은 없다. 다만 성령에 의해 그리스도의 형상에 이르도록 영광에서 영광으로 변해 가는 과정을 거치고 있을 뿐이다.[4]

지식만으로는 충분하지 않다

그리스도인이 되고 난 후에는 진리를 아는 일이 시작되고 예수님의 죽으심과 부활하심을 통하여 하나님의 은혜를 받아들인다. 신자마다 영적 이해의 정도에 차이가 있다. 어떤 사람들은 믿음의 가정에서 자라났지만 그 진리에 순종하지 않았던 이들도 있고 성경에 대한 지식은 적지만 그 진리에 순종했을 때 성령님이 더 많은 이해를 주시는 사람들도 있다. 사람이 해박한 성경 지식으로 구원을 받는 것은 절대 아니다. 그러나 진리에 순종하기 시작할 때에 비로소 하나님과의 관계가 시작된다.

어떤 분야에 있어서 오늘날 우리는 과거에 살고 있던 하나님의 사람들보다 더 많은 영적 이해를 갖고 있기도 하다. 아브라함이 갖고 있던 진리에 대한 지식은 우리보다 적지만 그는 빛에 합당한 삶을 살았기 때문에 하나님이 보시기에 의로운 사람이었다. 에베소서 3:2—13과 골로새서 1:26—27에서 바울은 의로운 사람들에게 감추어져 있었다가 이제 드러난 비밀에 대해 언급하고 있다. 히브리서 11장은 현재 나타난 것들을 보기 전에 세상을 떠난 사람들에 대하여 언급하고 있다. 천국에서 우리는 그들을 만날 것인가? 물론이다. 노아, 아브라함, 룻, 다윗은 당신과 나처럼 구원을 받았다. 예수님이 죄에 대한 온전한 제물이 되실 그때를 소망하며 십자가를 바라보았을 때 그들에게는 구원을 받는 믿음이 있었다.

우리는 과거에 성령님이 계시하셨던 특혜를 누리고 있고 구약 성경과 신약 성경뿐만 아니라 여러 세대에 걸친 하나님의 백성들의 삶과 가르침이 있다. 하나님은 그의 백성들이 진리를 더욱더 이해하도록 수세기에 걸쳐 인도하고 계시다. 예를 들면, 구약이나 신약 성경에서 노예 제도가 분명하게 금지되지 않았던 사실에 대하여 의아하게 여긴 적이 있는가? 왜 그랬을까?

하나님이 계시해 주신 말씀은 그 속에 함축된 의미를 숙고하도록 되어 있다. 생각 없이 성경내용만 반복하는 것은 참된 지식이 아니다. 하나님은 우리가 성경을 숙고하고 내재된 의미를 알기 원하신다. 성경은 진리의 원칙들을 제시하지만 하나님의 백성들이 그런 진리를 어떻게 일상 생활 가운데 적용할지 깨닫는 데는 시간이 걸릴지도 모른다. 성경은 심지어 하나님이 죄를 간과하셨던 무지의 시기에 대해서 언급한다.[5] 다른 말로 하면 하나님은 사회 안에 노예 제도와 같이 바람직하지 않은 것들에 대해 즉각적으로 책망하지 않으셨다. 하나님은 인간에게 진리를 주셨지만 그 말씀이 의미하는 바를 숙고할 책임은 인간에게 있다.

예수님이 세상에 계실 때에 노예 제도를 폐하겠다고 말씀하시지 않으셨다. 그러나 이웃을 내 몸과 같이 사랑하라고 말씀하심으로[6], 노예 제도의 뿌리를 자르셨다. 어떤 사람을 내 몸과 같이 사랑하면서 동시에 그들을 사고 파는 일은 불가능하다. 사실상 당신이 구약에 담긴 함축된 의미를 생각하면서 읽는다면 하나님이 그 당시에 노예 제도를 찬성하지 않으신 것을 인식하게 될 것이다. 하나님은 동일한 진리를 모세에게 계시하셨고 예수님은 그 말씀을 인용하셨다.[7] 모세가 하나님의 백성들에게 이웃을 자신과 같이 사랑하라고 처음으로 말했던 그때부터 노예 제도가 잘못된 것이라는 진리는 존재했으며 하나님의 사람들이 그것을 깨닫기를 기다리고 있었다.

바울은 종들에게 마치 주님을 섬기듯이 상전을 섬기라고 권했다. 얼핏 보면 매우 부당한 것같이 느껴진다. 바울이 노예 제도를 인정하는 것인가? 아니다. 바로 다음에 바울은 "상전들아 너희 종들에게 동일하게 대하라"[8]고 말했다. 사람들을 주님과 같이 섬기면서 동시에 종으로 삼을 수는 없다.

이와 유사한 방법으로 바울은 빌레몬에게 자신의 종이었던 오네시모를 마치 바울을 대하듯이 대하기를 요청하며 형제로 받아들이도록 권했다.[9] 성경에 있는 이 말씀들과 또 다른 말씀들은 수세기가 지난 후 언젠가 노예 제도는 열방을 향한 하나님의 뜻이 전혀 아니었다는 것을 모든 그리스도인들이 이해하도록 할 것이다.

어떻게 의로운 사람들이 문화 전쟁에서 승리하는가

서구 사회의 미디어를 통하여 문화 전쟁(낙태 수술, 안락사, 동성 연애자들의 권리와 같은 문제들에 대한 대중적인 견해)에 대해 많이 듣고 있다. 격렬한 데모, 폭력, 전쟁, 정치적인 방법으로는 결코 사람들의 생각을 변화시킬 수 없다. 예수님은 열방을 제자 삼으라고 말씀하셨다.[10] 이것은 하나님의 백성이 하나님으로부터 배울 때 가능하다. 하나님이 보여주신 것에 맞추어 살면서 진리(소금)의 본이 되고 그 후에 다른 사람들에게 가르쳐서(빛) 따라오도록 한다.

각 개인의 삶이 점점 더 변화되고, 남아있는 의로운 자들의 수가 증가될 때 궁극적으로 한 나라 전체가 영향을 받게 된다. 그리하여 사고가 변화되고 사람들은 어떤 것이 옳고 무엇이 틀린지 받아들이기 시작한다. 예를 들면, 오늘날 대부분의 나라들은 결혼을 한 남자와 한 여자 사이에 이루어지는 것으로 믿고 있다. 성경에는 부인을 한 명 이상 얻는 것이 명백하게 금지되어 있지 않다. 그러나 바울은 한 아내를 갖는 것이 영적 지도자의 기준이라고 말함으로써 하나의 원칙을 계시했다. 그 원칙의 기초—한 남자와 한 여자의 온전한 연합—는 하나님이 남자가 부모를 떠나 한 여인과 연합할 것을 말씀하셨던 에덴동산으로 거슬러 올라간다. 둘은 한 몸을 이루게 되는 것이다.

한 나라가 제자화 되었던 또 다른 예는 전세계가 마침내 노예 제도가 잘못된 것임에 동의한 것이다. 노예 제도는 현대 세계 모든 나라마다 불법으로 되어 있다. 1980년에 노예 제도를 마지막으로 불법화한 국가는 모리타니아였다.[11] 그러나 그렇게 되기까지 너무 오랜 시간이 걸렸다. 하나님의 백성들이 노예 제도가 잘못된 것이라고 항상 믿었던 것은 아니다. 그러나 수세기가 지나는 동안 의로운 지식이 자라나고 확장됨에 따라 사람들의 생각이 변화되기 시작했다. 예수님이 나무 뿌리에 도끼를 대셨지만 합법적인 노예 제도가 마침내 쇠퇴하여 폐지되기까지는 수세기가 걸렸다.

어떻게 한 국가가 자유롭게 되는가

예수님은 "진리를 알지니 진리가 너희를 자유케 하리라"[12]고 말씀하셨다. 의로운 자들이 은혜와 진리 안에서 계속 증가하면 그 사회가 더욱 자유롭게 된다. 먼저는 각 개인이 하나님께 순종하고 깊이 있게 진리를 배워감에 따라 점점 더 자유를 누리게 된다. 그리하여 더 많은 사람들이 진리를 알게 되고 그 진리를 삶에 적용하면 주변 사회가 혜택을 받게 되고 그 땅 안에 평화와 부요함과 자유함이 증가된다. 새로운 형태의 정부가 생겨나 사람들에게 더 많은 권리를 부여한다. 정당하고 공평한 법에 의해 부가 창출되고, 증가되고, 개인에게 더 많이 나누어지게 된다.

세계의 찬사를 받고 있는 서구권 국가들의 번영이야말로 소수의 의로운 사람들이 하나님의 뜻을 깨닫고 실천했던 결과에 기인한다. 스위스, 네덜란드, 그리고 신세계에서 그리스도인들은 정부, 교육계, 상업계의 경건한 모델을 위해 성경을 연구했다. 이런 사람들 중에 1600년대 초기에 종교적인 박해를 피해 네덜란드에 정착했던 영국인들이 있었다. 청교도의 아버지라고 불리웠던 이 분리주의자들(Separatists)은 국가를 다스리는 성경적인 원칙을 찾기 위해 네덜란드인 목사님 밑에서 15년 동안 성경을 공부했다. 그리고 나서 그들은 신세계를 향해 메이 플라워 호에 승선했고 미국을 세우는 일에 현저한 기여를 했다. 그들은 성경에서 배운 것을 가정과 학교, 시장, 정부에 적용했다. 그들이 세웠던 의로운 기반이 비록 공격의 대상이 되고 있기는 해도 아직까지 수많은 사람들이 그 노력의 결과로 얻게 된 열매들을 즐기고 있다.

이것이 나라 전체와 모든 문화권이 변화될 수 있는 방법이며 예수님이 말씀하신 것이다. '모든 족속에게 가서 너희에게 분부한 모든 것을 가르쳐 지키게 하라.'[13] 하나님은 항상 소수의 무리인 의로운 남은 자들을 사용하신다. 예수님은 의로운 소수의 무리를 사회의 전역에 퍼지는 누룩에 비유하셨다.[14] 필요한 경우 우리 삶을 희생하더라도 진리를 삶에 적용하는 의로운 남은 자가 되도록 부르심을 받았다.

아브라함이 도착했던 가나안을 생각해 보자. 그 땅 전체가 우상 숭배로 가득 차 있었다. 가나안 사람들이 행한 흉악한 관습 중 하나는 거대한 석상으로 만들어진 몰렉을 숭배하는 것이었다. 사람들은 우상이 매우 뜨거워 질 때까지

불을 피웠다. 부모들은 우상의 배에 뚫린 구멍 안에 자신들의 갓난아기들을 갖다 놓고 아기들이 비명을 지르며 불에 타 숨지는 동안에 몰렉을 숭배했다. 이보다 더 처참하고, 나쁜 문화적 풍습과 신앙을 상상할 수 있겠는가?

가나안은 동성애와 온갖 종류의 성적 변태가 용납되고 만연했던 땅이었다. 어떤 부족들은 성병으로 부족 전체가 말살되기도 했다. 아브라함이 그 땅을 소유하여 그 땅을 축복의 땅으로 변화시키는 것도 하나님의 뜻이었다. 하나님의 의로운 자가 의로운 행동을 모범으로 보여주고, 하나님의 계시된 진리에 위배되는 문화적인 신념과 맞서고, 잃어버린 사람들을 그리스도와 그분의 길에 따르도록 설득할 때, 땅이 축복을 받게 된다.

유럽에서는 한 여인에 의해 시작되었다

하나님의 의로운 자의 또 다른 예는 로마 제국의 희랍 도시며 암흑 도시였던 빌립보에서 바울을 만난 루디아였다. 루디아는 바울에게 길을 터준 사람이었다. 그녀는 진리를 향해 마음을 열었던, 유럽에서 최초로 바울이 전도했던 사람이 되었다. 그후 곧 다른 사람들이 루디아와 합세하게 되었고 빌립보를 위한 의로운 자들이 되었다.

여러 세기를 걸쳐서 성령님은 하나님의 사람들이 진리를 더 많이 알고 명확히 이해하도록 인도하신다. 교회가 제 방향을 잃을 때마다 하나님은 충성된 증인을 보내 돌이키도록 하셨다. 이와 같은 궤도 수정의 하나는 면죄부(자신이나 혹은 사랑하는 사람들이 연옥에서 지내야 하는 시간을 줄이기 위한 표를 구입하는 것)를 통해 구원을 살 수 있다고 생각했던 시대에 이루어졌다. 하나님은 마틴 루터라는 사람에게 말씀하셨다. 루터는 무릎을 꿇고 참회하며 죄를 용서받으려 했다. 갑자기 하나님이 그에게 말씀하셨고, 루터는 "의인은 믿음으로 말미암아 살리라"[15]는 성경 구절을 이해하게 되었다. 루터를 통해서 많은 사람들이 구원은 돈으로 살 수 없음을 알게 되었다. 개신교와 천주교에 종교 개혁과 그 외의 다른 부흥 운동들이 뒤를 이어 일어났고 잘못된 믿음과 행동들이 수정되었다.

하나님을 사랑하면 모든 사람이 혜택을 누린다

역사에 걸쳐 부흥은 진리에 대한 새로운 이해를 가져왔고 여러 가지 개혁을 일으켰다. 스위스의 제네바에서 존 칼빈은 비단 엘리트들뿐만 아니라 모든 계층의 사람들을 위한 교육을 시작했다. 만일 모든 사람들이 하나님을 더 잘 알기 위해서 성경을 읽어야 한다면 먼저 글을 읽을 수 있어야 한다. 칼빈은 또한 사회의 다른 영역에도 성경적인 진리들을 적용했다. 그의 가르침은 중산층의 성장과 경제 개혁을 일으켰다. 모든 직업이 거룩한 것이라고 가르쳤고 이런 개신교의 직업 윤리는 유럽 전역이 번영하게 되었고 미국의 초기 개척자들에게 강력한 영향을 주었다.[16]

앞에서 노예 제도를 폐지하기 위한 움직임을 언급한 바 있다. 이 움직임은 웨슬리 형제와 조지 윗필드에 의해 주도된 부흥 운동 시기인 18C의 마지막 해에 시작되었다. 윌리엄 윌버포스는 이와 같은 영적 각성기에 마음이 움직였던 청년이었다. 그는 노예 제도를 폐지시키는 데 삶을 헌신하겠노라고 주님께 서원했다. 그의 기도 모임에서는 그가 의원에 당선되도록 수년 동안 기도했다. 드디어 의원에 당선되었을 때 그는 자신의 주장을 30년 동안 고수했다. 노예 제도가 경제에 너무나 중요했기 때문에 아무도 그의 말을 들으려 하지 않았으나 수십 년 동안 해마다 윌버포스는 의회에서 노예를 해방시키는 법을 통과시킬 것을 촉구하는 연설을 했다. 비록 사람들이 처음에는 비방했지만 도덕적인 문제가 경제적인 문제를 압도했다. 윌버포스가 죽은 다음해에 드디어 노예 제도를 폐지하는 법이 통과되었다.

수십 년 뒤에 미국에서는 찰스 피니의 사역으로 부흥이 일어나기 시작했다. 초기의 노예 폐지론자들은 이와 같은 부흥에 깊이 영향받은 사람들이었다. 아브라함 링컨은 노예 제도에 반대하던 피니의 메시지에 감동을 받았지만 많은 미국인들에게는 경제적인 관심이 도덕적인 관심보다 컸다. 남북 전쟁이 일어난 이후에 링컨 대통령이 해방 선언에 서명함으로 마침내 미국의 노예들도 해방되었다.

18C와 19C의 부흥으로 말미암아 또 다른 개혁들이 일어났다. 미성년자 노동의 처참한 상황에 사람들이 눈을 돌렸다. 그리스도인들이 반대하기 전에는 어린아이들이 영국의 탄광에서 여러 시간 동안 지하 수백 피트의 갱도에서 무거운 탄을 끌어나르는 일을 했었다. 갱도가 갑자기 무너져 값비싼 말들이 죽을 염려가 있었기 때문에 어린이들이 말을 대신해 사용되었다. 짐승들은 값비쌌지만 아이들은 값싼 존재였다.

개혁가들은 또한 정신병원과 감옥에서 인도적인 대우를 해야 한다고 믿었다. 만약 인간이 하나님의 형상대로 지음을 받았다면 어떤 사람도 더러움이나 고통 가운데 버려져서는 안 된다. 증가되는 알코올 중독에 대항하여 싸운 사람들도 있었다. 윌리엄 부스 사령관과 구세군이 이같은 악에 대항하기 전 영국의 술집에는, 어린아이들이 술집의 높은 의자에 올라앉아 독한 술을 주문할 수 있는 발판까지 되어 있었다.

1819년 스위스 제네바에서 일어난 영적 각성으로 인해 앙리 듀낭은 전사자와 전쟁 포로에 관하여 양심에 찔림을 받았다. 그때까지만 해도 부상자들은 전쟁터에서 죽어가도록 방치되었다. 듀낭과 같은 교회의 몇 친구들은 국제 적십자사의 전신인 행동대를 구성했다. 하나님의 백성들이 전쟁터로 나가서 부상당한 사람들을 도와야겠다고 느끼기까지 얼마나 많은 세기가 걸렸으며 얼마나 많은 사람들이 죽도록 방치되었는가?

소수의 의견

새롭게 발견된 또 하나의 예는 지상 대명령이다. 18C 독일에서, 지상 대명령을 새롭게 인식하게 되었다. 예수님은 이미 지구상에 있는 각 사람에게 복음을 전하라고 명령하셨다. 세계의 많은 지역이 복음화되지 않았지만, 당시 대부분의 개신교도들은 기독 세계 안에 안주하려고 생각했었다. 그러다가 독일 내에 종교 박해를 피해 들어온 모라비안들이 교회가 마태복음 28:19—20, 마가복음 16:15, 그리고 성경에 있는 많은 다른 구절들에 순종해야 하는 의미를 이해하게 되어 선교사로 나가기 시작했다. 어떤 이들은 서인도 제도의 노예들에게 복음을 전하기 위해 스스로를 노예로 팔기도 했다.

윌리엄 캐리라는 한 젊은 청년은 모라비안 선교사들에 대한 글을 읽고 하나님이 자신에게 복음을 들고 인도로 가도록 부르시는 것을 확신하게 되었다. 캐리는 영국에 있는 교단 지도자들을 찾아가서 선교회를 설립하는 것을 인정해주기를 요청했다. 그때 지도자 중 한 사람이 "젊은이, 앉게. 하나님이 이방인들이 복음화되는 것을 원하시면 자네나 나에게 부탁하지 않고 그분이 알아서 하실 걸세"라고 말했다.[17] 캐리와 같은 믿음을 가진 사람들 후원이 없이도 캐리는 인도로 떠나갔다. 다른 사람들이 캐리의 순종의 모범을 따랐고 계속적으로 선교사들이 중국, 태평양 제도, 인도, 아프리카, 남아메리카로 파도와 같이 퍼져갔다. 한 젊은이가 외롭게 혼자 믿었던 사실들을 급기야 교회들이 믿기에 이르렀다.

사회 개혁을 위한 공식은 바로 이것이다. 부흥으로 사람들은 죄를 깨닫고 회개한다. 그 후에 하나님이 그들에게 더 많은 깨달음을 주신다. 그 깨달음에 순종하여 더 큰 자유, 기쁨, 성취감을 갖게 된다. 이것은 또한 성령이 주시는 더 큰 깨달음으로 인도한다.

노예 제도가 철폐되기까지, 아동 노동과 술 중독의 처참함이 드러나기까지,

혹은 지상 대명령이 심각하게 받아들여지기까지 왜 여러 세기가 걸렸을까? 아마도 교회인 그리스도인들이 하나님의 말씀인 진리를 직시하지 않으려 했기 때문일 것이다. 주님이나 하나님의 말씀에 귀를 기울이기보다는 오히려 문화와 전통에 귀를 기울였었다.

여성들의 권리는 어떻게 되었나?

19C 미국에 있었던 부흥 운동으로부터 이끌어져 나온 또 하나의 개혁은 여성들에게 투표권을 준 참정권 운동이었다.[18] 70여 년의 투쟁 끝에 1920년 미국에서 드디어 여성들에게 정치적 지도자들을 선택할 수 있는 투표권이 부여되었다. 다른 여러 국가의 여성들에게는 이미 투표권이 있었다. 내가 아는 한 기독교 원리에 근거한 모든 국가들이 여성들에게 투표권을 부여하고 있다.

여성들에게 대학 진학의 문이 열리면서 의사, 과학자, 변호사가 될 수 있는 다른 권리들도 부여되었다. 여권 운동은 19C의 기독교 부흥 운동으로 시작되었음에도 불구하고 최근에 여권 운동가들은 교회를 최대의 적으로 간주하고 있다는 사실은 아이러니가 아닐 수 없다.

절대적인 진리와 상대적인 언급

성경에는 절대적인 진리와 함께 상대적인 언급, 곧 특정한 시기, 장소, 상황에 관련된 교훈이 나온다. 고린도전서 11:14은 만일 남자가 머리를 길게 기르면 욕되다고 말한다. 이것은 세계 전역에 있는 남자들을 대상으로 시대를 초월한 절대 진리인가? 만약 그렇다면 하나님이 삼손을 특별히 부르시고 그 표적으로 머리를 기르라고 하신 것은 어떻게 설명해야 하는가?[19]

남자의 머리 길이에 관한 바울의 가르침은 성경의 상대적인 진술의 한 예다. 바울은 특정 시기의 문제에 관하여 언급한 것이다. 여러 가지 세부적인 것들이 시간이 지나면서 상실되었지만 당시 그 문화권 안에 있던 사람들에게는 바울의 가르침이 중요했다.

문화적인 신념에 있어서 인간의 태도는 확고부동하다. 사람들이 믿고 있는 것들의 대부분은 성경에 근거한 것이 아니라 문화에 근거하여 어렸을 때 배운 것들이다. 그리스도인들은 종종 성경의 절대성에 대한 불순종보다는 오히려 문화와 상충되기 때문에 더 크게 분노한다. 예를 들어, 미국의 그리스도인들이 욕설에 대해서는 경악하면서도 하나님의 이름을 망령되이 일컫는 것에 대해서는 그다지 충격을 받지 않는 것은 슬픈 일이다. 미국의 텔레비전 프로그램 검열관이 신체적인 욕설에 대해서는 검열하면서도 십계명에 금지되어 있는 하나님의 이름을 모욕하는 상투적인 표현들은 사람들에게 불쾌감을 주지 않으므로 방영해도 좋다고 여긴다.

문화적인 면을 경솔히 하면 사람들의 반감을 사게 된다. 그로 인해 종종 복음을 전할 기회를 잃어버린다. 바울이 고린도에 있는 사람들에게 언급하고 있는 것은 바로 그 점으로, 남자가 머리를 길게 기르는 것이 문화적으로 용납되지 않는 일이기 때문에 예수님을 욕되게 한다는 것이다.[20] 만일 바울이 고대 고린도에 살고 있던 그리스도인들이 아니라 태국에 살고 있는 그리스도인들에게 말하고 있었다면 아마도 다리를 포개고 발끝으로 어떤 사람을 가리키는 행위는 예수님을 욕되게 하는 것이라고 말했을 것이다. 긴 머리에 관한 언급은 특정한 장소와 시기에 행해지던 특정한 문화에 관련된 언급이다.

율법주의의 함정

성경에는 행동, 옷차림, 예배 방식, 음악 스타일, 혹은 건전한 오락 등에 관련하여 인간이 당면하는 모든 문화에 적용될 수 있는 만병통치약과 같은 관례를 제시하고 있지 않다. 인간이 성경에 나와 있는 상대적 진리를 절대적인 것으로 만들려고 시도할 때마다 결과적으로 율법주의에 빠졌다.

율법주의는 때로 우스운 결과를 자아내기도 한다. 내가 달린과 결혼한 후에 이 점을 깊이 실감했다. 우리가 새로운 나라에 도착하게 되면 그곳 선교사의 부인들이 달린에게 주의할 점들을 알려주었다. 달린은 소매 없는 드레스를 입지 말아야 했다. 그녀의 짧은 머리 또한 문제가 되었지만 달린은 가발을 사용하여 감추었다. 그러다가 어떤 여인이 달린의 머리 길이에 대해 궁금해 했다. "커닝햄 부인, 도대체 머리가 얼마나 긴가요?" 라고 그녀가 물었다.

달린은 깔고 앉을 수 있을 정도로 길다고 그녀에게 말했다. 그 여인은 고개를 끄떡였다. 그러자 달린은 한술 더 떠서 자신의 머리카락을 밟고 설 수도 있다고 말했다! 그 여인은 부러워서 눈이 휘둥그레졌다. 이제 달린은 진실을 밝히고 싶은 마음에 "사실, 나는 내 머리를 방 저쪽으로 던져 버릴 수도 있어요!" 라고 말해버렸다.

선교사들이나 그들을 파송했던 교회들은 위와 같은 점들을 믿지 않으면서도 40년, 50년, 혹은 60년 전 선교사들에 의해 만들어진 규칙을 준수하지 않으면 안 된다. 그리하여 그와 같은 규칙들이 절대적인 것이 되어버렸다. 어떤 여자가 소매 없는 드레스를 입거나 머리를 짧게 하면 천국에 들어갈 수가 없다고 생각할 정도다.

바리새인들은 성경을 사랑하던 사람들이었다. 말씀에 충실한 사람들이었고 그들보다 더 많이 성경을 암송했던 유대인들은 별로 없었다. 그렇지만 바리새인들은 여전히 진리를 알지 못하고 있었다. 그것은 성경이 진리가 아니기 때문인가? 절대로 그렇지 않다. 하나님의 성령에 귀를 기울이지 않은 채 성경을 공부하면 율법주의와 영적 죽음에 이를 수 있다. 바리새인들은 진리이신 예수님을 대면해 보면서도 진리를 깨닫지 못했다. 글로 적힌 의문의 법은 사람을 죽이는 것이었다.[21] 그들은 하나님의 성령이 말씀을 열어 주실 때 얻을 수 있는 생명이 없었다.

자유주의의 함정

사람들이 성경에 있는 절대 진리를 시대에 맞추기 위해 변경시킬 때는 반대의 위험이 벌어진다. 세상이 진리를 정의해 주기를 기대해서는 안 된다. 하나님의 진리는 하나님의 본질 곧, 그의 성품에서 나오기 때문에 절대적이며 변하지 않는다. 야고보서 1:17절에 의하면 하나님은 회전하는 그림자조차 없으시다.

절대적인 진리를 상대적인 것으로 만들 때 자유주의에 빠지게 된다. 극단적인 실례로는 현대 신학자들이 모여서 복음서의 어떤 성경 구절이 진리인가를 놓고 투표하는 예수 세미나다. 성경은 하나님의 말씀이 헛되지 않게 하라고 말씀하고[22] 누구든지 그와 같은 일을 하는 사람은 큰 벌을 받는다고 경고한다.[23] 문화를 성경을 판단하는 기준으로 삼아서는 안 된다. 오히려 문화를 판단하는 기준으로 성경을 사용해야 한다.

그렇다면 성경의 어떤 말씀이 절대적인 것이며, 특정한 시기, 장소, 상황에 대한 상대적인 말씀은 무엇인지 어떻게 알 수 있는가? 성령님이 모든 진리 가운데로 인도하실 것이라고 예수님은 말씀하셨다.[24] 예수님은 하나님을 순종하는 일에 헌신된 마음을 갖고 있는 사람들은 진리를 깨달을 것이라고 말씀하셨다.[25]

믿음이나 실천에 관한 문제들을 고려할 때 당신이 따라야 할 두 가지 기본적인 지침이 있다.

첫 번째 지침, 하나님을 알라

새로운 진리라는 것은 절대로 존재하지 않는다. 진리는 인격체이신 하나님으로부터 나온 영속적인 것이다. 성경이 쓰여지도록 영감을 부여하신 하나님이 절대적인 기반이시다. 성경을 처음부터 끝까지 알고 그대로 따르려고 노력할지라도 바리새인들처럼 여전히 불신자로 남아있을 수 있다. 글로 쓰여진 법은 죽음을 가져온다. 성령님은 생명을 주신다. 하나님이 계시기 이전부터 성경이 존재한 것이 아니라 성경이 존재하기 이전부터 하나님이 계셨다.

성경 공부가 우상이 되어서 성경의 하나님으로부터 멀어지게 되는 일까지도 생길 수 있다. 성경에 드러난 하나님과 그분의 성품이 진리의 기초다. 그러므로 성경이 "내가 거룩하니 너희도 거룩하라"[26]고 말씀하시면 당연히 거룩해야 하는 것이다. 성경은 또한 하나님은 "그 모든 행위에 의로우시며 그 모든 행사에 은혜로우시도다"[27]라고 말한다. 의롭고 자비함은 하나님의 성품이다. 공의 또한 하나님이 중요하게 여기신다. 하나님은 재판관들의 법정에 함께 계시며 그들이 공의를 행하는가 보고 있다고 말씀하신다.[28]

하나님을 알면 알수록 성경과 성경의 원칙들을 어떻게 일상 생활에 적용할 수 있는가를 더욱 이해하게 된다. 이것이 성경을 읽을 때 하나님이 계시해 주시기를 구하며 겸손한 마음으로 읽어야 하는 이유다. 하나님은 인간에게 자신의 말씀을 계시해 주시려고 기다리고 계신다. 새로운 진리라는 것은 존재하지 않지만 성경에 항상 존재하던 진리에 대해 새로운 이해를 얻을 수는 있다.

두 번째 지침, 성경을 이해하기 위해 성경을 사용하라

절대로 어떤 성경 구절을 따로 독립시켜서 판단하면 안 된다. 개별적인 문제에 관한 결정을 내리기 위하여 오히려 성경 전체를 관찰해야 한다. 하나님과 그분의 성품에 관해 아는 것을 가지고 한 성경 구절을 다른 성경 구절에 비추어 살펴보는 것이다. 이 성경 구절이 하나님을 공의롭지 않거나, 지혜롭지 않거나 혹은 자비롭지 않은 분으로 표현하고 있지는 않은가? 이것은 있을 수 없는 일이다. 왜냐하면 하나님은 언제나 공의로우시고, 지혜로우시며 사랑이 많으신 분이라는 것을 알기 때문이다. 성경 전체가 그것을 보여준다. 만약에 어떤 특정한 성경 구절이 그와 대치되는 모습을 그리고 있다면 문제는 분명히 인간의 해석에 있다. 하나님과 그분의 말씀은 완벽하지만 그분의 말씀에 대한 인간의 해석은 때로 그렇지 않기 때문이다.

하나님의 다른 성품들도 마찬가지다. 하나님은 결코 거짓되거나 불의하지 않으시며, 신실하시고 자비하시다. 바울은 디모데에게 어떻게 진리의 말씀을 정확히 분변하는지 배우라고 말했다.[29] 만일 하나님의 진리를 정확하게 다룬다면 성경의 말씀이 하나님의 성품과 대치되는 경우는 절대로 없을 것이다.

하나님은 여성들에게 불공평하셨는가?

바울은 고린도전서 14:34에서 "여자는 교회에서 잠잠하라 저희의 말하는 것을 허락함이 없나니 율법에 이른 것같이 오직 복종할 것이요"라고 말했다. 바울이 절대적인 진리에 대하여 언급한 것인가, 아니면 상대적인 말씀으로 고린도에 있는 교회들이 당면하고 있던 특정한 상황을 고치기 위해 가르쳤던 것일까?

만일 바울이 여자들이 교회에서 잠잠해야 한다는 것이 절대적인 진리라고 언급하였다면 성령님이 요엘서를 통하여 "그 후에 내가 내 신을 만민에게 부어 주리니 너희 자녀들이 장래 일을 말할 것이며…내가 또 내 신으로 남종과 여종에게 부어 줄 것이며"[30] 라고 하신 말씀과 분명히 상충된다. 베드로 역시 성령 강림절에 하나님의 약속인 이 성경 구절을 인용하고 있다.[31]

만약 바울이 여자들이 언제나 잠잠해야 한다고 말하고 있었다면 그는 자신의 말과도 상충되는 발언을 하고 있다. 문제의 성경 구절보다 불과 석장 앞선 고린도전서 11:5에서 바울은 여자들에게 기도하고 예언하라고 권하고 있다. 요한계시록 19:10에 의하면 예언은 예수님을 대중 앞에서 증거하는 것이다. 고린도전서 14:3에서는, 예언은 덕을 세우며(가르치며), 권면하며(바로잡고),

안위하는(격려하는) 것이라고 설명한다. 바울이 여자들에게 어떻게 기도하고 예언할 것인지를 말한 이유는 여자들이 공적인 자리에서 이같은 일을 해야 한다고 생각했기 때문이다.

만약 바울이 여자들은 어떤 장소를 막론하고 교회에서 잠잠해야 한다는 것을 절대 진리로 주장했다면 여자들이 교회 안에서 하는 모든 것에 적용했어야 한다. 여자들에게는 가르치는 일뿐만 아니라 노래, 소리내어 기도하는 것, 간증, 심지어 광고하는 것까지 금지되었어야 한다. 설교자의 말씀을 듣고 웃어서도 안되고, 기침하거나 발로 부스럭거려서도 안 될 것이다! 얼마나 우스꽝스러운 일인가? 절대적인 진리라고 가르쳐졌던 것 하나를 성취하기 위해 여인들이 겪어야 했을 고충을 짐작해 보라.

소피 멀러가 그 한 예다. 그녀는 1940년대 말에 콜롬비아에 선교사로 갔다. 그녀는 오리노코 강과 아마존 강이 만나는 지역에서 사역하며 적어도 500개 이상의 교회를 개척했다. 그러나 여자는 교회 안에서 가르칠 수 없다고 배웠기 때문에 그녀는 교회 밖에서 새신자들을 가르쳤다. 비가 오는 날이면 이 귀한 개척자는 처마 밑에 기대 서서 학생들을 가르쳤다. 과연 그렇게 했어야만 되었을까? 교회는 건물인가? 물론 아니다. 교회는 바로 사람이다.

또한 지금도 경건한 삶의 고전으로 여겨지는 많은 책들을 쓴 중국의 성경교사 워치만 니의 경우를 보라. 그는 도라 유라는 중국인 여성 전도자의 가르침을 통하여 전도를 받았고 자신에게 성경 말씀을 가르쳐 주었던 다수의 경건한 중국 여인들과 서양의 여 선교사들에 의해 강한 영향을 받았었다.[32] 그러나 후에 워치만 니는 여자들이 가르치는 것과 말씀 전하는 것을 금했던 외부 그리스도인들의 가르침을 받았다. 그가 여성 설교자들을 반대했던 이같은 가르침을 일시적으로 받아들인 결과로 중국에서 다수의 유능한 여 전도자들의 활동이 중단되었다. 그러나 유능한 여성 전도자가 다른 여자들에게 성경을 가르치는 것을 경청하기 위해 남자들이 커튼 뒤에 숨어있던 경우도 있었다고 한다.[33] 남자들이 커튼 뒤에 숨어서 여자가 성경을 가르치는 것을 필기하고 나서 다른 사람들을 가르치기 위해 나가는 것을 상상할 수 있겠는가? 여성으로 하여금 남자들을 가르치도록 허락하는 것보다 오히려 그 여인의 가르침을 표절한 행위가 더 종교적인 것으로 간주되었다!

하나님의 말씀에 인간의 규칙을 더할 때 복잡해진다. 율법주의는 종종 믿기 어려울 만큼 정신적인 곡예를 하게 한다. 예를 들어, 십계명은 안식일을 거룩하게 지키라고 명령한다. 십계명은 때와 장소에 상관없이 모든 사람에게 절대적인 진리라는 사실에 대해 모두 동의할 것이다. 그러나 하나님이 일곱 번째 날에 안식하고 거룩하게 지키라고 말씀하신 의미는 무엇일까?

유대 랍비들은 수세기에 걸쳐서 이 계명을 지키려고 정교한 지침을 마련했다. 안식일에 일할 수 없었는데 그것은 무엇을 의미하는 것이었는가? 여행하는 것이 일로 간주되었기 때문에 그들은 '안식일 거리'라고 불리는 해결책을 생각해 내었다. 어떤 거리는 여행할 수 있었지만 그 이상의 거리를 여행하는 것은 허락되지 않았다. 만약 그 이상을 여행한다면 일로 간주되어서 죄를 범하는 것이었다.

사람들이 랍비에게 "도대체 무슨 말이지요? 어디로부터 걷는다는 말입니까?"라고 물었다. 교사들은 각자의 집으로부터 한정된 거리는 걸을 수 있다고 결정했다. 또 다른 사람이 "그러면 빵 장사는 어떻게 하지요? 그는 집을 따로 가지고 있지 않고 가게 위층에 살고 있습니다"라고 말했다. 랍비들은 안식일에 할당된 여행 거리는 개인의 재산으로부터 계산하는 것이라고 규명했다.

그 후 유대인들은 죄를 범하지 않으면서 안식일 이후에 제일 먼저 자신들의 상품을 시장에 가져갈 수 있는 방법을 발견했다. 농부는 곡식 한 묶음을 가지고 안식일에 갈 수 있는 거리까지만 가서 곡식을 내려 놓고 다시 되돌아갔다. 이와 같이 물건을 내려놓고 또 가지러 되돌아가는 과정을 되풀이하는 것이다. 그렇게 실제적으로는 먼거리를 오고갔음에도 죄를 전혀 범하지 않고 안식일 다음 날 아침 일찍이 시장에 도착할 수 있게 된다. 성경에서 하나님이 의도하신 바를 인간의 설명이나 법대로 고집하기 위해 그 사람이 얼마나 먼 거리를 돌아가야 했는지 생각해 보라.

여자들은 교회에서 잠잠하라는 바울의 교훈과 관련하여 어떤 결론을 내려야 하는가? 바울은 단순히 혼잡한 교회의 질서를 회복하려고 했다. 아마도 교육을 받지 못했거나, 무지한 여자들이 질문을 던짐으로 혼잡을 일으켰는지도 모른다. 바울은 그들에게 기다리라고 말하고 집에 가서 남편에게 물어보라고 말하고 있다. 이 책의 다른 저자인 데이비드는 앞으로 14장과 15장에서 이 성경 구절들을 깊이 있게 다루면서 이 구절 전체에 대한 바울의 의도가 질서 회복이었다는 것을 밝히게 될 것이다. 바울은 여자들에게 장소와 때를 불문하고 절대로 조용히 할 것을 요구하고 있는 것이 아니다.

그리고 희랍이나 로마의 법과 문화에 정면으로 대적하고 있는 것도 아니다. 바울은 예수님과 동일한 방법을 취하여 문화의 범주를 침범하지 않으면서도 언젠가는 그 문화를 완전히 변화시킬 진리에 근거한 원칙을 세우고 있다. 그리하여 여자들에게 교육이 허락되고 강단에 서서 하나님의 말씀을 전파할 수 있는 원칙을 정립했다.

성별에 관한 하나님의 절대 진리는 무엇인가?

혼돈을 일으킨 성경 구절들을 이해하는 데 있어 지금까지 배운 것들을 바탕으로 성별과 사역의 문제를 살펴보자. 하나님을 앎으로써 이해력이 증진되고, 한 성경 구절을 다른 성경 구절들에 비추어 판단함으로써 진리를 바라볼 수 있게 한다(이에 대해 데이비드는 공적인 사역에 종사하고 있던 여성들을 당혹하게 했던 구절들을 검토하면서 자세히 다룰 것이다). 그렇지만 지금은 스스로에게 물어 보라. 남자와 여자에 관한 지침이 되어야 할 하나님의 절대적인 원칙은 무엇일까? 그것은 동등함이다. 절대적인 남녀 동등이다.

아버지 되신 하나님과 아들 되신 하나님, 그리고 성령이신 하나님과의 관계에서 보여주시는 모델은 무엇인가? 동등함이다. 삼위 안에는 수직적인 권력 체계가 존재하지 않으며 오직 절대적인 동등함이 있을 뿐이다.[34]

복수 연합인 엘로힘의 하나님이 자신의 형상을 따라 남자와 여자를 창조하셨던 당시 에덴 동산 안에서는 무엇이 성립되었는가? 동등함이었다.

성경 전체를 통틀어 절대로 상충되지 않는 절대적 진리는 무엇인가? 동등함이다. 남자와 여자가 동등할 뿐만 아니라 인종, 배경, 지위, 소유물에 상관없이 모든 사람 사이가 동등함을 의미한다.

사람들은 인류 역사의 시초부터 모든 사람들이 동등한 가치를 지니고 있다는 이 원칙을 위배해왔다. 창세기에서 사람들은 탑을 쌓기로 결정했다. 오늘까지 탑을 쌓고 있지만 이 탑은 바벨탑보다 훨씬 교묘하다. 우리의 탑들은 어떤 특정한 사람들을 다른 사람들보다 더 가치 있게 보는 수직 권력 체계나 피라미드 도표, 혹은 조직 같은 것이다. 수직적인 구조가 하나님이나 그분의 말씀에 근거하는 것이 아니라, 교만과 자기 주장에서 시작되며 불공평으로 끝나게 된다.

수직적인 권력 체계는 희랍과 인본주의에서 유래되었다. 심지어 창세기 3장의 "하나님과 같이 되어"라는 인류를 향한 사탄의 첫 유혹마저도 인간이 자신을 옹호하고 높여야 한다는 것을 제의했다. 이와 같은 유혹을 거절하지 않으면 안 된다. 독특한 인격과 상이한 재능, 부르심, 기능을 소유하고 있지만 인간은 동등한 가치를 지니고 있다. 출애굽기 18장에서 하나님이 인류의 법 체제를 세우신 것은 필요에 의한 것이다. 악하고 불완전한 세상 안에 질서를 확립하기 위하여 특정한 사람들을 세우셔서 다른 사람들을 통제하도록 하셨다. 가정을 이끌어 나가는 부모나 교회를 위한 지도자, 혹은 정부의 지도자들로 지구 위에 권위를 세우신 것은 인간의 기능을 발휘하는 데 있어서 필요하기 때문이다. 그러나 기능과 가치를 혼동해서는 안 된다.

인간의 가치는 하나님 앞에서 동일하다. 삼위께서 인간에게 주셨고 하나님의 말씀으로 주신 인자와 겸손을 의식적으로 본받으며 그러한 길을 걸어야 된다. 예수님은 섬기기 위해 서로의 발을 씻기라고 가르치셨다. 남자와 여자의 절대적인 동등, 이것이 그리스도의 몸, 그리고 궁극적으로는 모든 사회와 나라를 다스리는 원칙이다.

남자와 여자는 하나님의 형상을 따라 창조되었다. 예수님은 십자가에서 죽으심으로 남자와 여자를 위해 최상의 대가를 지불하셨다. 하나님은 남자만이 아닌 세상 모든 사람을 이처럼 사랑하사 독생자를 주셨다. 영혼은 모두 동일하다. 한 남자의 영혼이 한 여자의 영혼보다 더 중요한 것은 아니다. 하나님께는 여자와 남자가 절대적으로 동등하기 때문에 인간인 우리 역시 여자를 동등하게 대해야 한다.

남자와 여자는 결혼을 통하여 한 몸을 이루며 아울러 한 영이 된다. 이같은 원칙을 교회 안에 적용할 때 바울이 에베소서 4장에서 언급한 것처럼 한 믿음과 한 몸으로 하나 됨을 얻게 될 것이다. 그 후에 그리스도와 하나님의 왕국을 위해 영향을 미치는 성도와 세상이 세워지는 것을 목격하게 될 것이다.

이것이 바로 하나님의 절대 진리다.

3
당신의 은사와 소명

로렌 커닝햄

던컨 캠블은 1950년대 스코틀랜드의 헤브라이드 제도에서 일어났던 역사상 극적인 부흥 운동 중 하나를 목격했다. 북구의 긴 한 여름밤에 캠블 형제는 작은 교회에서 방금 모임을 마친 사람들이 선착장을 가로지르며 집으로 돌아가는 것을 바라보고 있었다. 갑자기 사람들이 보이지 않는 파도처럼 그들을 덮는 죄를 깨달음으로 말미암아 고꾸라지며 하나님께 큰 소리로 회개하는 것이 보였다. 그날 밤에 시작된 성령님의 역사하심은 헤브라이드 전역을 휩쓸었다. 캠블과 그의 동역자들은 영적인 각성 운동이 일어났던 수개월에 걸쳐 놀라운 일들이 일어나는 것을 목격했다. 캠블은 나의 친구가 되었고 종종 국제 예수전도단의 훈련 학교에서 말씀을 전했다. 우리는 함께 헤브라이드 제도 전역을 여행하며 사역했다. 그는 오순절 날과 같이 하나님이 초자연적인 바람으로 흔드셨던 건물 안에 있었던 자신의 경험을 나에게 말해 주었다.

헤브라이드 제도에서 일어난 부흥 운동에 대한 간증을 듣기 위해 많은 교회들이 캠블을 초청했다. 그 중에서 캠블이 율법주의적인 교회로 알려진 런던에 위치한 한 교회에 초대된 적이 있었다. 모임이 끝난 후 장로들이 캠블을 따로 불렀다. 캠블이 바바스 섬에서 최근에 있었던 하나님의 극적인 역사하심에 대해 간증을 하지 않은 이유가 무엇인지는 모르지만 그들은 실망했다고 말했다.

캠블이 대답했다. "제가 그 간증을 하는 것을 여러분들이 원하지 않으리라고 생각했기 때문입니다." 헤브라이드 제도에서 큰 역사가 일어났기에 그들은 그 이유가 무엇인지를 물었다.

캠블이 대답했다. "제가 그곳에서 일어났던 일에 대하여 간증하지 않았던 이유는 하나님이 사용하셨던 사람이 제가 아니었기 때문입니다. 하나님이 사용하셨던 두 명의 동역자들은 자매들이었습니다."

"아, 예…" 장로들은 할 말을 잃었고 얼마 후 대표 장로가 웃으면서 말했다. "하나님이 한때 당나귀도 사용하셨다면 여자도 사용하실 수 있겠지요!"[1]

그 장로는 긴장감을 풀려고 농담을 했지만 함축되어 있는 의미는 참으로 슬픈 것이다. 부지중에 여자들은 짐승보다는 약간 나은 인간 이하의 존재라고 말했던 아리스토텔레스의 희랍 교육을 되뇌이고 있는 것이었다.

하나님이 공적인 사역에 여자들을 사용하실 수 있는가? 이런 질문을 던지는 사람들은 실상 하나님이 여자들에게 이미 허락하신 은사 중에 어떤 것들을, 그들이 사용하도록 허락할 것인지를 논의하는 것이다. 얼마나 말도 안 되는 일인가! 이것이 암시하는 바를 생각해 보라! 성경은 하나님의 기름부음을 받은 자를 건드리지도 말며 그분의 선지자들을 해하지도 말라고 말씀하신다.[2] 하나님은 성령을 소멸하는 것을 원치 않으신다.[3] 그러나 사람들은 예사로 하나님의 기름부으심 받은 여자들을 '방해하고' 그들의 사역을 제한하며 그들을 통한 성령의 역사하심을 소멸하고 있다. 여성들이 사역할 수 있는 권리를 사람들이 침해할 때 이같은 일이 일어난다고 믿는다. 나는 그동안 여성들의 사역 관여에 반대하던 사람들의 사역이 쇠퇴해지는 것을 많이 보아 왔다.

사역을 위한 하나님의 은사에 대한 전반적인 주제를 좀더 자세히 살펴보자. 은사(선물)라는 단어는 여러 가지의 의미를 갖는다. 이번 장에서 세 종류의 은사를 다루게 될 것인데 그것은 자연적인 은사, 성령이 주시는 은사, 사역의 은사다.

자연적인 은사

은사라는 단어가 갖는 의미 중 하나는 '사람이 태어나면서부터 가지고 있는 재능' 이다. 이처럼 천부적인 재능도 하나님이 관여하시는가? 인간의 자연적인 재능과 능력은 하나님께로부터 말미암는 것인가? 혹은 부모나 조상으로부터 물려받은 DNA의 우연한 조합으로 말미암은 존재들인가?

어머니의 모태 안에서 9개월에 걸쳐 인간을 창조하시는 하나님의 역사를 보여주고 있는 시편 139편을 통해 성경은 이같은 질문에 대한 해답을 제시한다. 13절이 묘사하는 것처럼·하나님은 인간을 모태에서 조직하셨다. 고유한 지문, 음성, 눈동자, DNA 등을 통하여 하나님이 각자를 창조하시는데 직접 관여하고 계셨음을 확증할 수 있다. 각 사람은 하나님의 손으로 직접 만드신 창조물이다.

14절은 인간이 신묘 막측하게 지어졌다고 말한다. 본문은 '남자는 신묘 막측하게 지어졌다' 라고 말하고 있지 않다. 또한 '남자는 100% 신묘 막측하게 지어졌으나 여자는 75% 신묘 막측하게 지어졌다' 라고 말하고 있지도 않다. 남자와 여자는 모두 하나님의 형상을 따라서 정교하게 창조되었다.[4]

인간은 자연적인 재능을 소유하고 있다. 결코 우연히 생겨난 존재가 아니다. 하나님은 각 인간의 출생을 계획하셨다. 정자와 난자의 우연한 충돌의 결과로 태어난 사람은 아무도 없다. 하나님은 의도적으로 인간을 창조하셨다. 16절에 의하면, 하나님이 모태 안에 인간을 빚으셨을 때 특정한 장래를 위해 재능을 부여하셨다. 인간을 고유한 존재로 지으셨으며 성취할 수 있는 자연적인 재능을 주셨다.

하나님의 은사와 부르심은 후회하심이 없다고 성경은 말한다.[5] 그것은 평생 동안 지속되는 것이다. 이것은 하나님이 의롭지 않은 사람에게 성령의 은사를 주시고 그를 사용하기 위해 인품을 무시하신다는 것을 의미하지는 않는다. 이것은 인간이 모태에서 9개월에 걸쳐 조성되는 동안 하나님이 그에게 부여하시는 자연적인 재능을 의미한다. 만일 그가 하나님을 떠나 그분의 마음을 상하게 한다 하더라고 하나님은 그 재능을 철회하지 않으신다. 인간은 자신의 재능을 악한 목적에 사용하려고 결정을 내릴 수도 있다. 죄는 원래의 청사진을 완전히 지우지는 않지만 훼손시킨다. 주어진 재능을 사용하여 위대한 예술가, 유능한 연예인, 신기록을 세우는 운동 선수, 성공적인 사업가, 혹은 역량 있는 지도자가 될 수도 있지만 반면 점점 더 부패해지고 다른 사람들에게 악한 영향을 미치는 극도로 이기적인 사람이 되려 할 수도 있다. 혹은 하나님의 뜻을 추구하기로 결단하여 자신의 자연적인 재능을 인식하고 하나님이 기대 이상의 방법으로 사용하시도록 내어드릴 수도 있다.

이사야는 의사 전달에 재능이 있는 사람이었다. 그는 "여호와께서 내가 태에서 나옴으로부터 나를 부르셨고…내 입을 날카로운 칼같이 만드시고"[6] 라고 말했다. 그리고 이사야는 하나님이 어떻게 자신을 열방의 빛으로 부르셨는가에 대해 말했다. 한국인이든 미국인이든 혹은 케냐인이든지 상관없이 이사야의 말씀들을 읽을 수 있고 그 말씀은 우리에게 말하고 있다.

예레미야도 역시 태어나면서부터 열방의 선지자로 부르심을 받았다.[7] 에스더는 특정한 시기에 특별한 목적을 가지고 바사왕국 시기에 태어났던 사람이라고 알려져 있다.[8] 세례 요한은 모태에 있을 때 부르심을 받았고 어머니의 모태에 있을 때부터 성령의 충만함을 입었고 예수님의 출현을 선포하기 위해 하나님께로부터 보내심을 받은 사람이 되었다.[10] 하나님은 마찬가지로 당신이 어머니의 모태에 있을 때 당신을 부르셨다. 요한과 마찬가지로 하나님께로부터 보내심을 받은 남자 혹은 여자인 것이다. 그러나 어디로, 무엇을 위해 보내심을 받았는가? 하나님이 당신에게 원하시는 것이 무엇인지를 어떻게 발견할 수 있는가? 첫째로, 예수님을 당신의 구주요 주인으로 받아들여라. 그러면 하나님의 방법과 하나님의 때에 당신의 개인적인 부르심을 분명하게 드러내실 것이다. 바울이 내렸던 선택처럼 당신도 택하라. 바울은 하나님의 부르심을 붙잡으려고 좇아가

노라고 말했다.[11] 비록 하나님이 모태에서부터 소명을 계획하셨다 하더라도 스스로 응답하지 않으면 안된다. 수동적인 태도로는 소명을 받을 수 없다.

나는 13살 때 나의 소명을 깨달았다. 무릎을 꿇고 하나님이 보여주시는 것이 무엇이든지 간에 순종하겠노라고 말씀드렸다. 그것이 출발점이다. 하나님의 뜻이 무엇인지 알기 전에 하나님이 당신에게 말씀하시는 것은 무엇이든지 순종하겠노라고 말씀드려라. 이같이 할 마음이 없다면 하나님이 당신의 주인이 되신다고 말할 수는 없을 것이다. 당신이 하나님께 순종할 때 더 많은 깨달음을 받게 될 것이고, 더 많은 자유함을 얻게 될 것이며, 하나님이 본래 의도하신 사람으로 변화되어 갈 것이다.

걸맞는 은사를 주신다

하나님께 순복하고 창조하신 목적을 수행해 나아갈 때 가장 큰 만족감이 찾아오게 될 것이다. 하나님은 부르심을 이행하는 데 필요한 재능을 부여하셨다. 결코 할 수 있는 능력을 주지 않고 무엇을 하도록 요구하지 않으시며, 또한 재능을 주고 나서 그것을 절대로 사용해서는 안 된다고 말씀하시지 않는다.

하나님의 부르심은 책임을 동반한다. 40여 년 동안 수만 명의 자비량 선교사들을 이끌면서 배운 것은 누구든지 다른 사람의 재능과 소명의 일을 자신이 억지로 하려고 시도한다면 좌절하게 된다는 사실이다. 당신의 부르심의 자리를 떠난다면 자신도 혼란에 빠질 뿐만 아니라 다른 사람도 혼란에 빠뜨리게 된다. 그러나 하나님이 부르신 그 일에 종사하게 될 때 안식을 갖게 되고 자신에 대해 그리고 부르심에 대해 안정감을 갖는다. 이것은 더 이상 성장할 필요가 없다는 것을 의미하지는 않는다. 물론 계속 성장해야 한다. 계속해서 난관과 도전에 부딪치겠지만 하나님의 부르심에 눌려 압사하는 일은 없을 것이다. 하나님은 그분의 부르심을 성취할 수 있는 은혜를 주신다. 그리고 부르심이 있는 일은 지루한 것이 아니라 신나는 일이 될 것이다.

만약 하나님이 당신이 할 수 없을 것같은 어떤 일을 하라고 부르신 경우에는 어떻게 되는가? 만약 당신이 속한 문화가 하나님의 일을 금하는 경우에는 어떻게 할 것인가? 그런 경우에도 사람이 아니라 하나님께 순종해야 한다. 이것은 문화와 관습을 거역하는 것이 아니다. 베드로와 요한도 동일하게 행동했다.[12] 그들은 하늘의 권위자가 세상의 권위자들이 명하는 것과 반대로 말씀하고 있다는 사실을 인식했다. 당신은 누구에게 순종할 것인가? 하나님인가, 아니면 사람인가? 만일 마틴 루터, 윌리엄 캐리, 윌리엄 윌버포스와 같이 세상을 변혁시킨 사람들이 그 당시의 문화와 전통과 지도자들이 좋아할 일들만 했다면 어떻게 되었을까?

이 책의 주제는 결코 가볍지 않다. 우리의 주장은 수백만 명의 사람들이 하나님의 명령에 순종하고 부르심에 순종할 수 있도록 격려하는 것이다. 하나님이 말씀하시는 것이 무엇이든지 상관없이 당신이 준행하는 것을 의미한다. 당신이 하나님 앞에 섰을 때 하나님은 "네 가족들이 네게 무엇이라고 말했느냐? 너는 부모가 하라고 했던 것들을 준행했느냐? 네 문화권에서는 그것이 적절하다고 했느냐? 네가 선택한 직업에 대하여 모든 사람들이 만족해 했느냐?"라는 질문을 하시지는 않을 것이다. 오히려 하나님이 당신에게 준 것들을 가지고 무엇을 했는지 물으실 것이다. 즉, 당신이 하나님의 부르심에 순종했는지 그렇지 않았는지 물으실 것이다.

성령의 은사

우리가 하나님과 그분의 부르심에 계속적으로 순종할 때 하나님은 우리의 자연적인 재능 이상의 것을 허락하신다. 즉, 특정한 계기와 특정한 개인, 특정한 필요를 위해 성령의 은사들을 주신다.

종종 성령의 은사로 인해 혼란이 빚어지기도 했다. 신약 성경에는 은사에 관해 적어도 네 군데에 열거하였는데,[13] 그것들은 성령이 나누어 주시는 보편적 은사와 사역을 위한 기능적 은사의 범주로 나눌 수 있다.

성령님이 나누어 주시는 보편적 은사들

성령님이 주시는 보편적 은사들은

→ 성령으로 말미암은 지혜의 말씀[14]

→ 지식의 말씀[15]

→ 믿음의 은사[16]

→ 병 고치는 은사[17]

→ 기적을 행하는 은사[18]

→ 예언[19]

→ 영을 분별하는 능력[20]

→ 각종 방언[21]

→ 방언을 통역함[22]

어떤 사람에게 치유의 은사가 있다고 말할 때 이러한 은사는 인간이 소유하고 있는 것이 아니라 한 개인이나 단체의 필요를 위해 순복하는 사람들에게 성령님이 주시는 것을 말한다.[23] 성령의 은사들은 그것을 필요로 하는 사람이 받게 된다. 성령님은 당신의 전생애 동안 한 특정한 은사로 당신을 사용하실 수도 있고 또 단 한 번 사용하실 수도 있다. 때때로 그분은 사울 왕을 사용하셔서 예언하게 하셨던 경우처럼,[24] 혹은 대제사장 가야바가 예수님을 사형에 처하려고 했을 때 그를 통하여 말씀하셨던 것과 같이[25] 순종하지 않는 사람을 사용하시기도 한다. 예수님은 심판날에 사람들이 주님을 알지도 못하면서 그분의 이름으로 예언했다고 주장하는 사람들이 있을 것이라고 말씀하셨다.[26] 그런 일을 했다는 그들의 주장에 예수님은 반박하지 않으시겠지만 그러나 이같은 사람들이 영벌에 처하게 된다는 사실에 주목하라.

우리의 초점은 은사에 맞추어져 있지 않고 항상 은사를 주시는 분에게 맞추어져야 한다. 주님이 다른 사람들의 필요를 충족시키기 위하여 어떤 은사를 주시든 상관없이 언제나 쓰임을 받을 준비가 되어 있어야 한다.

사역을 위한 기능적 은사

신약 성경의 또 다른 종류의 사역을 위한 기능적 은사는 그리스도의 몸의 기능과 관련이 있다. 하나님은 자신의 뜻을 따라 몸 안에 이같은 은사들을 허락하셨다.[27] 만약 하나님께 순종하고 주님의 분별력을 가지고 주위를 살핀다면, 우리가 속한 특정한 집단에 이미 하나님의 부르심을 수행하는 데 적합한 은사들을 가진 사람들이 적절한 곳에 배치되어 있다는 사실을 발견할 것이다. 하나님께 순종함으로 이같은 기능을 수행한다면 하나님은 더 큰 기름부으심을 허락하실 것이고 더 많은 성령의 은사를 주실 것이다.

사역을 위한 은사 혹은 기능적 은사들은

- 사도[28]
- 선지자[29]
- 복음 전하는 자[30]
- 목사[31]
- 교사[32]
- 섬기는 자[33]
- 권면하는 자[34]
- 구제하는 자[35]
- 지도자[36]
- 긍휼을 베푸는 자[37]
- 서로 돕는 자[38]
- 다스리는 자[39]

→ 전파하는 자[40]

→ 다른 은사들[41]

은사들은 서로 중복될 수 있다. 재정적으로 구제하는 사람은 돕는 자로서도 기능을 발휘할 수 있다. 많은 사람들이 한 가지 이상의 이런 사역 은사를 가지고 일한다. 어떤 사람은 선지자와 복음 전하는 자의 은사를 가지고 있을지도 모른다. 중요한 점은 이 모든 사역들이 한 가지 목표를 갖고 있다는 것이다. 곧, 그리스도의 몸을 세우고 이 세상에서 예수님의 사역을 계속 수행하는 것이다. 그리스도의 몸도 하나이고, 성령도 한 분이고, 소망도 하나이고, 주님도 한 분이고, 믿음도 하나이고, 세례도 하나이고, 하나님도 한 분이고, 만유의 아버지다.[42] 에베소서 4장을 읽고 나서 거기에 기록된 은사들을 남자와 여자의 범주로 구별할 수 있는가? 하나님이 한 여자에게 은사를 주시는 것은 단지 여자들만을 가르치기 위한 것인가? 여자들은 그리스도의 몸이 아닌가? 바울은 그리스도 안에는 남자나 여자, 유대인이나 헬라인, 종이나 자유자가 없다고 말했다.[43] 우리는 모두 그리스도 예수 안에서 하나이며, 한 몸이다.

겉치레가 아니다

은사는 인간이 선택할 수 없음을 성경은 분명히 밝히고 있다. 우리가 회원들의 현황을 살피고 여자들이 60%를 차지한다고 해서 지도자들의 60%는 반드시 여자들로 구성해야 하는 것은 아니다. 또는 교회 안에 구성원의 나이, 인종, 배경, 혹은 계층과 같은 범주에 따른 쿼터제를 개발해야 하는 것도 아니다. 그것들은 겉치레가 될 수 있으며 우리가 그런 불공평함을 수정하고자 하는 과정에서 또 다른 부당함을 초래할지도 모른다.

누구를 부르고 누구에게 어떤 은사를 줄 것인가는 하나님이 결정하신다. 하나님의 의도에 맞추어 하나님이 모든 것을 결정하신다. 그러나 이같은 일에 수동적이어서는 안 된다. 하나님이 일으키시는 변화에 민감하도록 애써야 한다. 그분께 순종하는 것과, 우리가 다른 사람들을 인도하는 위치에 있다면 은사를 받은 사람들을 잘 훈련시키는 것은 우리의 책임이다. 고린도전서 12:11은 "이 모든 일은 같은 한 성령이 행하사 그 뜻대로 각 사람에게 나눠 주시느니라"고 말하고 있다.

때로 하나님은 우리를 놀라게 하시고 세상을 바라보는 우리의 안목을 뒤흔들어 놓으신다. 그분은 우리가 절대로 환영하지 않을 일도 행하신다. 사도행전 10장의 사건이 바로 그와 같다. 하나님은 이방인에게도 성령을 주셨다. 베드로를 소환해서 왜 그런 일이 일어나도록 했는지 책임을 묻던 사도들에게는 도저히 있을 수 없는 일이었다. 그러나 베드로는 "내가 누구관대 하나님을 능히 막겠느냐?"라고 대답했다. 어떤 사람들은 하나님이 어떤 특정한 방법으로 여자들을 사용하셔서는 안 된다고 생각할지도 모르지만 만일 하나님이 여자들을 사용하시기로 작정하셨다면 누가 그분을 막겠는가?

자연적인 은사, 성령님이 주시는 은사, 사역의 은사 중 하나님은 어떤 것들을 여자들에게 주실 수 있는가? 그 질문 자체가 어리석게 들리지 않는가? 하나님이 주신 은사 중에서 하나님의 영광을 위해 의롭게 사용되지 못할 은사가 과연 있을까? 하나님이 여자들에게 특별한 은사와 특별한 부르심을 주시고 공적인 분야에서 그들을 사용하실 수 있으실까?

성경에 등장하는 탁월한 여인들

지도력은 남자들에게 국한된 것이라는 주장을 나는 어떤 사람들에게 들어 왔다. 그러나 만일 지도력이 남자들의 것 — 유전적인 요소에 포함되어 있는 어떤 자질 — 이라면 남자면서 지도력의 자질을 갖지 못한 사람들이 왜 그토록 많은 것일까? 그리고 지도력을 가지고 있는 많은 여성들이 왜 존재하는 것일까?

어떤 사람들은 여자가 지도력을 가지고 있더라도 그녀가 지도하도록 허락해서는 안 된다고 주장한다. 그들이 실제로 주장하는 바는 하나님이 그녀를 창조하실 때 실수를 범하셨다는 것이다. 하나님이 그녀를 모태에서 지으셨을 때 아마도 사고가 있었든지, 혹은 하나님이 특정한 여자들에게 은사를 주실 뿐만 아니라 그들의 지도력을 축복하시고 기름부으심으로 말미암아 자신이 정하신 규칙을 어기고 계신가 보다. 다른 사람들은 남자들이 하나님을 순종하지 않기 때문에 여자들이 지도자의 위치에 서는 것을 허락하신다고 주장한다. 그러나 그 주장은 하나님이 자신의 법을 무시하고 불의를 행하신다는 것을 의미한다. 전혀 당치 않은 말이다!

가장 나쁜 것은 이런 주장이 하나님을 어떤 분으로 보이도록 하느냐는 것이다. 우리는 그분의 백성이라는 것과, 그분이 세상에 어떻게 비쳐지는가에 관해 관심을 갖지 않으면 안 된다. 그분은 의로우신 하나님이시다. 그분은 공의로우신 하나님이시다. 하나님을 불의하다고 하거나 불공평하게 보이도록 하는 가르침은 그분의 성품에 대한 공격이다. 만일 하나님이 여자에게 지도력의 은사를 주셨는데 우리는 그녀가 절대로 지도자의 위치에 설 수 없다고 고집한다면 우리가 불의하고 불공평한 것이다.

지도력이 남자에게만 국한되어 있다는 생각을 반박하기 위해서 우리에게 필요한 것은 성경에 등장하는 역량 있는 여자 지도자 한 사람만 발견하면 된다. 확실한 은사를 받았고 기름부으심이 있었으며 하나님께로부터 다른 사람을 인도하라는 부르심을 받았던 한 사람의 여자 말이다. 그러나 우리는 구약과 신약을 망라하여 한 사람이 아니라 여러 명의 여자들을 발견한다.

드보라는 지도자였던 동시에 또한 선지자였다.[45] 그녀는 이스라엘에 왕이 있기 전에 사무엘이나 다른 선지자들과 동일한 위치에 있었다. 그밖에도 그녀가 지었던 찬송의 시가 사사기 5장에 실려 있는 것으로 보아[46] 그녀는 성경의 거룩한 내용인 하나님의 말씀을 대언하도록 성령님에 의해 감동을 받았던 사람

들 중 하나였다.[47]

드보라 시절 수년 전에 또 한 사람의 위대한 여성 지도자가 존재했었다. 광야에서 40년을 지내는 동안 이스라엘이 한 국가로서 탄생하고 있었을 때 3, 4백만 명의 국민들 앞에 세 사람의 지도자가 세워졌는데 모세, 아론, 미리암이었다. 하나님은 "내가…모세와 아론과 미리암을 보내어 네 앞에 행하게 하였었느니라"[48]고 말씀하셨다. 백성들의 국가적인 지도자의 3분의 1이 여자였다! 이 일은 그들에게 중요했던 국가 형성기에 일어난 일일 뿐만 아니라 그들이 거칠고 모험적인 영역으로 탐험해 들어가는, 불확실한 난관을 직면하고 있던 시기에 일어났다. 미리암의 책임은 그녀의 두 형제들과 동일하게 대단히 컸다.

미리암이 행사했던 은사는 단지 지도력만이 아니었다. 미리암은 또한 선지자였고, 음악과 춤을 사용했던 예배 인도자였다.[49]

다수의 대표자

신약 성경은 초대 교회에서의 여성 지도자들의 몇 가지 실례를 보여주고 있다. 로마서 16:1에는 "내가 겐그레아 교회의 일꾼으로 있는 우리 자매 뵈뵈를 너희에게 천거하노니"라고 말한다. 16장은 흥미 있는 장인데 그 이유는 바울이 자신의 가까운 팀원들과 동역자들을 열거하고 있기 때문이다. 1절에서 로마에 있는 교회들에게 뵈뵈를 추천하면서 바울은 하나의 중요한 원칙을 보여주고 있다. 만약 그가 이같이 하지 않았다면 파렴치한 사람들이 나타나서 "나는 바울의 동역자입니다. 나를 믿으세요. 나는 지도자예요!"라고 말했을 수도 있다. 그 당시에는 거짓된 교리와 모범이 되지 못하는 생활로 양들을 잡아먹는 늑대와 같은 거짓 선지자들이 있었다. 그래서 바울은 뵈뵈의 지도력을 추천하는 서신을 보낸 것이다. 그는 동일한 방법으로 고린도에 있는 교회들에게 디도를 추천했다.[50]

로마서 16:1에서 뵈뵈의 역할을 묘사하는 일꾼이라는 단어를 살펴보라. 그것은 희랍 말로 디아코노스(diakonos)다. 신약에서 거의 모든 경우에 디아코노스는 '전도자'(minister)로 번역되었다. 그 단어는 복음을 전하는 사람을 묘사하는 데 쓰여졌다. 뵈뵈는 겐그레아 교회의 주요한 지도자 중 한 사람이었다. 이곳에서 디아코노스라는 단어가 성경의 다른 곳에서 남자 지도자를 묘사하는 '전도자'라고 번역되지 않고 오히려 '일꾼'으로 번역된 이유는 무엇일까? 두 번역은 모두 옳다. 그러나 번역자들의 일관성 없는 번역은 성경적인 사실이 아니라 그들 자신의 편견을 나타낸다. 목사를 일꾼으로 부르는 것은 조금도 잘못된 일이 아니다. 예수님은 우리 모두가 섬기는 지도자들이 되어야 한다고 가르치셨다.[51] 그러나 디아코노스라는 단어가 이곳에서 '일꾼'으로 번역되었다면 다른 남자 지도자들을 묘사할 때에도 역시 '일꾼'으로 번역되었어야 한다.

바울은 계속하여 교회에 "성도들의 합당한 예절로 그를 영접하고…이는 그가 여러 사람과 나의 보호자(영어는 '돕는 자')가 되었음이니라"[52]라고 뵈뵈를 소개한다. '보호자'(돕는 자)라는 말의 희랍 원어는 프로스타시스(Prostasis)다. 다시 한번 나는 이 단어를 번역하는 데 있어 '보호자'(돕는 자)라는 단어를 선택한 의도를 의심한다. 지도자들은 자신들이 인도하는 사람들을 돕는다. 그것이 그들의 역할 중 한 부분이다. 그러나 바울은 뵈뵈의 놀라운 지도력을 묘사하기 위해서 프로스타시스라는 단어를 사용하였다.

요세푸스는 바울의 생존 기간 중에 집필하던 유대인 역사가였다. 그는 자신의 집필 가운데 프로스타시스라는 단어를 스무 번 사용했다.[53] 그는 그 당시 세계에서 존경과 두려움의 대상이 되었던 지도자인 시저를 묘사하는 데 그 단어를 사용했다. 요세푸스는 시저가 우주의 프로스타시스였다고 말했다. 어떤 번역자가 '시저는 우주의 보호자(돕는 자)다'라고 번역할 것인가? 물론 아니다! '주인'이 자연스러운 의미가 될 것이다.

프로스타시스라는 단어는 더욱 강한 어떤 사람이 보다 약한 사람을 돕는다는 의미를 함축하고 있다. 이 사람은 권위를 가지고 행한다. 바울은 뵈뵈가 그와 같은 지도자였음을 말하고 있다. 뵈뵈는 바울을 포함한 많은 사람들을 지도해주던 사람이었다. 바울은 로마에 있던 교회들에게 이와 같은 사실을 알려서 합당한 예절로 그녀를 환영하기를 원했다. 뵈뵈의 지도력은 많은 사람들에게 영향을 끼쳤다.

유니아는 바울이 사도라고 언급했던 또 다른 여성 지도자였다. 로마서 16:7에서 바울은 "내 친척이요 나와 함께 갇혔던 안드로니고와 유니아에게 문안하라 저희는 사도에게 유명히 여김을 받고 또한 나보다 먼저 그리스도 안에 있는 자라" 고 말한다. 나의 오랜 친구인 고든 피 박사는 고린도전서 1장에 대해 많은 성경 학자들이 탁월한 연구라고 인정하는 글을 썼다.[54] 그는 캐나다의 브리티시 컬럼비아에 위치한 리전트 대학의 교수다. 피 박사와 다른 학자들은 바울이 남자면서 사도였던 것과 동일하게 유니아도 여자면서 사도였다는 사실을 인정한다.

열두 명의 남자 제자들

어떤 사람들은 예수님이 열두 명의 남자들을 택하셔서 자신의 제자를 삼으셨다는 사실로 인해 교회 안에서의 여성 지도력에 반대한다. 그들은 우리들도 주님의 모범을 따라 교회 안에 남자 지도자들만을 세워야 한다고 주장한다. 만일 이것이 근거 있는 발언이라면 왜 자격 조건을 단지 성별에만 국한시키려 하는가? 예수님은 또한 한 나라 안의 한 지방이었던 갈릴리 출신의 유대인만을 선택하셨다. 주님이 선택하셨던 개인들은 아람어를 말하는 사람들이었다. 그러므로 우리도 갈릴리 출신 유대인 남자 중 아람어를 말하는 사람들만을 지도자로 세워야 하지 않겠는가?

성경 안에 기록되어 있는 여자 지도자들의 수가 매우 적은 이유는 무엇인가? 인간 타락 이전에는 지도력의 50%가 여자였다.[55] 그러나 그 이후에 하나님이 여성 지도자들이 적어도 50%가 되도록 하지 않으신 이유는 무엇일까? 내가 알고 있는 것은 단지 하나님은 공의로우시다는 사실이다. 지도자를 세우시는 분이 하나님이시기 때문에 지도자의 수도 그분께 달려 있다. 그러나 인간은 하나님이 세우시는 것을 거부하고 그분의 뜻을 거스렸다. 아마도 하나님은 더 많은 여성들이 지도자가 되기를 원하셨는데 남자들의 완악한 마음이 그 일을 이루지 못하게 했는지도 모른다.

왜 예수님은 열두 제자 중에 한두 명의 여자들을 포함시키지 않으셨을까? 예수님이 함께 여행하고 사역하던 무리들 중에는 여자들이 포함되어 있었다.[56] 아마도 주님께서 취하셨던 방침이 이미 그 당시의 문화적인 관념에 어긋나는 것이었기 때문에 열두 제자 중에 여자들을 포함시키지 않기로 했는지도 모른다. 그리스도 당시의 유대인들은 하나님이 창세기 1—3장 안에서 주셨던 성별의 동등함을 거의 버리고 있었다. 그 대신에 당시 우세하던 희랍과 로마의 문명을 따라 여자들이 열등하다고 믿었다.

예수님은 3년 동안의 활발했던 사역 기간 동안 구체적인 계획을 제시하셨다. 그분은 당시의 모든 편견을 지적하지는 않으셨다. 그분은 제자들에게 다른 가르칠 것이 많이 있지만 그들이 준비가 되지 않았다고 말씀하셨다.[57] 복음을 이방인에게 전하는 획기적인 일을 처음에는 베드로에게 맡기셨으나 후에 대부분 바울이 담당하도록 하셨다. 그리고 앞장에서 이미 본 바와 같이 예수님은 노예 제도를 지적하지 않으셨다. 그분은 그 뿌리를 자르셨지만 유감스럽게도 그분을 따르는 자들이 그것을 이루려 하기까지는 18세기라는 시간이 걸렸다. 시간이 갈수록 경제적인 것과 관련된 편견들을 문화에서 제거하는 데는 더 오랜 시간이 소요되고 더 어려워지는 듯하다. 노예 제도와 남녀 차별은 사회 안에서 경제적인 영향을 미치는 문제다.

예수님이 태어나셨던 세상을 상상해 보라. 희랍인들과 로마인들은 여자들은 열등하며 심지어는 인간 이하라고 믿고 있었다. 그같은 여자 경시 사상에 랍비들의 가르침을 더해 보면 그 당시에 여자들을 대하시던 예수님의 방법이 얼마나 파격적이었는가 알 수 있다. 또한 예수님의 가르침을 적용하여 초대 교회 안에 뵈뵈나 유니아와 같은 여성 지도자들을 세웠던 바울을 존경하지 않을 수 없다.

다른 위대한 여성 지도자들

역사 전반에 걸쳐 하나님은 여성 지도자들을 사용하셨으며 중요한 시기에도 사용하셨다. 카트린느 대제는 러시아를 봉건주의로부터 해방시켰다. 잔다크는 공포에 떠는 왕자를 도와 전쟁을 승리로 이끌며 사기가 저하된 불란서 군인들을 연합시켰다. 16C 영국의 엘리자베스 1세 여왕은 막강한 적군에 대항하는 한편 영국 안에서 종교적인 탄압으로 인한 피흘림을 종결시켰다. 그녀의 오랜 통치는 탐험의 황금기를 가져 오게 했다.

지금 우리들은 역량 있는 여성들이 국가를 이끌어가는 것을 목격하고 있다. 인디라 간디는 지구 상에서 가장 인구가 많은 민주국가인 인도를 14년 간 이끌었다. 골다 메이어는 이스라엘이 국가로 새롭게 태어난 이후의 중대한 시기에 지도력을 발휘했다. 마가렛 대처는 로날드 리건과 함께 냉전을 승리로 이끌었다. 코라손 아키노는 부패했던 마르코스 정권 이후 필리핀 국민들의 신뢰를 다시 얻었다.

하나님은 여자들을 지도자로 사용하실 수 있기 때문에 여자들에게 다른 중요한 역할을 위한 은사를 주실 수 있다. 다음 장에서 이것을 살펴보기로 하겠다.

4
여 선지자, 전도자, 교사들

로렌 커닝햄

이제 성경으로 다시 돌아가서 여자들이 어떤 다른 은사들을 나타내 보여주었는지 살펴보기로 하자. 나는 그것을 모두 다루지 않고 여자들이 사역을 위해 사용했던 은사들의 몇 가지 실례들을 살펴보려고 한다.

여자들은 선지자들이 아닌가?

미리암과 드보라가 선지자들이었다는 사실을 우리는 앞서 살펴보았다. 이런 사역에서 기능을 발휘했던 또 한 사람은 아기 예수를 성전에 데리고 갔을 당시 메시아의 도착을 알리는 데 하나님이 사용하셨던 안나였다.[1] 이것은 뒤에서 조용하게 속삭였던 말이 아니었고 예배의 중심 장소에서 벌어진 공적인 선포였다. 사실상, 그것은 기독교 역사 가운데 결정적인 순간이었다.

또 다른 선지자는 성전에서 발견된 율법 두루마리가 하나님의 말씀임을 확인해 주었으며 요시아 왕 시대, 위대한 종교 개혁의 불씨를 일으키는 데 도움을 주었던 훌다였다.[2] 이사야는 자신의 아내를 선지자라고 묘사하고 있다.[3] 사도행전 21:8—9에 의하면 빌립의 네 딸들은 모두 선지자들이었다.

선지자란 무엇인가? 성경 안에서 적어도 두 가지의 역할을 찾아볼 수 있다.

선지자란 설교자와 동일한 의미로 그 시대에 대해 하나님 편에서 말하는 사람을 뜻하거나, 미래를 예견하는 사람을 뜻할 수도 있다. 요한계시록 19:10은 한 가지 정의를 내리고 있다. "예수의 증거는 대언의 영이라." 역사상 예언의 영이 쏟아 부어졌던 어떤 극적인 하루를 살펴보기로 하자.

폭발적인 탄생

오순절 날 벌어진 장면을 상상할 수 있는가? 120명의 남자와 여자들이 예루살렘에 위치한 성전에서 기도하고 있었다. 갑자기 바깥뜰에 맹렬한 바람이 일었다. 기둥들이 흔들리고 땅이 진동했다. 그곳에 있던 신자들이 깜짝 놀라 주변을 돌아보니 옆에 있는 사람, 아니 그곳에 있던 모든 사람들의 머리카락이 불타고 있었다. 비명을 지르려는 순간, 입에서 뜻을 알 수 없는 말이 나왔는데, 마치 심중 깊은 곳에서부터 쏟아져 나오는 듯했다. 그들의 사고로는 그 말을 이해할 수 없었다. 그리고는 그것에 신경 쓰지 않게 되었다. 따스한 물줄기 같은 기쁨이 그들의 머리로부터 시작하여 그들의 몸으로 퍼져 나갔다. 천둥소리와도 같은 찬양으로 그들은 일제히 복음을 선포하기 시작했다.

신자들은 곧 이어 수천 명의 사람들에게 둘러싸이게 되었다. 군중들 가운데는 지중해 지역 각 곳에서 몰려왔던 종교적 순례자들이 있었다. 120명의 남자들과 여자들은 아직도 기쁨이 충만하여 군중 가운데 각각 다른 집단을 향해 나갔다. 그들은 자신들이 이해하지 못하는 말들을 쏟아내고 있었다. 커다란 무리가 각 신자들을 둘러싸고 모였다. 그것은 참으로 이상한 광경이었다. 군중들 사이에서 두런거리는 소리가 들렸다. 한 구경꾼이 소리쳤다. "당신들, 술에 취했군. 이 사람들, 모두다 술 주정꾼들 아냐!" 그 말에 동조하는 비양거림이 뜰 안에 퍼져 나갔지만 그러나 뒤쪽에서 큰 소리가 들렸다.

먼지투성이의 터번을 쓴 한 아랍인이 군중들 머리 위로 손을 냅다 저으며 크게 소리질렀다. "저 여자가 아랍 말을 하고 있습니다! 이리 와 보세요! 들어 봐요! 그녀가 하나님에 대해 말하고 있습니다…" 그가 잠시 가만히 있더니 큰 소리로 "이 갈릴리 사람이 어떻게 우리나라에 갔다올 수가 있나요? 그렇지만 저 여자는 완벽한 아랍어를 말하고 있어요!"라고 의아해 했다.

갑자기 사람들이 서로 밀면서 자신들의 모국어로 말하는 사람을 찾기 위해 군중 사이를 비집고 다녔다. 사도행전 2장에 의하면 그날 이와 같은 일이 일어났다. 성령님은 남아 있던 11 사도에게만 임하셨던 것이 아니었다. 그분은 120명의 남자와 여자 제자들에게 모두 임하셨으며 군중 가운데 있었던 각 구경꾼은 자신의 모국어로 복음을 전하는 사람들을 발견할 수 있었다.

베드로는 재빨리 일어나 설명했다. 왜냐하면 이상한 초자연적인 표적 외에 많은 여자들이 하나님의 놀라우심을 선포하며 복음을 전하고 있었기 때문이다.[4] 이것은 도저히 있을 수 없는 일이었다. 그래서 베드로는 선지자 요엘의 말씀을 그들에게 상기시켰다. "그 후에 내가 내 신을 만민에게 부어 주리니 너희 자녀들이 장래 일을 말할 것이며 너희 늙은이는 꿈을 꾸며 너희 젊은이는 이상을 볼 것이며 그때에 내가 또 내 신으로 남종과 여종에게 부어 줄 것이며."[5]

베드로의 설교의 모든 요점들은 세계적인 교회가 시작되고 있었던 그날에 매우 중대한 것이었다. 그 중 한 가지는 국적과 신분과 성별에 따른 차별을 없애는 것이었다. 성령님이 아들들과 딸들 위에, 그리고 남종들과 여종들 위에 임하고 계셨다. 그것은 여자들뿐만 아니라 모든 신분 계급과 인종, 그리고 나라들에 속한 사람들을 향한 자유의 놀라운 탄생이었다.

여자들에게도 가르칠 수 있는 은사가 부여되었다

바울이 디모데에게 말했던 "여자의 가르치는 것과 남자를 주관하는 것을 허락지 아니하노니 오직 종용할지니라"[6] 라는 언급은 어떻게 받아들일 것인가?

이것은 무엇을 의미하는가? 여자는 어떤 경우, 장소, 주제를 막론하고 절대로 남자를 가르칠 수 없다고 해석했던 사람의 글을 나는 읽은 적이 있다.

우리가 앞장에서 살펴본 바와 같이 성경 안에는 절대적인 진리가 언급되어 있으며 또한 주어진 시간과 상황에 대하여 상대적인 진리도 언급되어 있다. 만약 디모데전서 2:12이 시대와 장소를 초월하는 절대적인 진리에 대한 언급이라면 우리는 그것을 우리 삶의 모든 영역에 적용하지 않으면 안 된다. 절대 여자는 남자를 가르칠 수 없다. 예외는 없다. 고등학교나 혹은 어떤 교육 현장에서 어떻게 여자가 남자를 가르치는 것을 허용할 수 있겠는가? 여자들은 주일학교에서 작은 사내아이들을 가르칠 수 없다. 만약 이것이 십계명과 같은 성경의 절대적인 진리라고 한다면 그것을 지키지 않는 것은 죄를 짓는 것이다. 당신은 이것을 확대시켜 여자들이 아들들에게 대소변을 가리는 일, 신발 끈을 매는 것, 혹은 이닦는 것을 가르치는 것조차 금할 수 있다.

이와 같은 생각 역시 우스꽝스러운 것이 된다. 우리는 바울이 디모데에게 한 말을 가지고 여자는 절대로 남자를 가르칠 수 없다는 논쟁을 벌일 수 있다. 그러나 그것이 진리인가? 당신은 논리적인 것처럼 들리는 논쟁을 할 수는 있겠지만 만약 그것이 거짓된 전제에 근거한 논쟁이라면 그것은 진리가 아니다.

우리가 앞장에서 지도력의 은사에 관해 살펴본 것과 같이 만약 우리가 성경에서 하나님이 한 여자를 사용하셔서 가르치게 하시고 그 결과를 축복해 주신 경우를 발견할 수 있다면 하나님은 여자가 가르치는 것을 원하지 않으신다라는 전제는 거짓이다.

성경 안에 여자 교사들이 존재하는가? 물론이다! 성경 말씀 중 적어도 886개의 구절이 여자들을 통해서 우리에게 전해졌다는 사실을 당신은 알고 있는가?[7] 한가지 예는 누가복음 1:46—55에서 하나님께 영광을 돌리고 있는 마리아의 아름다운 찬송이다. 바울은 디모데에게 모든 성경은 교훈을 위하여 하나님이 주신 것이라고 말했다.[8] 만약 하나님이 여자들이 가르치는 것을 금지했었다면 남자들은 마리아의 노래처럼 여자들에 의해 기록된 성경의 말씀을 절대로 읽어서는 안 된다. 왜냐하면 그렇게 하는 것이 남자들이 여자들에게서 가르침을 받는 것이 되기 때문이다! 사실상 우리가 이 논쟁의 논리적인 결론에 따르자면 남자가 여자에게 가르침 받는 일을 피하기 위하여 그 886개의 구절들은 성경에서 삭제되어야 한다.

성경에서 가장 사랑을 받고 있는 구절 중 하나인 잠언 31장은 르무엘 왕이 쓴 것이다. 그 왕은 이것이 자신의 어머니가 훈계한 말씀임을 인정하고 있다. 이 장은 경건한 여성의 역할과 성품에 관한 지침을 주고 있다. 르무엘 왕의 어머니는 덕 있는 여인의 역할을 아들에게 가르쳤을 뿐만 아니라 또한 어린 르무엘이 자라나는 동안 그것을 모범으로 보여주었음이 분명하다.

브리스길라와 아굴라는 아볼로를 데려다 가르쳤다.[9] 아볼로는 초대 교회에 떠오르는 별과 같은 존재였지만 그의 사고 안에 바로잡아야 할 부분들이 있었다. 브리스길라와 아굴라가 한 일을 묘사하기 위하여 '깨닫게 했다' 라는 단어가 사용되곤 한다. 어떤 사람은 깨닫게 하는 것과 가르치는 것이 동일하지 않다고 주장하기도 한다. 그러나 어떤 사람을 가르치지 않고 그 사람에게 깨달음을 주는 것이 가능한가? 깨달음을 얻지 않으면서 배우는 일이 있을 수 있는가?

가르치는 일은 선지자에게 필요한 한 부분인데 그 이유는 하나님의 말씀을 대언하기 위해서는 당신의 말을 듣는 사람을 가르칠 수밖에 없기 때문이다. 신약 성경에서 바울은 하나님의 말씀을 대언했던 몇몇 여인들의 이름을 들고 있다. 로마서 16장에서 그는 그리스도 예수 안에서 동역자라고 불렀던 브리스길라와 아굴라와 함께 마리아를 언급했다. 이곳에서는 바울이 브리스길라의 애칭인 브리스가라는 이름을 사용한 것이 흥미롭다. 그는 모든 이방인 교회가 브리스길라와 아굴라에게 빚진 자라고 말했다.

마리아와 브리스길라만이 바울이 언급했던 여자 동역자들은 아니다. 그가 이름을 들어서 언급했던 39명의 동역자들 가운데 사분의 일 이상이 여자들이

었다.[10]

가르치는 일과 대중에게 말하는 것을 구별하려고 시도하는 사람들을 본 적이 있다. 수년 전에 한 젊은 선교사가 자신의 팀에 속한 여자들에게 교회에서 하나님이 자신들을 통하여 이루신 일들만을 간략하게 보고할 수 있는 기회를 허락했었다. 그는 여자들이 보고하는 중에 성경을 인용하지 못하도록 했는데 인용할 경우 그것이 가르침이 되기 때문이었다. 이것은 단지 말장난에 불과하다. 다른 신자들을 훈계하지 않고, 잃어버린 영혼들에게 깨달음을 주지 않고, 그들을 가르치지 않으면서 예수님에 대해 말하는 것은 불가능하다.

여자가 더 속기 쉬운가?

어떤 사람들은 여자의 연약함으로 인하여 죄가 세상에 들어 왔기 때문에 여자들이 가르칠 수 없다고 주장해왔다. 조심하라! 하나님의 말씀은 분명하게 인류를 죄로 이끌어 들인 장본인이 아담이라고 말하고 있다.[11]

다른 사람들은 여자들이 더 잘 속는다고 주장한다. 그들은 더 많은 사이비 종교들의 교주가 여자라고 한다. 어떤 말을 자주 들으면 그것이 마치 진실처럼 들리기 시작한다. 그러나 이것은 사실이 아니다. 서구 사회에 존재하는 다섯 개의 가장 큰 사이비 종교인 몰몬교, 여호와의 증인, 사이언톨로지, 통일교, 크리스천 사이언스를 살펴보자. 크리스천 사이언스만이 여자에 의해 시작되었다.[12] 크건 작건 모든 사이비 종교들이 남자보다 여자에 의해 시작되었다고 말하는 것은 잘못이다. 그 한 가지 이유는 새로운 사이비 종교가 계속적으로 생겨나기 때문에 모든 사이비 종교를 다 열거하는 것은 매우 어렵다.

최근 가장 악명 높은 사이비 종교들 중 두 개는 남자 교주들에 의해 집단 자살을 기도했는데, 그것은 존스타운의 피플스 템플과 샌디에고의 천국문이다. 동경의 지하철에 독가스를 배치해서 12명을 살해하고 수천 명을 부상시켰던 옴진리교의 교주도 남자다. 적어도 79명이 예식의 하나로써 자살을 기도한 적이 있는 불어권 세계의 태양신전도 마찬가지다.

그렇다면 바울이 디모데에게 "여자가 가르치는 것을 허락하지 않는다"라고 한 말은 무슨 의미인가?(데이비드는 16장과 17장에서 이 질문을 깊이 있게 다루고 있다.) 그러나 나는 한 성경 구절을 가지고 다른 성경 구절을 판단하는 것이 가장 바람직하다고 본다. 우리는 절대로 성경의 한 구절만을 인용하여 그 시대의 역사적인 환경을 무시한 채 교리를 세워서는 안 된다. 또한 이 구절에 대한 우리의 해석과 반대되는 성경적인 말씀을 무시하고 어떠한 가르침을 만들어서도 안 된다.

신약 성경에서 바울은 디모데에게 그의 모친과 그의 외조모로부터 들은 교훈을 저버리지 말 것을 상기시켰다.[13] 하나님은 역사 전체에 걸쳐 세상에 말씀을 전하는 데 자신의 몸을 사용하셨을 뿐만 아니라 여자들도 포함시켰다. 여자들이 참여하는 것을 금지했던 어떤 종류의 사역도 말씀에서는 찾아볼 수 없다.

열매로 알게 되리라

성경은 그들의 사역을 열매로 판단해야 한다고 말한다. 만약 이같은 기준을 따른다면 여자 성경 교사들은 최근 역사상 가장 놀라운 열매들을 갖고 있다. 나는 빌리 그래함 박사, 빌 브라이트 박사, 전 미국 상원 원목이었던 리차드 헐버슨 박사가 기독교 교육 자료 출판에 앞장섰던 가스펠 라이트 출판사를 창설한 경건한 여성, 헨리에타 미어즈의 공헌을 인정하는 것을 읽은 적이 있다. 여자들이 가르치는 것을 금지해왔던 교회가, 종종 여자에 의해 창설되었던 출판사에서 발행한 교육 자료들을 사용해왔다는 사실이 아이러니컬하다. 「성경은 도대체 무엇인가」(What the Bible Is All About)와 같은 미어즈의 고전 책은 세계 전역에 걸쳐 수십만 명의 사람들을 가르쳐 왔다. 이들 중 어떤 사람들은 그녀의 책을 읽으면서 믿음이 성장했다. 그러나 이런 사람들이 이제는 돌아서서 하나님은 가르치는 일에 여자를 사용하시지 않는다고 주장한다!

그리스도의 몸 가운데 놀라운 여자 교사들을 찾기 위해서 꼭 과거로 돌아가야만 하는 것은 아니다. 오늘날 TV에서 가장 잘 알려진 로마 천주교의 교사는 여자인 안젤리카 수녀다. 그리고 보넷 브라이트와 신디 제이콥스가 없었다면 기도 운동이 어떻게 되었겠는가?

잭 헤이포드는 조이 도우슨이 아마도 금세기에 가장 으뜸가는 중보기도 교사라고 말했다.[14] 1967년, 나는 뉴질랜드에 있는 짐 도우슨과 조이 도우슨의 집에서 몇 주간을 지낼 수 있는 특권을 누렸다. 그 부부는 자신들의 집 지하실에 있는 작은 주택을 사용할 수 있도록 배려해 주었는데 나는 그곳에서 7일 동안 금식 기도를 시작했었다.

내가 도우슨 부부와 함께 지내는 동안 나는 주님께서 세계적인 가르침의 사역을 위해 조이를 사용하시기 원하신다는 확신을 갖게 되었다. 내가 미국으로 돌아갔을 때 나는 바울이 뵈뵈를 위해 했던 것과 동일한 일을 조이를 위하여 했다. 나는 목회자들에게 편지를 띄우고 지도자들을 만나 그녀의 사역을 추천했다. 조이는 첫 해외 나들이를 위해 뉴질랜드를 떠났고 일곱 개 나라를 방문하여 가르쳤다. 그 이후 그녀는 모든 대륙에서 사역했으며 TV나 비디오나 책 혹은 테이프를 통해 그녀를 접할 수 있었던 수십만 명의 사람들을 섬겨왔다.

도우슨 부부의 집에 머무르는 동안 조이는 내게 중보기도의 원칙과 하나님의 음성 듣는 법을 가르쳐 주어 나의 삶을 변화시켰고 오늘날 국제 예수전도단(Youth With A Mission)이 형성되도록 수십 년에 걸쳐 영향을 끼쳤다.[15] 국제 예수전도단이 형성되던 시기로부터 오늘에 이르기까지 조이 도우슨의 가르침이 없었다면 국제 예수전도단이 도대체 어떤 모습이었을까 나는 상상하기 어렵다. 그녀나 다른 경건한 남녀를 위해서 기회를 열어 주는 것은 나에게 있어 가장 커다란 특권이다. 다른 사람들의 은사를 포착하고 세워주는 것은 하나님이 내게 주신 은사 중 하나다. 그들과 다른 사람들은 또 나를 위해서 문을 열어 주었다. 이것이 하나님의 왕국이 역사하는 방식이다.

1968년, 캘리포니아의 따스한 9월에 진 다넬이라는 여자가 내 사무실을 찾아왔다. 나는 그녀의 방송 사역을 통해 그녀의 말씀을 들었다. 내게 대해 들어본 적이 없었지만 그녀는 주님께서 내 이름을 주시고 나를 찾아서 자신이 영국과 유럽을 위해 부르심을 받았다고 말하라고 하셨다고 말했다. 그녀는 수주간 동안 나를 찾아서 마침내 내가 누구인지를 알아냈다. 그녀는 조용하고 겸손하게 "내가 왜 당신에게 이 이야기를 해야 하는지 모르겠습니다. 나는 단지 주님께 순종할 뿐예요"라고 말했다.

나는 그녀에게 나도 또한 유럽을 위해 부르심을 받았으며 몇 개월 후에 그곳으로 이사할 것이라고 말했다. 진은 국제 예수전도단 안에서 큰 영향력을 미치는 역량 있는 교사가 되었다. 하나님은 오늘날까지 국제 예수전도단 안에서 그녀를 사용하고 계신다. 동시에 그녀는 나와 또 다른 국제 예수전도단의 지도자들을 위해 중요한 문들을 열어 주었다.

앞장에서 나는 워치만 니를 가르쳤던 여자의 영향력에 대해서 언급했다. 중국 안에서 그 운동을 이끌던 지도자들은 한 여자가 다른 여자들에게 성경을 가르치는 동안 휘장 뒤에 앉아 있곤 했다. 얼마나 많은 위대한 다른 여자 교사들이 배후에 숨어서 소리 없는 영향력을 발휘했겠는가?

성경에 나오는 여 전도자들

시편 68:11은 "주께서 말씀을 주시니 소식을 공포하는 여자가 큰 무리라"고 말한다. 우리가 성경이나 역사책을 살펴보면 복음을 전하는 여자들의 뚜렷한 예들을 찾아볼 수 있다. 어떤 여자들은 설득력이 강하여 우수한 전도자가 된다. 우리는 성경에서 적은 수가 아니라 많은 여 전도자들의 실례를 찾아볼 수 있다.

신약에서 유대 문화권 밖으로 복음을 전했던 최초의 전도자는 예수님이 우물가에서 만나셨던 사마리아 여인이었다.[16] 예수님은 그녀와 대화하심으로써 수세기에 걸쳐 내려오던 그 당시의 대단한 문화적 제약을 극복하셨다. 인종적으로 차별을 받고 있으며, 소외된 부류이며, 또 인품 있는 남자라면 함께 있는 것조차 남의 눈에 띄기를 꺼려하는 부도덕한 여인과 대화를 나누셨다.

그러나 우리가 연구해야 될 가장 중요한 점은 예수님이 그녀와 신학적인 토의를 하셨다는 사실이다. 유대인이나 사마리아인, 혹은 어떤 종족도 여자들에게 성경을 가르치지 않았다. 많은 유대교 랍비들은 그들의 절친한 친척들 이외의 여자들과는 말도 주고받지 않았다. 어떤 이들은 여자들을 바라보는 것조차 피하려고 해서 '피로 물든 바리새인' 이라는 별명을 얻기도 했다. 여자들이 지나가면 그들은 눈을 꽉 감고 가다가 떨어지거나 벽에 부딪치곤 했기 때문이다.

요한복음 4장에서 당신은 우물가에서 이 여인과 나누셨던 예수님의 대화를 기억할 것이다. 예수님은 자상하게 그녀를 회개로 이끄셨다. 그녀는 즉시로 전도자가 되어서 마을을 다니며 복음을 전했다. 예수님이 그녀의 뒤를 따라가서 여자이기 때문에 그와 같은 일을 해서는 안 된다고 말리지 않으신 점을 유의하라. 그녀는 먼저 남자 친척들에게 전도하여 남자들로 하여금 마을에 복음을 전하게 했어야 마땅했을까?

당신이 만약 여자가 목사가 될 수 있다는 것을 의심하고 있다면 나는 당신에게 두 가지 질문을 던지고 싶다. 첫째, 성경에 나오는 어떤 진리가 우리 구원에 가장 근본이 되는가? 예수님을 모든 다른 선지자와 가짜 메시아로부터 구별하는 한 가지 요소는 무엇인가? 그것은 예수 그리스도의 부활이다. 바울에 의하면 모든 것이 여기에 달려 있다.[17] 둘째, 성경에서 하나님이 가장 중요한 이 진리를 누구에게 제일 처음으로 맡기셨는가? 바로 여자들이다.

부활의 복음을 가장 먼저 선포한 사람은 여자들이었다. 여자들은 무덤이 빈 것을 보았고 다른 제자들에게 전하기 위해 달려갔다. 이것이 하나님이 의도적으로 선택하신 바인가? 천사가 집에 있던 남자들에게 그냥 나타날 수는 없었는가? 예수님은 왜 그곳으로 직접 가시지 않고 막달라 마리아에게 먼저 나타나셨을까? 남자들이 여자들에게서 놀라운 이 이야기를 듣게 하기 위해서 의도적으로 무덤가에 머물고 계셨던 것일까?

종종 하나님은 남자들에게 강한 기적의 역사를 맡기시기 전에 어떤 방법으로든지 그들을 여자들의 사역에 순복하게 하심으로 남자들의 교만을 시험하신다는 사실을 나는 주목했다. 엘리야와 엘리사 두 사람 모두 하나님이 그들로 하여금 죽은 자를 살리도록 하기 전에 여자들의 섬김을 받았다.[18] 수종을 받는다는 것이 쉬운 일처럼 들리는가? 엘리야의 시험은 그리 쉽지 않았다. 그는 잘 차린 음식을 들라는 초대를 받은 것이 아니었다. 이것은 죽음을 겨우 면하게 하는 매우 초라한 모양의 섬김이었다. 가뭄 때에 과부의 집문을 두드리고 그녀와 그 아들을 위한 음식밖에 없는 상황에서 음식을 달라고 청하는 일이 어떻게 쉬운 일이었겠는가?

나아만은 아람 왕의 수리아 군대에서 최고의 장군이었다. 하나님이 그의 문둥병을 고치기에 앞서 나아만은 작은 하녀의 섬김을 받아야만 했다. 당신이 열왕기하 5:1—14에 보는 바와 같이 그는 더 겸비하게 된다. 그러나 그가 취한 첫 걸음은 그를 치유할 수 있는 하나님의 능력에 대해 말했던 작은 하녀의 말을 청종하는 것이었다. 그 하녀는 전도자의 역할을 담당했다.

역사에 있는 여 전도자들

윌리엄 부스 장군의 구세군은 역사상 가장 적극적인 전도 단체 중 하나다. 구세군의 사역자들은 19C 영국에서 가장 조악한 빈민가로 들어가 범죄자들이

날뛰는 지역에서 사역하고 경찰이 좀처럼 찾아가지 않는 곳을 찾아나섰다. 대담한 이 단체의 창설자는 "우리에게 있는 가장 좋은 사역자들 중 많은 수가 여자들이다!"라고 말했다. 그 시대에 그와 같은 발언은 혁신적인 것이었다.

윌리엄 부스 장군과 그의 아내 캐더린은 잘 알려진 설교자들이었다. 당시 식견있는 사람들의 말에 의하면 단상에서는 캐더린이 남편보다 더 나은 설교자였다고 한다. 그녀의 남편은 절대로 그녀를 억누르지 않았으며 설교자로서 그리고 다른 사람들의 지도자로서 하나님이 그녀에게 주신 은사들을 사용하도록 격려했다.

그들의 딸 에반젤린이 10살 되었을 때 아버지는 그녀가 장난감 인형들을 모아놓고 '하나님은 사랑이시다' 라는 주제로 열정과 능력을 가지고 설교하는 것을 듣고 메모를 해 두었다. 십대가 되어 에반젤린은 술집을 찾아다니며 하나님의 사랑에 대해 노래하고 말씀을 전했다. 그녀는 가난한 꽃팔이 소녀들의 처지를 알고자 그들과 같은 차림으로 하루를 보내기도 했다. 그녀가 십대의 나이로 구세군의 어린 사관이 되었을 때 의회의 세 의원들에게 복음을 전하도록 초청받기도 했다.

오늘날 영향을 미치는 여인들

오늘날 가장 은사가 있는 전도자 중 한 사람은 빌리 그래함의 딸인 앤 그래함 로츠다. 현재 그녀는 기름부으심이 있는 그녀의 메시지를 듣기 위해 몰려온 사람들로 가득 찬 강당과 운동 경기장에서 말씀을 전하는 사역이 계속 확대되고 있는 순회 강사다. 그녀는 때로 "불이 떨어지고 주님께서 쏟아 부으시는 것 같다"[19]고 말한다.

그녀의 아버지와 남자 형제 프랭클린은 모두 앤이 "집안에서 가장 뛰어난 설교자"[20]라고 말한다. 그러나 모두가 로츠의 사역을 두손 들고 환영한 것은 아니었다. 1988년 그녀가 목회자 회의에서 말씀을 전했을 때 어떤 사람들은 여성 설교자를 대면하지 않으려는 듯 의자를 돌려놓고 앉아있었다! 로츠는 그와 같은 사람들을 설득시키려 하지 않는다. 그녀는 단지 "사람들이 여자들의 사역에 불만을 품으면 예수님께 해결 받아야지요. 우리를 이곳에 보내는 이는 예수님이시니까요"라고 말한다.

국제 예수전도단 안에서 우리는 다수의 능력 있는 여자 사역자들로 인해 축복을 받았다. 우리는 이 여자들이 가장 어려운 장소에 찾아가고 하나님을 위해 가장 중요한 사역들의 일부를 감당하는 것을 보아 왔다.

→ 에비 헤크만과 레오나 피터슨 졸리는 알바니아가 지구상에서 가장 폐쇄적인 공산주의 나라였을 당시 그곳에 복음을 전하기 위해서 자신들의 목숨과 생명을 내걸었다. 그들은 총살형을 선고 받았지만 이런 난관에도 조금도 흔들리지 않고 추방당할 때까지 자신들을 감금하고 있던 사람들에게 담대하게 복음을 전했다.

→ 낸시 네빌은 장기간 국제 예수전도단의 지도자였다. 하나님은 이 작은 거인을 사용하셔서 남성 문화로 알려져 있던 대륙에 남미 선교사 운동을 일으키셨다.

→ 엘리안 랙은 잘 알려지지 않았던 잔스카 족에게 복음을 전하기 위해 팀을 이끌고 히말라야 산맥 고지대의 험산 준령을 넘었다. 그들의 물자를 싣고 가던 야크가 발을 헛디뎌 계곡으로 떨어져 죽었지만 엘리안과 그의 팀은 굴하지 않고 외딴 계곡으로 가서 잔스카 족에게 복음을 전했다.

→ 마시아 스즈끼와 브롤리아 리베이로는 적대하는 원주민의 창과 재규어, 뱀, 질병에도 굴하지 않고 석기 시대 원주민들을 위한 성경 번역을 위해 아마존 지역에서 국제 예수전도단 사역을 개척했다.

- 리즈 바우만 코크레인은 그녀의 팀이 많은 사람을 기독교로 개종시켰기 때문에 네팔에서 투옥되었었다. 그녀의 지도력은 수천 명의 네팔 사람들이 하나님의 나라로 들어 오는 길을 열어 주었다.
- 나의 아내 달린 커닝햄은 나와 함께 우리 선교 단체를 창설했다. 그녀는 수천 명의 주요한 지도자들을 훈련시키며, 각 대륙에 있는 훈련 학교들을 섬기고 지휘하며 큰 영향을 미치고 있다.

내가 존경하는 용기 있는 여자 사역자의 이름을 다 나열하기에는 지면이 부족하다. 회교도 여인들의 길고 검은 베일로 가장한 두 명의 젊은 여자들이 중동 지역의 핍박당하는 그리스도인들을 섬기기 위해 폐쇄된 나라 안으로 들어갔다. 또 다른 젊은 여자는 수년 전에 몰매 맞아 죽게 된 한 청년을 구출하기 위해 남미의 한 경찰서를 박차고 들어갔다. 여자 의사 중 한 사람은 전쟁 지역에서 두 번이나 납치당한 적이 있다. 바로 지금도 선교사들에게 사형을 내리는 나라에서 몰래 사역하고 있는 여자들이 있다. 믿음 때문에 순교를 당했던 두 명의 국제 예수전도단 사람들은 젊은 어머니들이었는데 한 사람은 뉴질랜드 인이었고 한 사람은 미국인이었다.

이들은 국제 예수전도단 안에 있는 영웅적인 여자들 중 일부이다. 선교단체로서 여자들로 하여금 하나님이 원래 의도하신 모습을 찾아가도록 격려해 온만큼 우리는 축복을 받았다. 그러나 우리는 그들을 더 격려하지 않으면 안 된다.

세계 최고 대형 교회의 놀라운 비밀

많은 사람들이 한국의 서울에 위치한 조용기 목사가 시무하는 교회에 대하여 들었을 것이다. 나는 조 목사와 오랜 친분을 나누고 있다. 30년 전에 내가 처음으로 한국을 방문하였을 때 그의 교회는 교인이 6천 명 정도의 여전히 개척 중인 교회였다. 지금 그 교회의 교인은 76만 3천 명이나 된다. 이 교회의 놀라운 성장에 대하여 많이 언급되고 있지만 사람들이 눈치채지 못한 한 가지 비밀이 있다. 나는 이 이야기를 나누기 위해 조 목사의 허락을 받았다.

30년 전에 우리가 그의 사무실에 앉아 있을 때 조 목사는 "로렌, 내게 문제가 있어요. 나의 장모이신 최 여사는 역량이 뛰어난 성경 교사이며 설교자입니다. 그런데 우리 문화 안에서는 여인이 가르치거나 설교할 수가 없어요. 어떻게 하면 좋을까요?" 라고 내게 물었다.

"그분을 강단에 세우세요!" 라고 내가 대답했다. 그는 인상을 찡그리며 "로렌, 당신은 미국 사람이니까 그것이 한국 사람들에게 얼마나 어려운지 이해하지 못합니다" 라고 말했다.

"그럼 내게 좋은 생각이 있어요. 우리 어머니를 모셔다가 여기서 설교하도록 하십시오."

조 목사는 나의 부모님을 알고 있었다. 그가 젊어서 처음 미국에 갔을 때 그는 나의 부모님 댁에 머물렀었다. 조 목사는 나의 어머니, 쥬얼 커닝햄이 아침 식탁에서 어떻게 하나님의 말씀을 가르쳤는지를 말해주었다.

"우리 어머니는 다른 문화권에서 오신 분이니까 한국 사람들이 제 어머니의 설교는 받아들일 겁니다." 내가 말했다. "그리고 어머니의 설교가 끝나자마자 조 목사님의 장모님을 강단에 세우세요. 그러면 교인들이 요점을 포착하게 될 것입니다. 그것이 문화의 문제가 아니라 사역의 문제라는 것을 깨닫게 될 것입니다."

조 목사는 우리 어머니를 초빙해서 말씀을 전하게 했다. 어머니의 방문 후에 조 목사의 장모님은 놀라운 지도자로 또한 설교자로서 부각되었다. 그리고 조 목사의 지도로 목사가 된 수천 명의 여성들 중 첫 번째 여성이었다. 수년 후 베를린 올림픽 운동 경기장에서 열린 큰 행사에 우리 둘이 강사로 초빙되었을 때 나는 그를 만났다. 그는 수년 동안 하나님의 사역에 어려움을 겪고 있는 어떤 나라를 방금 다녀왔노라고 내게 이야기하며 "그곳의 모든 교회는 매우 작습니다. 그리고 교회들이 여자들을 세우지 않고 하나님의 부르심을 따르지 못하도록 하고 있습니다. 나는 그들에게 여자들을 세워 주라고 말했지만 그들은 문제가 아니라는 듯 고집을 부립니다. 그들이 내게, '당신 교회의 비결은 무엇입니까?' 라고 물었지요. 나는 거듭 그들에게, 여자들을 세워주라고 말했지만 그들은 도무지 내 말을 들으려고 하지 않았지요!"라고 말했다.

하나님은 세계에서 가장 큰 교회를 그에게 주어 섬기도록 하셨다. 그는 많은 여자들을 포함해서 700명의 목회자와 함께 일하고 있다. 그는 또한 3만 개의 셀 그룹들이 있는데 이들 중 대다수가 여자들에 의해 인도되고 있다.[21] 하나님은 이 사실을 통해 무엇을 말씀하시는가?

용기 있는 80대 여인

코리 텐 붐은 위대한 선지자요, 교사며, 전도자였다. 내 아내 달린과 나는 그녀를 국제 예수전도단 학교의 단골 강사로 모실 뿐만 아니라 친구가 되는 특권을 누렸다. 우리는 그녀를 탄테 코리라고 불렀는데 화란말로 코리 이모라는 뜻이었다. 내 아내는 코리 이모가 준 커피통을 소중하게 여긴다. 그 통은 아직도 코리의 커피 향내가 그윽하다. 우리에게 너무도 친근한 분이셨다.

1970년대에 코리가 화란에 살고 계셨고 우리는 스위스에 살고 있을 때 하루는 그녀가 내게 전화를 걸었다. "로렌, 이번 토요일이 내 80세 생일이야. 로렌과 달린이 이번 금요일에 내게 와서 기도해 줄 수 있겠어? 하나님이 내 생일 선물로 내게 새로운 사역을 주시기를 원하신다고 믿고 있어."

나는 참으로 고개가 숙여졌다. 이분은 아버지와 여동생을 잃었던 나치 수용소에서 내가 전혀 하지 못한 방법으로 하나님을 증거한 위대한 용사였다.

그녀는 또 그 당시 나보다도 40년이나 먼저 주님을 알고 있었다. 그러나 화란의 바안에서 그 금요일에 달린과 내가 코리에게 손을 얹고 또 다른 사역으로 세워주기를 하나님께 구했던 그 일은 참으로 감동적이었다.

그 기도 후에 세계 전역의 사람들이 그녀의 간증 책인 「피난처」(The Hiding Place)를 읽게 되었다. 그 후 빌리 그래함은 그 이야기를 배경으로 영화를 제작했다. 개봉 후 첫 5개월 동안에 900만 명이 그 영화를 관람했다. 코리는 빨간색 새 여행가방을 장만해 가지고 세계 전역을 여행하며 자신이 80 평생에 섬겼던 사람들보다도 더 많은 사람들을 그 후 수년 동안 섬기게 되었다.

어떤 사람들은 단지 자신의 이야기를 하는 것이라고 코리 텐 붐이 전도자가 아니라고 말할지도 모른다(우리 모두도 그렇게 능력 있게 나눌 수만 있으면 얼마나 좋겠는가!). 철의 장막이 열리기 전에 코리는 사역을 위해 러시아에 종종 가곤 했다. 자신의 호텔 방에 도청 장치가 되어 있음을 알고서 그녀와 그녀의 비서는 일부러 서로에게 복음을 전하는 대화를 화란 말로, 독일어로, 영어로 오랫동안 나누곤 했다. 나중에 이 노련한 용사는 눈을 빛내며 이같이 말했다. "글쎄, 누군가 그 테이프를 분명히 들을 테니까!"

진정한 남자가 여자를 세워 준다

하나님이 코리 텐 붐이나 조이 도우슨, 그리고 한국의 여자 지도자들을 통해 하시려는 일들이 일어나도록 작은 역할을 담당하는 것은 얼마나 신나는 일인지 모른다. 이것이 내가 경험해 보았던 가장 커다란 특권 중 하나다. 내가 파격적인 여권 운동을 조장하는 것인가? 아니다, 오히려 그 반대다. 나는 여자와 남자들이 그들 삶 가운데 하나님의 부르심을 따르도록 돕고 더 많은 사람들에게 그들의 은사를 가지고 그리스도의 몸을 섬길 수 있는 기회를 제공하는 데 앞장서기 원한다. 어떤 여자들은 지도자로 부르심을 받았고 어떤 사람들은 가정 주부로 부르심을 받았다. 여자들은 하나님의 부르심에 순종할 수 있는 자유와 하나님이 그들에게 주신 은사를 사용할 수 있는 자유를 가져야만 한다.

어떤 사람들은 여자들이 사역 은사들을 사용하면 그들의 여성다움을 상실하게 될 것이라고 우려한다. 그러나 하나님은 그들에게 필요한 은사를 부여하실 뿐만 아니라 그들에게 여성다움을 주는 분이시다. 서로 상충되는 은사를 주지 않으신다. 하나님께 순복하는 여자는 또한 그리스도에게 순종하고 있는 남자의 남자다움을 위협하지도 않을 것이다. 진정한 남자는 공적인 사역에 여자를 세워줄 수 있는 능력이 있다. 경건한 남자는 사람을 두려워하지 않는다. 오직 주님을 두려워할 뿐이다. 하나님을 향한 순복은 궁극적인 힘이다. 내가 여자들을 포함하여 사역을 위해 더 많은 사람들을 세워줄수록 하나님은 나를 더 사용하신다.

어떤 그리스도인들은 현대 여권 운동에서 그들이 보았던 것들로 인해 여성 지도자들을 세우는 일에 반대한다. 너무 많은 여권주의자들이 남자들을 향해 엄청난 원망과 증오심을 갖고 있는 것은 참으로 유감스러운 일이다. 그러나 많은 사람들이 그들 주변의 남자들로부터 고통과 멸시만을 받아왔다. 교회 안의 남자들인 우리는 수세기에 걸쳐 남자들에 의해 받아왔던 그들의 상처들을 인정하고 용서를 구하지 않으면 안 된다.

참된 자유는 우리가 겸손함으로 예수님과 그리고 서로에게 순복할 때 온다. 그러한 순복함이 없이 자유함을 찾는 운동은 결국 더 무거운 얽매임만을 가져올 뿐이다. 예수님 안에서만 찾을 수 있는 자유함이 사람들로 하여금 하나님이 창조하신 본연의 자신의 모습을 찾게 해 줄 것이다.

성경은 소식을 공포하는 여자가 큰 무리라고 말한다.[22] 하나님께 순종하는 여자 안에 있는 은사 중 하나님이 사용하실 수 없는 은사가 있는가? 하나님은 모든 선하고 온전한 은사를 주는 분이시다. 그분은 헨리에타, 캐더린, 코리, 조이에게 은사를 주신 바로 그분이시다. 그리고 그분은 당신에게도 은사를 부여하셨다. 하나님이 당신에게 주신 은사를 사용하라.

다음에 우리는 예수님과 바울의 세계로 돌아가서 희랍과 로마, 그리고 유대의 사회를 살펴볼 것이다. 나와 함께 이 책을 쓴 데이비드는 당신을 모든 여성들의 자유를 위해 닦아놓은 성경적인 기반 가운데로 인도할 것이다.

5
판도라의 딸들

데이비드 해밀턴

역사라는 말만 들어도 어떤 사람들은 벌써 따분해한다. 그렇지만 나에게 있어서 역사는 지루하고 고리타분한 연대나 발음하기도 어려운 이름들을 외우는 것이 아니다. 나에게 역사는 현실을 관찰하고 이해하는 것을 도울 실마리를 찾으러 먼 과거로 가서, 마침내 퍼즐의 한 조각을 추적해내는 기가 막힌 탐사와 같다. 현재의 고통과 불확실성, 가정의 파괴, 가치관의 왜곡, 사회를 파멸시키는 장본인을 이해하기 위하여 우리는 고대 희랍 시대로 돌아갈 수밖에 없다.

자, 이제 나와 함께 매우 다른 장소와 시간 속으로 떠나 가보자. 당신이 현관을 나서는 순간 제일 먼저 당신의 머리와 어깨에 내리쬐는 햇볕을 느끼게 될 것이다. 그 다음에는 냄새 — 끈끈한 땀 냄새, 당나귀와 말들의 똥 냄새, 먼 곳에서 타는 모닥불 냄새, 가까운 가게에서 풍기는 익은 과일 냄새, 고기와 생선 냄새, 바구니에 가득 담겨 있는 향료의 은근한 향기를 느끼게 될 것이다.

당신이 거리에 들어서면 도시의 변두리를 향하여 몰려가는 군중들에게 떠밀려가고 있는 자신을 발견하게 될 것이다. 당신이 밝은 햇볕 때문에 눈을 찡그리면 저 멀리 언덕 위에 어떤 회당이 서 있는 것을 보게 될 것이다. 가까이 다가가는 동안 당신은 짙푸른 하늘을 배경으로 홈이 파인 흰 대리석 기둥들이 커다란 지붕을 떠받치고 있는 것을 보게 될 것이다. 당신 주위에는 남자들이 있는데 어떤 사람들은 깨끗하고 길다란 하얀 면으로 된 옷을 입고 있다. 부끄러운 곳만 겨우 가린 더러운 옷과 가죽 목걸이 외에는 벌거벗은 채 다니는 사람들도 있다. 이 사람들은 너무나 무거운 짐을 지거나 혹은 무거운 마차를 끄느라 안간힘을 쓰고 있다.

당신이 오르막길을 가는 동안 어떤 사이프러스 나무 밑에 움푹 패인 구멍이 있는 것을 본다. 그 그늘 아래에는 젊은 남자들이 나이가 들고 다리가 휜 어떤 사람의 발치 아래 앉아 있다. 찌는 듯한 더위에도 불구하고 그들은 쾌적한 듯이 주의를 집중하고 그의 말을 들으려 고개를 기울이고 있다. 당신도 마음이 쏠려서 친근한 어투로 하는 그 노인의 말을 들으려 노력할 것이다.

"지옥은 없습니다." 그 교사가 부드럽게 이야기한다. "내세에서 고통받는 일이란 없습니다. 우리는 지금 여기서 처벌을 받고 있지요. 태초에 제우스 신이 이들 피조물로 우리에게 고통을 주며 죄값을 결정했지요. 제우스 신은 우리가 그들의 도움 없이는 존재할 수 없도록 했을 뿐만 아니라 또한 그들과 함께 있는 것도 견딜 수 없도록 만들었지요."

사람들의 웃음소리가 그의 말을 삼켜버렸다.

"우리는 이같은 고통에서 벗어날 수가 없는데 그 이유는 우리가 고통 속에 살고 있기 때문이지요. 고통은 바로 우리의 누이들이요, 어머니들이요, 우리의 약혼자들이며, 우리의 아내들이며, 딸들이며, 우리의 정부들이며 첩들이기 때문이라오. 더구나 우리가 만약 죄 가운데서 살거나 혹은 비겁한 인생을 살게 되면 제우스 신은 우리를 이 세상에 여자로 다시 태어나게 하실 것이오."

당신은 잠시 멈추어 서서 그의 말을 생각해 보고 가까이 서 있는 사람에게 묻는다. "저 사람이 누굽니까?"

"아니 당신은 생존해 있는 가장 위대한 철학자며 소크라테스의 제자인 저 분을 모른단 말이요? 저 분이 바로 플라톤이시라구요!"

이와 같은 장면이 당신에게 충격을 주거나 놀라게 할지 모른다. 플라톤은 우리가 학교에서 들었던 위대한 철학자들 중 한 사람이 아닌가? 우리가 조금 더 교육을 받았다면 아마도 그가 쓴 글들을 연구했을지도 모른다. 플라톤은 '영광스러운 희랍' 시대에 살던 사람이었으며 대단한 영향력을 미친 사람이었다. 한 전문가는 말하기를 철학의 역사는 '플라톤의 메모 수첩' (series of footnote)이라고 불리울 수도 있다고 했다.[1]

우리가 잘 인식하지 못하지만 플라톤, 희랍의 다른 철학자, 시인, 극작가, 의사, 정치 사상가들은 베스트셀러 책부터 극장에서 상영되는 영화의 줄거리까지, 대학교나 신학교나 성경 학교에서 배우는 모든 것에 이르기까지 우리에게 영향을 미치고 있다.

사실상 우리가 전형적인 서구의 사고방식, 특히 여자와 그들의 역할에 대한 사고방식을 이해하기 원한다면 우리는 희랍 시대로 되돌아가지 않으면 안 된다. 왜냐하면 이 장의 처음에 나오는 내용은 고대 희랍 시대에 믿었고 가르쳐졌던 사상의 일부분에 불과하기 때문이다. 그리고 우리가 이 장에서 보게 될 그와 같은 고대의 가르침은 지중해와, 로마 제국이 점령했던 땅들, 그리고 결과적으로 서구 문화 사상의 근간이 되었다.

이야기꾼

호머는 희랍 사회의 신념을 가진 사람이었다. 그는 기원전 800년대 시인으로서, 고대부터 내려온 전설을 기록하여 남겼다. 그가 쓴 「일리아드」와 「오디세이」에 나오는 이야기들은 수세기 동안 다양한 형식으로 들려졌으며, 연구되고 해석되었으며, 연극으로 만들어졌고 토의되었다. 그 이야기들은 희랍인들에게 그들의 신, 그들 자신, 그리고 존재하고 있는 모든 것들에 대한 사상의 기반이 되었다. 그리고 여성과 그들의 역할에 대한 연구를 하는 우리에게 가장 중요한 것은 그 이야기들이 호머 이후 수천 년에 걸친 사고와 풍습에 결정적인 역할을 했다는 것이다. 현대의 한 저자는 호머가 한 일에 대하여 "서구의 신화(여성 혐오와 공포)의 근본은 유럽 문학의 가장 오래된 문서로 거슬러 올라간다"[2]고 말했다.

「일리아드」에서 여자들은 모든 갈등과 고통의 원인이 되었다. 그러나 그들은 어떤 적극적인 역할도 하지 않았다. 오히려 단지 탈취할 수 있는 소유물이나 남자들의 세력 다툼의 담보물에 지나지 않았다. 그들은 어떤 가치도 없었다. 호머의 작품에 나오는 한 인물은 "당신은 여자보다도 못해!"라고 조롱했다.[3]

호머는, 여자는 가정 안에서 주어진 일만 해야 되고 남자에게 복종해야 한다는 그 당시 모든 사람들이 생각했던 좁은 범주의 안목에서 여자들을 묘사했다. 여자가 별개의 정체성을 가지고 있다는 것을 그는 어디에서도 말하지 않았다. 한 여자는 언제나 '아무개의 딸' 혹은 '아무개의 아내' 혹은 '아무개의 첩' 일 뿐이었다.

자기 아내를 구타하는 신

희랍의 여신들은 보다 적극적인 역할을 나타냈지만 그러나 우리가 그들의 성품이나 남신들과의 상호관계를 살펴보면 여자들에 대한 희랍 사상의 비참한 근원을 이해할 수 있다. 헤라는 증오심이 강했으며 최고의 신 제우스와의 결혼 생활에는 거짓과 조종, 비난과 두려움이 가득했다. 제우스가 자신의 아내에게 어떻게 그녀를 다루겠다고 하는지 들어 보라.

> 나는 채찍으로 당신을 때릴 것이다. 당신이 양 발에 두 개의 모루를 달고 팔목은 끊어지지 않는 금줄에 묶여 높이 매달렸던 때를 기억하라. 공중 구름들 사이에 바로 당신이 매달려 있었다.[4]

아내를 때렸을 뿐만 아니라 제우스는 바람둥이어서 헤라 앞에서 공개적으로 난봉을 부려 그녀를 괴롭혔다. 그녀와의 사이에서 태어난 자녀들 외에 제우스는 적어도 7명의 다른 여신들과의 사이에서 자녀를 낳았다.[5] 제우스가 고대인들에게 이상적인 신이었기 때문에 그들이 아내 학대와 적나라한 간음을 정상적인 것으로 받아들였던 것은 당연하지 않은가?

여자, 근본적으로 '악한' 존재

헤시오드는 그 다음으로 중요한 시인이었다. 그의 서사시 「신들의 계보」(The Theogony)는 여자의 시초에 대하여 더욱 부정적인 모습을 그리고 있다. 「신들의 계보」는 희랍인들, 그리고 후에는 로마인들에게 있어 창세기와 유사한 책이었다. 그러나 이브의 탄생이 창조주의 사랑의 행동이었던 창세기와는 달리 판도라의 창조는 전혀 다른 것이었다.

헤시오드에 의하면 남자들은 여자를 동반하지 않고 기쁘게 살았던 시기가 있었다고 한다. 이같은 천국은 프로메테우스가 올림포스 산의 신들로부터 불을 훔쳐다가 인간들에게 나누어 주었을 때 사라져 버렸다. 제우스는 복수심에 불타서 가장 끔찍한 처벌을 생각해 내었다. 남자들을 향한 영원한 저주로 여자가 창조되었다. 제우스는 "악한 것을 만들었는데" 그것은 판도라라는 여자였으며 "아름다운 악이었고…남자들이 참지 못할 존재"였다. 그는 "그녀로부터 여자라는 끔찍한 인종이 생겨나고…그들은 남자들 가운데서 살 것이며 남자들에게 큰 고통을 주게 될 것이다"라고 했다.[6]

세모니드가 헤시오드의 뒤를 이었다. 그의 저서의 일부분 만이 보존되어 있지만 가장 유명한 글 중 하나에서 그는 "태초부터 신은 여자의 사고를 좀 다르게 만들었다"[7] 라고 했다. 여자와 남자 사이에는 공통점이 없으며 근원조차 달랐다. 그것은 마치 서로 다른 혹성에서 온 것 같았다. 세모니드의 글을 읽는다면 여자와 남자는 같은 인류가 아니라는 결론에 도달할 수 있다. 제우스가 창조한 모든 여자는 털이 긴 암퇘지, 악한 여우, 개, 땅의 흙, 바다, 비틀대는 고집 센 당나귀, 족제비, 섬세하고 긴 갈기를 가진 암말, 원숭이, 벌과 같은 열 가지 중 하나에서 만들어졌다.

그리고 나서 세모니드는 이중 첫 아홉 가지가 모두 얼마나 끔찍한 것인지를 보여주었다. 배치된 무리는 저마다 커다란 성품의 결함을 갖고 있었다. 단지 열 번째인 벌만이 바람직한 것이었다. "오직 벌만이 결함이 없을 따름이다"라고 했지만 그와 같은 여자들은 참으로 희귀했는데 그 이유는 "제우스가 최상급이며 특별히 현명한 그들은 특별한 은혜를 받은 남편에게만 주었기 때문이다."[8] 좋은 아내를 맞을 수 있는 확률은 10대 1이었다.

비록 한 남자가 희귀한 '벌' (아내) 중 하나를 얻었다고 주장해도 세모니드는 그것이 별것 아니라고 지적했다. "남자들은 자기 아내는 칭찬하면서 다른 사람의 아내는 비방한다. 우리들이 같은 운명을 타고난 것을 모르고 있다. 왜냐하면 제우스가 악 중에 가장 악한 것으로 여자를 만들었으며 결코 끊을 수 없는 족쇄로 여자를 우리에게 묶어 놓았기 때문이다."[9]

여자에 대한 그 시인의 증오에 찬 언급을 극히 일부분만 인용했을 따름이다. 그러나 기원전 800년대에 호머가, 기원전 7C에 헤시오드가, 기원전 6C에 세모니드가 쓴 것들로부터 윤곽이 분명하고 슬픈 것으로 드러난다. 여자들은 신뢰를 받을 수 없고 그들은 남자에게 주어진 저주다. 그들은 모든 악의 근원이기 때문에 악 중에 가장 악한 것이다. 그것은 그들의 본성이며 신이 그들을 그렇게 만들었다.

희랍인들이 여자들을 그렇게 경시했던 것은 오히려 당연하다. 그리고 이러한 옛 시인들은 그들에게 가장 소중한 권위의 음성이었기 때문에 이것을 기반으로 해서 더욱 무도한 일을 범하게 된 것도 당연하지 않은가?

이념의 왕조

구식 옷을 입은 소수의 교수들이 상아탑 안에서 토의하는 것처럼, 대부분의 사람들에게 철학은 실제적인 삶으로부터 떨어져 있다. 그러나 기원전 5C 아테네의 철학자들은 유명 인사들이었다. 그 당시에 폭넓게 영향을 미친 왕조가 세워졌다. 정치적이거나 혹은 군사적인 왕조가 아니라 이념이 지배하는 왕조였으며 오늘날도 여전히 그 이념이 영향을 미치고 있다.

소크라테스가 첫 번째였다. 그의 제자는 플라톤이고, 플라톤의 제자는 알렉산더 대제의 스승이 되었던 아리스토텔레스다. 알렉산더 대제의 정복은 희랍 사상을 지중해 전역으로 확산시켜서 예수님이 탄생하셨던 동시에 우리가 몸담고 있는 문화권을 형성했다.[10]

소크라테스에 대해서 우리가 아는 전모는 플라톤과 크세노폰 같은 그의 제자들 혹은 아리스토파네스 같이 그를 비난하는 사람들의 의견이다. 소크라테스가 직접 집필했던 것은 아무것도 없다. 심지어 정부가 그에게 독약을 마시도록 강요했던 그의 처형의 이유조차 확실하지 않다. 또한 소크라테스가 여자들에 대해 어떤 사상을 갖고 있었는지도 불분명하다. 그의 유산은 단지 세상에 영원한 영향을 미쳤던 그의 제자들을 통하여 전해질 뿐이다. 그리고 그와 같은 제자들의 글로부터 점점 더 명확해지는 것은 점증되는 여자에 대한 증오심이다.

플라톤의 실용주의적이고 음란한 제안

나는 앞서 오늘날의 이념의 세계 안에 아직도 존재하는 플라톤의 영향력에 대하여 이미 말했다. 어떤 사람들은 플라톤을 세계 최초의 남녀 평등 지지자라고 부른다. 몇 경우에 걸쳐 그는 여자들의 교육을 위하여 논쟁했다. 당신이 그의 「The Republic」(공화정)과 「Laws」(법)의 글들을 읽어본다면 한 가닥 희망의 빛이 떠오르는 것처럼 보일 것이다. 그러나 자세히 살펴보면 그 그림은 현저하게 변한다.

첫째, 이 두 가지의 글 안에서 플라톤은 결코 이룰 수 없는 이상적인 세계를 제시하고 있다. 그는 자신의 개념이 결코 현실화될 수 없으리라는 사실을 인정했다. 더욱이 그는 여자들이 너무 외고집이기 때문에 들으려 하지 않을 것이라고 말했다.[11]

둘째로, 플라톤이 받았던 교육이 어떤 것이었는지 살펴보라. 아테네 사람들은 교육이란 주로 신체적인 교육으로 생각했다. 플라톤은 읽기, 쓰기, 산수를 소녀들에게 가르치는 것에 대해 말하지 않았고, 승마, 음악, 체조를 가르치는 것에 대하여 말하고 있었다.[12] 이와 같은 활동이 온전하게 들릴지 모르겠다. 적어도 소녀들이 집 밖으로 나올 수 있으니까 말이다. 그러나 이런 활동은 대개 발가벗은 채 배우는 것이었다. 플라톤은 여자들이 "남자들 사이에서 나신으로"[13] 운동해야 한다고 말했다. 플라톤은 여성들의 지적인 능력 개발을 위해 논쟁하고 있지 않았다. 그는 그들이 가지고 있던 정숙함의 기준을 말살시키는 관능적인 신체적 운동을 조장하고 있는 것이었다. 그는 남녀 혼성 춤잔치를 벌이며 이렇게 말했다.

> 여자들은…그들이 미덕의 옷을 입을 것이기 때문에 반드시 옷을 벗을 것이며 전쟁이나 다른 시민의 의무에 반드시 남자들과 함께 자신들의 몫을 담당하되 다른 직업을 가질 수 없다…이 여인들은 모든 남자들에 의해 공동 소유가 될 것이며 아무도 특정 사람과 사적으로 동거할 수 없다. 그리고 자녀들 또한 공동 소유가 되고 어떤 부모도 자신의 자녀가 누구인지 알아서는 안 되며 또한 자녀도 자신의 부모가 누구인지 알아

서는 안 된다.[14]

셋째, 가장 중요한 것은 플라톤이 이런 제안을 한 것은 실리를 추구하기 위한 것임을 이해해야 한다. 그가 여자들이 (하나님 앞에서) 가치 있는 개인들이라는 사실을 갑자기 깨달아서 수세기의 전통적인 개념을 변화시키려 한 것은 아니다. 그는 "만약 우리가 남자들과 동일하게 여자들을 이용해야 한다면 그들에게 반드시 동일한 것을 가르치지 않으면 안 된다"[15] 라고 말했다.

그것은 전적으로 정부에 필요한 최대한의 고용을 얻어내고자 하는 실리주의적인 제안이었다. 플라톤의 글들을 더욱 자세히 살펴본다면 여자에 대한 편견을 주목할 수 있다. 플라톤은 "여성은 선함에 있어 남성보다 열등하다"라고 선언했다. 그가 "여성은 연약함으로 인해 가장 비밀스럽고 신비하다"[16] 라고 말한 것은 호머와 헤시오드의 의사를 반영한 것이다.

히틀러 이전의 수세기

플라톤은 여자가 어떻게 생겨났는가에 대한 또 하나의 이론을 설명했다. 「Timaeus」에서 그는 "겁쟁이로 또는 죄인으로 그들의 삶을 보낸 모든 남자 피조물들은 다음 세상에서 여자로 변신한다…이와 같은 방법으로 여자들과 여성 전체가 존재하게 되는 것이다"[17] 라고 말했다. 플라톤의 가르침 안에 지옥은 존재하지 않았다. 여자로 다시 태어나는 것이 두려워서 어떤 남자도 죄를 지으려 하지 않았기 때문이다! 그리고 소수의 여자들을 훈련시키고 정부의 지도자급의 남자들과 '동거하도록 선택하여' 정부가 자녀 생산을 조정하려 했던 플라톤의 이상적인 제안은, 수세기 후에 수퍼 어린이들을 선택적으로 낳게 하려 했던 나치의 계획을 히틀러가 실제로 행동으로 옮기는 데 모델이 되었다.

상상하기 어렵지만 플라톤의 여자에 대한 언급은 그의 제자 아리스토텔레스가 가르친 것에 비하면 아무것도 아니다. 아리스토텔레스는 여성은 "기형동물"[19]이며, "기형 남자"[20]며, "자연의 보통 과정에서 생겨나는 기형"[21] 이라고 말했다. 그는 또한 "여성들은 남성보다 더 악한 기질이 있으며 더 주제넘고 용기가 없다. 여자들과 우리들이 사육하는 동물의 암컷들은 확실히 그렇다. 이와는 반대로 남성의 본질은 더 용기 있고 더 솔직하다. 여자의 본질은 더 비겁하고 덜 정직하다"[22] 라고 했다. 그는 "남자는 본질상 우월하고 여자는 열등하며, 남자는 다스리는 사람이고 여자는 다스림을 받는 사람이다"[23] 라고 말했다. 그것이 아리스토텔레스가 기회 있을 때마다 남자들에게 "여자들로부터 멀리 떨어지는 것이 더 낫고 훌륭한 일이다"[24]라고 말했던 이유다. 그러므로 고대 희랍 시대에 동성연애가 편만했던 것은 당연지사다.

은밀한 독약

고대 철학자들의 말들은 매우 무관한 것 같지만, 이 남자들의 사상은 우리가 생각하고, 말하고, 행하는 것들에 은밀히 영향을 미치고 있다. 여성에 대한 적대감을 갖고 있던 플라톤과 아리스토텔레스의 영향은 알려진 세상과 드러나게 될 세상에 스며들었다. 이 책의 지면 관계로 희랍인, 로마인, 유대인, 아랍인, 유럽인들에 의해 그들의 사상이 어떻게 여러 세대를 거쳐 반복되었고 정치인, 예술인, 교육자, 건축가, 군장성, 사업가에게 어떤 영향을 미쳤는지 자세히 나열할 수 없지만 그들의 영향은 엄청난 것이었다.

플라톤과 아리스토텔레스 이념의 간헐적인 부흥은 중세기, 르네상스 시대, 영적 각성기, 개화기, 교회, 이방 종교, 사회에 대단한 영향을 미쳤다. 이와 같은 이념은 대중적으로 받아들여졌다. 많은 사람들이 자신들이 배우는 가르침의 뿌리가 무엇인지 깨닫지 못한 채 이들의 열매를 먹었다. 이같은 사람들의 이념은 성경에 대한 많은 사람들의 명확한 이해를 흐리게 했으며, 여자들을 열등하고 종속적인 '다른 인종'으로 바라보도록 만들었다.

아테네의 흥행

우리가 믿는 것이 우리 삶의 행위를 결정한다. 이것은 개인적으로나 사회 전체로서도 사실이다. 우리의 가치 기준은 우리의 법 안에, 우리의 정치 단체에, 우리의 작품에, 우리의 오락에 반영된다. 당신이 집에서 소파 위에 길게 누워서 일일연속극을 보고 있든지 혹은 극장에서 최근 개봉된 영화를 관람하고 있든지 간에 당신은 그것을 제작한 사람의 가치 기준을 분별할 수 있다. 만약에 그 쇼가 성공적이라면 그것은 아마도 당신의 문화 속에 있는 다수의 가치를 반영하기 때문이다.

고대 희랍인들도 예외는 아니었다. 그들이 즐겨 관람했던 연극을 우리가 관찰할 때 희랍의 시인들과 철학자들이 가르쳤던 이념의 본질적인 표현을 찾아볼 수 있다.

여자로 태어나는 험한 운명

희랍의 모든 연극은 비극이거나 희극이다. 으뜸가는 비극 작가들은 아이스킬로스, 소포클레스, 유리피데스였다. 가장 위대한 희극 작가들은 아리스토파네스와 메난더였다.[25] 학자들 사이에는 이들 극작가들이 여성에 대한 사회의 견해를 비난하고 있는 것인지 아니면 그 당시의 상황을 보여주고 있는 것인지에 대한 논란이 있다. 어쨌든지 이들 극작가들은 판도라의 딸들에 의해 생겨난 피할 수 없는 고통을 보여주고 있다. 여자로 태어나는 것은 참으로 험한 운명이었다.

희랍 연극의 흐름에 거슬리는 도전을 감행한 몇 명의 여주인공들은 가차 없이 처벌되었다. 현대의 한 작가는 이렇게 말했다. "줄거리에 있어서 여성들에 대한 이야기가 중심 주제가 아니더라도 피할 수 없는 여자의 불행이 그 배경에 깔려 있다. 비정상적인 결혼 생활, 치욕적인 불륜 관계 혹은 여자들이 견디기 어려운 많은 일들…."[26]

'여자들은 가장 사악한 피조물이다'

아리스토파네스는 「The Lysistrata」 중에서 남자들의 합창으로 "여자들은 파렴치한 존재며 가장 사악한 피조물이다"[27] 라고 주장했다. 아이스킬로스의 극중 인물인 에테오레스는 '참을 수 없는 존재' 라고 여기던 여자들을 향하여 열변을 토했다. "나는 어려운 때뿐만 아니라 평화로운 때에도 여자들과 함께 사는 것을 선택하지 않을 것이다."[28]

유리피데스는 "영리한 여자들은 위험하다"[29] 라고 말했으며 "계모는 언제나 악독하다"[30] 고 저술했다. 메난더는 여자들은 "모든 신들의 증오의 대상이며 가증스러운 계층이다"[31] 라고 동조했다. 유리피데스의 히폴리투스는 "여자들에 대한 나의 증오심은 절대로 지치지 않을 것이다"[32] 라고 선언했다. 그리고 「오레스테스」에 나오는 합창은 "여자들은 남자들의 인생을 망쳐 놓기 위해서 태어났다"[33] 고 노래한다.

한 명의 남자가 만 명의 여자보다 더 귀하다

극작가들은 극 중의 남성 인물들을 통해 여자들에게 분풀이하는 것으로 만족하지 않았다. 그들은 한 걸음 더 나아가 여자들을 한 푼의 가치도 없는 존재로 드러냈다. 소포클레스의 여주인공인 테레우스는 말한다. "이제 아버지의 집을 떠난 나는 아무것도 아닙니다. 그래요, 나는 자주 우리가 아무것도 아니라는 것이 여자의 본질인 것을 보곤 합니다."[34] 유리피데스의 여주인공인 이피제니아는 아카이아 군대의 안전한 귀환을 위해 자기 자신을 인간 희생 제물로 바치려고 자원했다. 결국 그녀는 "만 명의 여자보다 한 명의 남자가 귀해요"[35] 라고 말했다.

나는 희랍의 비극과 희극에 등장하고 있는 여성에 대한 증오심의 표현 중 극히 작은 부분만을 제시하고 있다. 만약 이와 같은 연극들이, 여성에 대한 험담을 유대인이나 흑인, 혹은 어느 다른 인종에 대한 험담으로 바꾸어서 오늘날 상연된다면 대단한 비난을 받을 것이며 그것은 또한 마땅하다. 그와 같은 것들이 모든 고등 교육 기관에서 고전 작품이라고 인정받을 수는 없을 것이다.

그렇기 때문에 그들의 관객이 웃고 있는지 혹은 울고 있는지에 상관없이 극작가들은 여성의 열등한 신분이 마치 정상적인 것처럼 묘사했다. 그리고 우리가 앞으로 보게 되겠지만 시인, 철학자, 극작가들이 보여준 태도는 그 시대의 과학자들에 의해서 더욱 강화되었다.

과학자들의 '지혜'

의료 과학은 그 초기에 철학 연구와 긴밀한 관계를 맺고 있었다. 의사들은 철학적으로 연구했으며, 철학자들은 의학적 처방을 내렸다. 그것이 우리가 알고 있는 고대 희랍의 의학적 견해가 대부분 플라톤과 아리스토텔레스로부터 말미암은 이유다.

히포크라테스는 '의학의 아버지'라고 불리운다. 그는 "환상과 착각의 문제로 인해 많은 사람들이 사망하게 되는데, 여자들은 겁이 많고 더 약하기 때문에 남자보다 죽는 확률이 높다"[36]고 가르쳤다. 사실상, 희랍의 의사들이 철저하게 진리라고 여겼던 것 중 많은 것들이 터무니없는 미신이었다. 예를 들면, 그들은 생리 중인 여인들이 우박이나 회리바람을 물리칠 수 있다고 믿었다. 또한 생리 중인 여인들이 면도칼의 날을 무디게 하며 새끼를 밴 말을 낙태시킬 수 있다고 믿었다![37] 그럼에도 불구하고 희랍 의사들은 거의 이천 년 동안 서구 세계 전역에서 과학적인 표준이 되어왔으며 그들의 '과학적인' 의견은 여자들이 천성적으로 열등하다는 견해를 강화시켰다.

아리스토텔레스는 말했다. "여자는 마치 생식력 없는 남자와 같다. 여자가 여자인 이유는 정액을 만들어 낼 능력이 없기 때문이다." 그는 이것이 "그녀의 냉담한 본성"[38] 때문이라고 말했다. 여자에게 정액을 만들어 낼 수 있는 능력이 없는 것을 반복적으로 말하면서 아리스토텔레스는 여자는 필요한 존재이긴 하지만 정액만이 생명력을 지니고 있기 때문에 남자보다 여자는 훨씬 더 뒤떨어지는 존재라고 묘사했다. 아리스토텔레스, 플라톤, 그리고 여러 세대의 과학자들은 정액에는 작은 인간들이 포함되어 있다고 믿었다.[39]

여자들은 '결함이 있는 우연의 소산물'이다

생명력을 가지고 있는 유일한 존재인 남자만이 '씨'를 심고 여자는 단순히 '밭'을 제공한다는 생각은 여자의 열등한 신분의 배경이 되었다. 그것이 결국 창조 순서였으며 원래의 의도였다. 아리스토텔레스는 정상적인 경우에 남자의 정액은 아버지를 닮은 또 다른 남자를 생산한다고 말했다. 그러나 어떤 경우에 이 남자의 형상이 여성적인 물질에 의해 부패되어서 기형적인 인간을 생산해 내는데 그것이 바로 여자다. 그러므로 여성은 신체적으로 약하고 논리적인 기능이 부족하며, 의지와 절제의 도덕적인 능력이 부족하여 모든 면에서 열등하다.

희랍의 남자들은 여자의 해악을 받지 않고서도 자녀들을 생산하는 다른 방법을 추구했다. 유리피데스의 주인공인 제이슨은 "남자들은 다른 곳에서 아이들을 낳아야 하며 여성은 말살되어야 한다"[40] 고 말했다. 그의 극중 인물인 히폴리투스는 제우스가 여자들을 없애버리고 남자들이 "여자 문제가 없는 자유로운 집에서 자유롭게 살 수 있도록" 그의 신전에 희생 제물을 드림으로써 자녀들을 갖게 하는 것을[41] 제의했다.

정치인들

한편 철학자들이나 의사들이 가르치던 것들을 정치인들은 법을 통하여 강화시켰다. 우리는 종종 희랍이 민주주의의 탄생지라는 말을 듣는다. 그러나 노예와 여성 두 계층의 사람들에게는 전혀 자유가 없었고 시민 수에 들지도 않았다.

매춘을 조장하는 법률

아테네에서 정치적인 영향력을 행사했던 첫 번째 지도자는 기원전 640년부터 기원전 561년까지 살았던 솔론이었다. 희랍 여인들의 삶에 솔론이 기여한 것은 매춘을 권장하는 법을 통과시킨 것이었다. 만일 여자가 단지 남자들이 이용하는 소유물에 지나지 않는다면 왜 그들을 정부에게 경제적인 이득을 줄 수 있는 방법으로 판매하지 않는단 말인가? 어떤 사람들은 솔론이 동성연애자였기 때문에 이 일을 했다고 말한다.[42] 그의 동성연애가 이와 같은 법을 제의하도록 만들었다는 것을 증명해 줄 만한 충분한 증거는 없지만 공적인 정책이 정부 지도자의 개인적인 삶과 무관하지 않음을 역사가 보여주고 있다. 솔론의 법은 확실히 여자들을 비하시켰고 수세기가 지나는 동안에 남자들에게 불행을 안겨다 주었다.

고대 희랍 작가 중 한 사람은 말했다.

> "솔론, 당신은 나라에 호색적인 젊은 청년들이 가득함을 보고…어떤 여자들을 사들여서 공공 장소에 두고 몸을 팔게 했다. 그들은 발가벗고 서 있다. 소년들아, 그들을 자세히 보아라. 속지는 말아라. 만족되느냐? 준비가 되었느냐? 그들도 준비되어 있다. 문이 열리고 가격이 정해지고 네가 들어간다. 이런저런 군더더기가 없고 대화와 책략도 필요 없다. 너는 원하는 것을 원하는 방식으로 하면 그만이다. 작별하고 떠나가라. 그녀는 이제 너와 무관하다.[43]

솔론의 매춘부들은 '성을 위한 공무원들' 이었다. 이들 공식적인 국가 매춘부들은 정부의 재정을 보충했다.[44] 이것은 '공공 정신이 투철한 행위' 로 칭송되었으며 솔론은 '정부의 구원자'[45]로 불리웠다.

후에 로마의 플루타크는 "한 남자는 한 달에 적어도 세 번 이상 아내와 동침해야 하는데 물론 그것은 쾌락을 위한 것이 아니라 도시들이 때때로 상호조약을 갱신하는 것과 같은 목적을 위해서다."[46] 그들에게 이와 같은 지침이 필요했다는 그 자체가 희랍인들의 결혼 생활이 피폐했었음을 드러내 준다. 그리고 남자들이 결혼 관계 이외의 곳에서 성적인 쾌락을 추구하는 것을 권장하는 다른 법들이 존재했으니 당연히 그럴 수밖에 없지 않은가?

어둡고 누추한 집에 감금되다

솔론 이후 수세기 동안 페리클레스와 두시디데스 같은 지도자들이 여자들은 절대로 밖으로 나가지 말고, 집안에 처박혀 이름 없이 고립된 채로 살아야 한다[47] 고 말했다. 이상적인 여자는 알려지지 않은 여인이었는데 그 이유는 희랍 세계가 남자의 세계였기 때문이다. 남자들은 하루의 대부분을 정교한 대리석 건물, 체육관, 시장과 같은 공공 장소에서 보낸 반면, 현숙한 여인들은 집안에 남아 있었는데 주거 공간은 어둡고, 누추하며 비위생적이었다.[48] 심지어 여자들은 집에서까지도 여자 숙소에 분리되어서 그들의 남자 친척들과 식사를 같이 하는 일이 매우 드물었다.[49]

절대 자유도 없고 어른도 아니다

그리스의 남자들은 여자들에게 어떤 형태의 사회 참여도 허락하지 않았다. 여자들은 종들보다 더 나은 법적인 자유를 갖지 못했다.[50] 희랍 여인들은 아버지로부터 아무것도 상속받지 못했고 그리고 '보리 한 말 이상'[51]의 어떤 상업 매매에 관여하는 것도 허락되지 않았다. 그들은 정부의 참여로부터도 제외되어 투표권도 없었고 배심원이 될 자격도 없었다. 여자들은 거의 아무 교육도 받지 못했고, 후세기에 들어서 소수의 소녀들만 읽기, 쓰기, 시를 배웠다. 수학, 웅변, 논리와 같이 공적인 목적을 위해 필요한 것들은 소년들에게만 가르쳤다.[52] 한 소년의 교육은 인간 개발의 기회였으나, 인간으로서 한 소녀의 은사를 개발하는 것은 아무도 생각해보지 않았다. 핀티스[53]와 같은 소수의 여자들이 철학자들의 인텔리 동반자로서 부각되었지만 그 이유는 그런 사람들이 너무나 적었기 때문이었다.

여성을 위한 교육은 실용적이고 가정 생활을 준비시키는 차원에서만 행해졌다. 법에 의하면 그들은 처음에는 아버지에 의해 다스림을 받고, 그 후에는 남편이 다스리며, 마지막에는 아들들에 의해 다스려지는 영원한 미성년자로 취급되었다.[54]

플라톤의 어머니인 페리치오네는 한 여자의 남편은 '그녀의 온 우주' 라고 말했으며, 젊은 여인들에게 그들의 마음을 전적으로 남편에게 복종시켜 "그녀 자신의 사적인 생각을 절대로 하지 말라"[55] 고 가르쳤다.

정부(情婦)는 쾌락을 위하여, 아내는 자녀 생산을 위하여

아테네에서 가장 훌륭한 웅변가로 간주되었던 데모스테네스(기원전 384—322) 시대에는 이중적인 가치 기준이 극에 달했었다. 한 연설에서 그는 "우리는 쾌락을 위해 정부(情婦)와 첩을 두지만, 아내들을 가지는 것은 합법적인 자녀를 낳기 위함이다"[56] 라고 말했다.

남자들은 아무런 양심의 가책 없이 여러 불륜 관계를 가질 수 있었다. 그러한 행위를 하는 것은 정상적인 행위로 간주되었으며 여자들에게는 보복하는 것이 엄격하게 금지되어 있었다. 이와 같은 이중적인 기준은 사회 전반의 윤리 의식에 깊이 영향을 미쳤다. 어떤 사람들에게는 가차 없는 죄가 다른 사람들에게는 허락되었다. 여성은 신실한 사랑과 존경받을 가치가 있는 인간이 아니라 이용되는 물건이거나 혹은 전적으로 회피해야 하는 존재였다.

이 모든 것은 여자들이 신들의 저주로 창조되었다고 하는 착상에서 기인한 것이다. 시인들이 노래한 것을 철학자들이 증명하려고 나섰다. 극작가들은 이와 같은 사상을 비극적인 연극 및 위트가 있는 희극 안에 엮어 넣었다. 의사들은 이 사상들을 과학의 옷 안에 접착시켰다. 정치적인 지도자들은 이와 같은 사상에 근거하여 법을 제정했다. 이중적인 기준은 결혼 생활 안에 신뢰와 사랑이 생기는 것을 막았다. 그리고 이 모든 것은 한 여자가 사회의 관심 밖에서 태어나서 살다가 죽기까지 상업과 교육에서 단절되고 인생의 만족과 정부의 보호에서 소외되도록 만들었다. 그것은 도둑맞은 불로 인해 원한과 분노에 찬, 한 신에 의해 시작된 일이었다. 그 이야기는 판도라의 딸들에게 세대에 걸친 아픔을 가져다 주었다.

그와는 판이한 하나님, 남자와 여자가 지었던 죄로 인해 마음 아파하시는 하나님에게서 시작되는 이야기는 어쩌면 이렇게 다를 수 있을까? 이 하나님은 그들에게 찾아오셔서 잃어버린 천국 가운데서 그들 모두에게 구속과 회복을 약속하셨다. 판도라의 딸들은 소망도 없고, 탈출구도 없는 묶임 가운데 갇혀 있었다. 그리고 그들의 슬픈 유산은 로마의 여인들에게 전수되었다.

6
비너스의 딸들

데이비드 해밀턴

예수님이 탄생하셨던 세계였고, 남자와 여자에게 정상과 정상이 아닌 것에 대해 정의를 내리는 문화가 우세했기에, 로마의 신앙과 가치 기준을 이해하는 것은 중요하다. 그 문화는 또한 바울과 초대 교회의 그리스도인들이 당면했던 문화이기도 했는데 그 이유는 팍스 로마나(Pax Romana, 로마의 지배에 의한 평화—역주)가 지중해 지역을 다스리고 있었기 때문이다. 당대의 모든 사람들이 믿고 있던 사상과, 예수님과 바울의 가르침을 대조해 보지 않고서는 그들의 가르침이 실로 얼마나 파격적인 것이었는지를 이해할 수 없다.

알렉산더 대제의 제국은 신속한 종말을 맞이했지만 그러나 정치적인 세력이 쇠퇴했음에도 불구하고 희랍인들은 또 다른 방법으로 지배하는 일을 계속했다. 새로운 정복자였던 로마인들은 평범하고 실제적인 사람들이어서 대체로 잘 훈련되었지만 우아하지 못하고 투박했다. 비록 로마인들이 희랍의 도시들과 땅을 정복하려고 왔지만 희랍인들이 로마인들의 마음과 사고를 지배했다. 마치 나이 어린 이복 동생처럼 로마인들은 지적, 영적인 면에서 희랍인들에게 늘 열등감을 가졌다. 그래서 이복 동생처럼 자신들의 민족적인 뿌리를 될 수 있는 대로 '진짜 명문 가문'에서 찾아보려고 애썼다. 최초의 위대한 로마 시인인 버질이 쓴 「아에네이드」에서 로마인들을 트로이와 연관시키는 호머의 이야기는 놀라운 일이 아니다.

세대를 거치는 불행한 결혼 생활의 연속

로마인들이 처음부터 자신들이 트로이에서 생겨났다고 믿었던 것은 아니다. 아우구스투스의 세력이 확장되던 시기 즉, 예수님 탄생 직전, 고립되었던 로마 공화국이 광대한 제국으로 변화되는 바로 그 시점에 버질이 저술을 시작했다는 사실은 큰 의미가 있다. 버질의 「아에네이드」는 세계를 장악하는 새로운 주권자들에게 좀더 뻐대 있는 족보를 제시해 준 셈이었다.

버질은 희랍의 신과 여신들을 로마인들에게 주었는데 그들의 이름은 바뀌었지만 동일한 가치관과 유사한 신념을 지녔고 여자의 본질에 관한 것도 포함하고 있었다. 그래서 희랍의 철학 왕조는 지속되었고 수세기에 걸쳐 로마 세계를 형성했다.

매춘부인가, 집안의 잔소리꾼인가

희랍 여신 헤라는 로마 여신 주노가 되었다. 주노는 트로이 전쟁에서 패배하고 이리저리 도주하다가 이태리에 정착할 때까지 아에네아스를 대항하여 싸웠다. 그 과정에서 주노에 대항하여 아에네아스를 거듭 도와주웠던 동료는 비너스였다. 사실 버질은 그의 작품에서 아에네아스가 비너스의 아들이자 그녀와 성관계를 가졌음을 폭로하고 있다.

그리하여 로마인들의 신화는 성적인 사랑의 여신이며 매춘부들의 수호신이었던 비너스(희랍 신화에서는 아프로디테)에서 비롯되었다. 그녀의 적은 결혼의 여신이었던 헤라였음을 주목하라. 비너스는 아름다웠으며 여러 번의 은밀한 성적인 탈선 행위로 알려진 매력적인 여신이었다. 앞에서 이미 주노(헤라)는 간교하고, 고집 세며, 교활하고, 남편에게 육신적인 학대를 받았으며 그의 바람기를 사로잡기에는 속수무책이었음을 보았다. 주노와 비너스는 둘 다 속이는 자였지만 그래도 비너스는 매력적이기라도 했다. 그러나 두 여신 모두 다 로마인들에게 이상적인 여성형이 어떤 모습인가에 대하여 좋은 모델이 되지 못했다.

세대를 내려가면서 불행한 결혼 생활이 이어졌다. 간음과 매춘의 여신을 숭배하고 결혼의 여신을 흉한 마녀로 간주하는 한, 문화가 여자를 한편으로는 성적인 욕망을 위한 도구로 또 한편으로는 필요불가결한 흉물로 간주하는 것은 당연한 것이었다. 그것이 극에 달해서 시저의 양아들이었던 아우구스투스는 로마 남자들이 결혼해야 한다는 것을 확신시키는 데 어려움을 겪었다.[1] 이것은 그들이 갖고 있던 사상의 자연적인 결말이었다. 우리가 이용하는 어떤 것을 사랑할 수는 없다.

있어도 힘들고 없어도 힘든 존재

로마인들의 저술 중에서 결혼에 관해 참으로 긍정적인 태도를 나타내는 것도 있었지만 그러나 극히 소수에 불과하다. 대부분의 로마 작가들은 여성들과 결혼에 대해 부정적인 견해들을 갖고 있었다. 아울루스 겔리어스라는 사람은 "로마의 시민들이여, 우리가 만약 아내가 없이 살아남을 수 있다면 우리 모두는 골치를 썩지 않을 수 있을 것입니다. 그러나 그들과 함께 안락하게 살 수도 없고 그들이 없이도 살 수 없는 게 자연의 법칙이니 일시적인 쾌락을 추구하기보다는 우리의 지속적인 보존을 위해 계획을 세우지 않으면 안 됩니다"[2] 라고 말했다.

결혼 생활은 흔히 한 개인이 억지로 준행해야 하는 하나의 의무로 전락되었다.[3] 로마인들은 희랍인들만큼 여성들을 증오하지는 않았지만 결혼에 대하여는 부정적인 견해를 갖고 있었고 여자들을 내리눌러야 한다고 믿었다.[4]

오빗은 "나는 한꺼번에 두 정부(情婦)를 둘 것을 권하는데 힘이 있다면 더 많은 정부를 두어도 좋다"라고 말하면서 남자들에게 아내들만이 아니라 정부들을 속이고 바람피울 것을 격려했다. 근본적으로 여자들을 악한 존재로 여겼기 때문에 이같은 일이 정당하게 받아들여졌다. 그들에 대한 부당한 대우는 그들이 받아 마땅한 처벌인 것이었다.

또 오빗은 말했다. "만약 당신이 현명하다면 여자들만을 속여라. 속이는 자들을 속이는 것인데 그들은 가장 불의한 존재들이기 때문이다. 그들이 놓은 함정에 그들이 빠지도록 하라."[5]

남자들은 그들의 여자들을 결코 신뢰할 수 없었는데 그 이유는 여자들은 거짓된 마음을 가지고 있던 비너스의 딸들이라고 믿었기 때문이었다.

이름을 가질 만한 가치도 없었다

여자들이 열등했기 때문에 로마인들은 그들이 마치 진짜 인간이 아닌 것 같이 대우했었다. 이것은 그들이 자녀들의 이름을 어떻게 지었는가에서 볼 수 있다. "로마인들은 세 개의 이름을 소유했다…그러나 여자들은 단지 가문의 이름과 가족의 이름만을 갖고 있을 뿐이었다. 그들은 개인의 이름을 소유하고 있지 않았다."[6]

당신의 가치가 너무나 보잘것 없어서 당신이 태어났을 때 이름도 지어주지 않는 것을 상상해 보라! 로마의 여자들은 개인 이름을 지어주는 대신 아버지의 가족 이름의 여성형으로 불렸다. "그래서 가이오스 줄리어스 시저의 딸은 줄리아로, 마커스 툴리어스 시세로의 딸은 툴리아로 불렸다. 사실상 여자 아이들에게 이름을 지어주는 일에 창의력을 발휘하지 않았기 때문에 자매들은 종종 동일한 이름을 사용하여 단지 '언니' 나 '동생' 으로 혹은 첫째 마시아, 둘째 마시아 등으로만 구분될 뿐이었다."[7]

남자들은 마르스의 후손이고 여자들은 비너스의 후손인가?

로마인들에게 있어 가장 중요한 두 인물은 아에네아스와 로물루스였다. 로마인의 기원은 비너스와 인간 사이에서 태어난 사생아인 아에네아스였다고 믿고 로마의 전 시민은 아에네아스의 후손인 로물루스에게서 연유되었다고 전해졌다. 예수님 생존 당시에 저술했던 역사가 리비라는, 로물루스는 전쟁의 신 마르스(희랍 신화에서는 아레스)의 아들이었다고 했다.[8]

지도자들은 각종 엄숙한 행사 때마다 로물루스의 이름을 들먹였으며 각 가정의 조상 숭배용 화롯가에서 어린이들은 그의 용맹에 대한 이야기를 들었다. 가장 유명한 이야기는 어린 로물루스와 쌍둥이 형제 레무스가 어떻게 어미 늑대의 젖을 먹으며 자라났는가 하는 것이다. 그와 같은 유래는 신들이 한 일이라고 로마인들은 주장했다. 로마인의 위대함이야말로 신들이 계획한 것임이 틀림없다.

그래서 로물루스를 통하여 전쟁의 신인 마르스(아레스)의 후손이며, 아에네아스를 통하여 성적인 여신 비너스(아프로디테)의 후손인 로마인들은 두배로 비범한 인종인 셈이었다. 이 두 신은 로마 문화와, 로마인들의 자아관, 남녀 관계에 대한 로마인의 사고에 지대한 영향력을 미쳤다. 그들이 이 두 신들에게 부여했던 중요성은 여전히 우리에게 영향을 미치고 있다. 로마인들은 신들로부터 우주의 통치권을 받았다고 믿었기에 지구에 가장 가까운 두 혹성을 화성(마르스)과 금성(비너스)이라고 명명했다. 심지어는 이 두 혹성을 상징하는 천문학적인 상징까지도 로마 사람들이 진정한 남성(♂) 혹은 여성(♀)이라고 여긴 것이 되었다.

로마인들이 보았던 바에 의하면 이상적인 남자는 마르스와 같았고 완벽한 여자는 비너스와 같았다. 남자들은 용사들이었고 여자들은 성적인 요정들이었다. 남자들은 강하고 정복적이었으며 여자들은 아름답고 성적으로 이용 가치가 있는 존재들이었다.

언제나 소외된 이등 시민

고대 로마 사회 안에서의 여성과 그들의 역할을 이해하는 데 있어 두 가지 중요한 것이 있다.

- 조상 숭배
- 자녀를 버리는 것을 바람직하게 여기지 않았음

언뜻 보면 여자들이 당시 로마 시대의 종교에서 중요한 역할을 담당했던 것처럼 보인다. 각 가정에 있었던 조상 숭배용 제삿불을 꺼트리지 않는 것이 그들의 책임이었다. 각 가정에는 조상들을 숭배하기 위한 화로가 있었으며 그곳은 가정에서 가장 중요한 장소였다. 하지만 당시 여자들의 참여는 피상적인 것이었다. 여자들은 화로의 불이 꺼지지 않게 지키는 역할만을 했다. 각 가정의 화로와 그 신들은 아버지의 소유였다. 여자가 결혼하여 다른 가정으로 가면 자신이 아기였을 때부터 섬겼던 신들을 더이상 섬기지 않았다. 그녀는 새로운 가정의 조상들을 숭배하며 다른 의식과 다른 기도문을 사용했다. 그녀는 자신의 선조들을 잊어버리고 생소한 것을 숭배했다.[9] 그녀는 어떤 한 종교에 소속되는 것이 아니라 아버지의 종교로부터 남편의 종교로 옮겨 갈 뿐이었다.

생각은 모든 행동에 영향을 주기 때문에 이와 같은 사고는 자연적으로 여자들의 사회적, 법적 위치에 지대한 영향을 주었다. "자신의 제삿불을 소유하지 못한다는 사실은 그녀가 가정 안에서 아무 권위도 없었음을 의미한다. 그녀는 주도권을 갖지 못했고, 심지어 전혀 자유롭지 못했으며 자신의 주인도 아니었다. 그녀는 언제나 다른 사람의 소유인 화로 근처에서 다른 사람의 기도문을 되뇌었는데 그녀가 필요로 했던 모든 종교적인 삶을 위해서는 상전이 필요했고 그녀의 시민으로서의 삶을 위해서는 보호자가 필요했기 때문이었다."[10]

진정한 숭배자가 될 수 있는 권리가 없었으므로 여자에게는 다른 권리도 주어지지 않았다. 희랍의 여자들과 마찬가지로 그녀는 성년이 되지 못하고 단지 그녀의 아버지에게서 그녀의 남편에게로 보호권이 전수되든가 혹은 그녀가 과부가 되는 경우에는 다른 남자 친척이 그녀의 보호자가 되었다. 이것은 여자가 정신적으로 열등하다고 보았기 때문이다. 가이어스는 "여자들은 나이가 들었다 해도 머리가 모자라기 때문에 보호자가 있어야 한다"[11] 고 설명했다.

아내를 살해할 수 있는 권리

가정의 조상 숭배용 제삿불이 아버지에게서 아들에게로 전수되었기 때문에 한 남자의 아내가 간음하는 것은 대단히 심각한 죄였다. 그것은 출생의 혼란을 야기시키는 것이었다.[12] 로마법은 아내가 간음을 하거나 술에 취하면—술이 여자의 간음을 조장할 수 있기 때문에—남편에게 아내를 살해할 수 있는 권리를 부여했다.[13] 그러므로 여자들에게는 포도주를 마시는 일이 금지되었다. 플루타크는 이것 때문에 라틴 남자들이 여자 친척들에게 인사하면서 키스하는 풍습이 생겨났다고 말했다. 그것은 애정의 표현이 아니라 남자들이 여자에게서 술냄새가 나는지를 알아보기 위한 것이었다.[14]

케이토는 말했다. "만약 당신 아내의 간음 행위가 발각되었을 때 당신은 아내를 죽여도 처벌받지 않는다. 그러나 만약 당신이 간음을 한다 해도 당신의 아내는 손찌검을 할 수도 없고 그런 법도 존재하지 않는다.[15] 그 이유는 무엇인가? 남자의 방탕함은 가정의 유전적인 순수성을 위협하지 않기 때문이었다.

소녀들의 살해

원하지 않는 아기들을 방치하여 죽게 버려두는 것은 고대 사회에 있어서 흔히 있는 일이었다. 이것은 로마인들이나 희랍인들에게도 마찬가지였다. 그런 아기들은 그저 언덕이나 길가나 숲속 강가에 버려졌다. 로마 역사가 리비에 의하면 로물루스와 그의 쌍둥이 형제 레무스는 티베르 근처에 버려졌다고 한다.[16] 로물루스가 로마의 기반을 닦고 나서 그는 이와 같은 관습을 억제하기 위한 법을 통과시켰다. 그는 로마의 어린 소년들이 자신이 겪었던 것을 경험하지 않도록 하기 위함이었다.

그러나 유감스럽게도 그는 여자 아이들을 위해서는 동일한 보호책을 펴지 않았다. 그의 법은 시민들로 하여금 사지가 온전치 못하거나 혹은 '날 때부터 기형인'[17] 아이들이 아닌 한 모든 사내 아이들을 기를 것을 강요했다. 첫 딸을 제외한 다른 여자 아이들은 버릴 수 있었다. 이같은 일은 법적으로, 그리고 사회적으로 허용되었다.

로물루스가 법을 정하여 가정마다 장녀는 길러야 한다고 주장한 사실은 그 당시에 여자 아이를 죽이는 일이 얼마나 팽배했는가를 보여준다. 얼마나 많은 수의 여아들이 살해되었는지 그 증거는 성인 남자의 사망자 수가 여자의 수보다 두 배가 되었다는 것과, 남자들만에 의해 정복된 희랍 식민지에서 아내감을 구하려고 남자들이 시골을 찾아다니는 이야기[18]에서 찾아볼 수 있다. 로마 제국 시대나 많은 수의 남자들의 생명을 앗아갔던 전쟁 후의 기록을 보더라도 여전히 여자보다 남자들의 수가 많았다는 사실을 알 수 있다.[19]

그런 의미에서 '민족 정화 작업' 은 새로운 현상이 아니다. 플라톤은 그의 저서 「공화국」에서 정부가 생사를 결정함으로써 '열등한 사람들의 자녀' 들을 '적당하게' 제거할 것을 제의했다.[20] 비록 이와 같은 것이 효율적이고 제도적인 방법으로 실시되지는 않았지만 원하지 않는 아기들의 생명을 종식시킬 수 있는 권리는 콘스탄틴 대제 밑에서 기독교가 국교가 될 때까지 희랍인들과 로마인들에 의해 유지되어 왔다. 그같은 불운을 맞이했던 아기들의 대부분은 여자 아이들이었다.

예수님 시대에 아내의 출산을 기다리고 있던 힐라리온이라는 사람이 아내에게 쓴 편지의 말을 들어 보라. "만약에 다행스럽게도 당신이 아이를 낳게 되면 만약 사내 아이일 경우에는 살리고 여자 아이면 내버리시오."[21] 아버지가 아무런 생각 없이 딸자식의 생명을 없애려는 생각을 할 수 있는가! 이 끔찍한 일은 그와 같은 일이 비일비재했다는 사실로 인해 더 경악스럽다.

진짜 실리적인 사람들

살아 남았던 로마의 딸들은 침울한 삶을 직면하게 되었다. 어떤 현대 역사가들은 로마의 여자들이 더 많은 자유를 누리고 있었다고 주장하나 다른 사람들은 이에 대해 강하게 반박한다. 이와 같은 논란에는 근거가 있다.

첫째, 로마인들이 여자들에게 몇 가지 권리를 부여했었음을 크게 평가하는 대부분의 학자들은 로마의 문명을 역사 가운데 가장 여자들을 증오했던 문명 중 하나인 희랍 문명과 비교하고 있다. 고대 희랍처럼 한 성을 우월하게 만들고 다른 성을 비하시켰던 사회를 찾아보기는 어렵다. 그들과 비교해 볼 때 더 나아 보이지 않을 사회가 어디 있겠는가?

둘째, 로마인들은 실제적인 결과에 따라 행동했다. 그들에게는 대적해야 할 적들이 있었고 정복해야 할 세상이 있었다. 어떤 개념이 효율적이지 않을 때 그들은 쉽사리 그것을 새로운 다른 것으로 대치했는데 그것은 그들의 근본적인 사상의 변화 때문이 아니라 그들이 어떤 결과를 원했기 때문이었다. 실리주의는 로마를 완전히 지배하고 있었다. 로마인들은 진짜 실리적인 사람들이었다.

지적인 여자들을 위한 수수한 혜택

시간이 지남에 따라 어떤 여자들은 운이 트이기 시작했다. 보호자 법률에 허점들이 발견되고 재정 분야에서 역량을 발휘하는 여자들도 생겨났다. 전쟁이 발발했을 때 대부분의 남자들이 참전하여 다수가 전사했다. 이와 같은 일은 소수의 여자들에게 변화를 가져왔다. 그러나 이와 같은 새로운 기회들은 여자에 대한 본질적인 가치에 관련된 사고의 변화에 근거한 것이 아니라 편이상 취해졌던 일시적인 대책이었다.

여하간에 학자들이 로마 여인들의 혜택에 대하여 언급할 때 당신은 어떤 로마 여자인가라는 질문을 하지 않으면 안 된다. 그것은 분명히 일반 여성들, 가난한 여성들, 첩들, 매춘부들, 노예들을 위한 혜택은 아니었다. 극소수의 귀족 출신 로마 여자들만이 약간의 유익을 경험했을 뿐이다. 그리고 그들이 누렸던 작은 혜택은 성별에 대한 인식이 달라져서가 아니라 그들이 새로 갖게 된 부와 신분 때문이었다.

기원전 215년에 케이토가 로마인들에게 옛날 방식으로 돌아가기를 촉구했던 말을 들어 보라. "이들 길들여지지 않은 동물들(여성들)을 묶어서 다스리지 않는다면 그들이 못할 일이 무엇이겠는가?…만약 그들의 묶인 끈을 하나씩 하나씩 잡아풀어서 자유롭게 만든다면 당신이 그들을 이겨낼 수 있으리라고 생각하는가? 그들이 당신과 동등하게 되는 바로 그 순간에 그들은 당신의 상전이 될 것이다."[22]

'노예, 아내, 개, 말, 당나귀'

키케로는 예수님이 오시기 1세기 전에 다음과 같은 발언을 하여 케이토의 우려에 동감했다. "노예들은 꼴사나운 자유함을 가지고 행동하고, 아내들은 남편들과 동일한 권리를 갖게 되고, 자유함이 너무 풍성해서 심지어는 개들이나, 말들, 당나귀들까지 자유롭게 뛰노는 바람에 남자들이 길에서 그들을 위해 비켜서야 할 것이다."[23]

키케로에 의해서 명기된 것들—노예, 아내, 개, 말, 당나귀를 주목하라. 그것들은 모두 소유물들이다. 소수의 여자들만이 새로운 특혜를 누렸겠지만 그러나 노예들이 소유물이었던 것과 마찬가지로 여자들도 소유물이라는 근본적인 사고는 변화되지 않았다.

이들 중 여자 노예들이 가장 험난한 삶을 살았다. 남자 노예들이나 다른 계층의 여자들과 마찬가지로 그들은 법적으로 '주체'가 아니라 '객체'였다. 여자 노예들은 청소, 곡식을 가는 일, 밭을 경작하는 심한 일을 하는 것 외에 한 가지 더 부가된 의무가 있었는데, 그것은 남자들이 집 밖에서 창녀와의 성적인 관계를 원하는 대신 집안에서 그러한 관계를 원하게 될 때 그에 응해야 하는 것이었다.[24]

확실히 로마 세계는 여자들에게 있어서는 참혹한 장소로 남아있었다. 그와 같은 세계 안으로 모든 것 중에서 가장 강력한 사회 혁명을 위해 작은 씨앗이었던 복음이 찾아온 것이다.

7 이브의 딸들

데이비드 해밀턴

창세기에 나오는 남자와 여자의 창조와 헤시오드가 고대 희랍인들에게 들려 주었던 이야기는 너무나 판이하다. 제우스는 '악한 존재' 로서 남자들에 대한 영원한 저주로 판도라를 창조한 반면, 성경의 하나님은 자신의 창의적인 재능을 사용하셔서 남자를 위한 선물로써 이브를 창조하셨다. 그분은 남자와 여자를 친구이자 연인으로 에덴 동산에 있게 하셨다. 희랍과 로마 신화에 나오는 신들과 여신들의 처참한 전투 대신 우리는 상호 관계, 동역, 사랑을 목격한다.

성경의 첫 세 장에 걸쳐 남자와 여자가 다음의 것들을 공유하고 있음을 볼 수 있다.

- 동일한 시작
- 동일한 목표
- 동일한 비극
- 동일한 소망

창세기 1:1—2은 **누가 창조주이신지**를 강조함으로 시작된다. 그리고 창세기 1:3—2:3은 비 동물 세계로부터 시작하여 동물 세계로 계속되고 인간 세계로 마무리를 지으면서 **무엇이 창조되었는지**에 대한 폭넓은 그림을 보여준다. 그리고 창세기 2:4―25은 하나님이 **어떻게 남자와 여자를 창조하셨는지**를 보여주기 위해 이야기를 거슬러 올라가 자세히 묘사하고 있다.

우리가 렘브란트와 같은 위대한 거장의 예술을 관람할 때는 먼저 뒤로 물러서서 전체적인 아름다움을 감상한다. 그런 후에는 붓자국을 하나하나 자세히 살펴보려고 캔버스에 얼굴을 파묻을 것이다. 성경의 두 장에 걸쳐 묘사된 창조의 사건도 이와 유사하다. 창세기 1장은 하나님의 창조에 대한 전반적인 그림을 보여주고, 그리고 나서 창세기 2장은 위대한 예술가의 붓자국을 좀 더 명확하게 보여주기 위해 우리를 가깝게 접근시킨다.

하나님이 우리를 어떻게 창조하셨는가를 살펴보기 전에 먼저 주목해야 할 특별한 것이 있다. 하나님이 자신의 창조의 절정이었던 인간 창조를 위한 준비를 마치셨을 때 성경은 처음으로 서술의 형태를 벗어나 시를 노래한다.

> 하나님이 자기 형상
> 곧 하나님의 형상대로 사람을 창조하시되
> 남자와 여자를 창조하시고[1]

히브리의 시는 운이나 소리의 음율에 근거하는 것이 아니라 병행하는 아이디어에 근거한다. 한 생각을 가지고 다른 관점에서 그것을 풍요롭게 하며, 동의어들로 문장을 장식함으로 앞에서의 생각을 공명시킨다. 하나님의 작품에 대한 이 시에서도 첫째 행은 하나님의 형상을 강조하고, 둘째 행은 그것에 덧붙여서 이 형상이 모든 인간에게 적용되었음을 서술하며[2], 셋째 행은 인류가 남자와 여자로 창조되었음을 서술하며 절정에 이른다.

에베소서 2:10에서 바울은 "우리는 그의 만드신 바라" 고 말한다. 바울이 사용했던 'workmanship' 의 희랍 단어는 영어 단어에서 '시' 라는 단어의 근원이 된다. 남자와 여자를 포함한 인간은 하나님의 위대한 시였다!

아직 천국이 아니었다

하나님이 우리를 어떻게 창조하셨는지에 대한 세부적인 것을 위해서 창세기 2:4은 이야기의 중간 부분으로 거슬러 올라가 여섯째 날에 무슨 일이 있었는지를 회상시켜준다. 하나님은 첫 남자를 다른 짐승들을 만드신 방법과 동일하게[3] "땅의 흙으로 지으셨다."[4]

이 극을 관람하기 위하여 우리는 1장에 나오는 사건들과 연결시켜서 2장을 읽지 않으면 안 된다. 창조의 전 과정을 통하여 하나님은 자신이 창조하신 것에 대한 자신의 의사를 표현하는 시간을 가지셨다. 창조의 과정 중 그분은 여섯 번에 걸쳐 "좋았더라"[5] 고 말씀하셨다. 그리고는 여섯째 날의 중간에 그분은 잠시 멈춰 자신이 만드신 것을 보고는 "좋지 못하다"라고 말씀하셨다. 무엇 때문에 그분은 처음으로 부정적인 반응을 보이셨을까?

어떻게 에덴 동산에 있는 것이 좋지 않을 수 있을까? 참으로 하나님은 크고 잎이 무성한 나무들과, 반짝이는 시냇물, 빨강, 파랑, 노란색 꽃으로 가득찬 푸른 초원, 맛있는 과일, 심지어는 금과 값진 보석으로 에덴 동산에 풍성히 베풀지 않으셨는가? 그러나 하나님은 풍성함 가운데 서 있는 남자를 보시고 "사람의 독처하는 것이 좋지 못하니"[6] 라고 말씀하셨다. 그러므로 하나님은 남자와 함께 있게 하기 위해 여자를 창조하셨다. 그녀가 나타남으로 말미암아 에덴 동산은 천국으로 변화되었다. 그리고 나서 하나님은 "심히 좋았더라"[7]고 말씀하심으로 최종적으로 인정해주셨다.

동일한 유래

다음으로 하나님이 어떻게 여자를 창조하셨는지 살펴보자. 남자와 여자가 동등하게 하나님의 형상을 따라 창조되었음을 우리로 하여금 이해하도록 하기 위해, 하나님은 아담을 지으셨던 것과 같이 흙으로 이브를 창조하지 않으셨다. 만약 그렇게 하셨다면 어떤 사람이 하나님이 아담을 지으실 때 사용하셨던 흙과 이브를 만드셨던 흙이 동일하지 않았기 때문에 여성들은 남성들과 동일하지 않다고 주장했을지 그 누가 알랴! 세모니드가 털이 긴 암퇘지, 족제비, 원숭이의 이야기[8]에서 했던 것과 같이 여자의 유래는 남자와 달랐다는 설을 만들어 낼 수도 있었을 것이다. 이것은 이브가 갖고 있던 하나님의 형상에 있어 아담보다 그녀가 열등하게 보이도록 만들었을 것이다.

그러나 하나님은 남자와 여자 모두가 같은 물질로 창조되었다는 사실을 강조하셨다. 이브는 분리된 피조물이 아니고 동일한 피조물의 다른 표현이었다. 당신은 혹시 이브가 최초의 인간 복제였다고 말할지 모르겠지만 그것은 대단히 왜곡된 것이다. 하나님은 "아담에게서 취하신 그 갈빗대로"[9] 이브를 창조하셨다. 그분은 남자의 폐부 깊숙한 곳에서 몇 가지의 DNA를 취하여 손을 보신 후 첫 여자를 만드셨다.

처음이 최상을 의미하지는 않는다

어떤 사람들은 아담이 처음 지음을 받았기 때문에 그가 더 우월하다고 주장한다. 그와 같은 사고 방식에 의하면 돼지와 개들이 남자보다 먼저 창조되었으므로 더 우월해야 할 것 아닌가! 랍비들이 말한 바와 같다. "만약 남자들의 마음이 지나치게 교만해진다면 그는 창조 순위에 있어서 하루살이가 자신보다 먼저 창조되었다는 사실을 상기할 필요가 있다."[10] 피조물에게 가치를 부여하는 것은 하나님의 창조의 순위가 아니라 피조물을 위한 하나님의 계획이다.

동등한 섬김이다

성경은 하나님이 여자를 "그를 위하여 돕는 배필"[11]이 되도록 창조하셨다고 말한다. 어떤 이들은 이것을 사용하여 남자가 더 위대했고 여자는 단지 그를 "돕는 자"에 지나지 않는다고 주장한다. 그러나 "돕는 배필"이라고 번역된 히브리 구절인 에제르 크네게드('ezer k^e^neged)를 자세히 살펴보라. 이 구절에 나오는 첫 번째 단어이자 히브리어에서 강한 단어인 에제르('ezer)를 살펴보자. 당신의 어린 시절, 수학 문제를 푸는 데 도움이 필요했던 때를 생각해 보라. 당신은 당신보다 똑똑한 사람에게 갈 것인가 아니면 당신보다 머리가 나쁜 사람에게 갈 것인가? 만약 당신이 학교의 깡패들에게 시달리고 있었다면 어땠을까? 당신은 당신보다 힘도 세고 체구도 큰 사람의 도움을 구할 것인가 아니면 당신보다 왜소하고 연약한 사람의 도움을 구할 것인가?

그것이 바로 히브리 단어 에제르가 갖는 의미다. 돕는 배필은 아첨하는 심부름꾼이 아니라 더욱 능력 있고 더욱 막강하고 더욱 지적인 동료다. 그것은 구약 전체에서 하나님에 대해 묘사할 때 사용되었던 동일한 단어였다.[12] 시편 기자가 "내가 산을 향하여 눈을 들리라 나의 도움이 어디서 올꼬 나의 도움이 천지를 지으신 여호와에게서로다"[13] 라고 선포할 때 이 단어를 사용했다. "도움을 주는 사람은, 힘이 없거나 혹은 도움이 필요한 자에게 제공할 수 있는 무엇인가를 소유한 사람이다. 아담은 도움이 필요했다. 그에게는 동역자가 없었기에 하나님은 돕는 자를 창조해 주셨다."[14]

그 구절의 두 번째 단어인 크네게드(k^e^neged)는 하나님이 어떤 동역자를 아담에게 주셨는지를 보여준다. 하나님은 강력한 단어인 에제르를 '동등한' 이라는 의미를 갖고 있는 형용사 크네게드로 수식하셨다. 그분은 아담을 위하여 동등한 돕는 자를 만들어 주셨다. 창세기 2:18에서 하나님은 남자에게 "그에게 필요하고, 동등하고, 적합한 '돕는 자'"[15]를 허락하셨다. "여자는 아담을 섬기기 위해 창조된 것이 아니라 아담과 함께 섬기기 위해 창조되었다."[16] 만약 하나님이 에제르라는 단어에 '동등한' 이라는 단어를 더하지 않으셨다면, 남자들도 여자들과 동등하게 지도자가 될 수 있다는 것을 증명하기 위해 책을 쓰려고 했을지 누가 알랴!

여자를 처음 보았을 때 아담의 반응은 어떘는가? 그는 아래와 같이 노래 불렀다.

이는 내 뼈 중의 뼈요
살 중의 살이라
이것을 남자에게서 취하였은즉
여자라 칭하리라[17]

그리하여 성경에 처음 등장하는 인간의 말은 사랑의 노래였다. 아담은 하나님이 자기에게 주신 여자를 바라보고 큰 소리로 "와!" 하고 탄성을 질렀을 것이다.

여자를 위해 남자는 모든 것을 떠난다

결혼식에 참석할 때마다 필경 "이러므로 남자가 부모를 떠나 그 아내와 연합하여 둘이 한 몸을 이룰지로다"[18] 라는 구절을 들었으리라. 이 성경 구절이 끊임없이 반복되므로 우리 중 많은 사람들에게 무의미하게 되었다. 원래 내용으로 볼 때 그 구절이 얼마나 파격적이며 혁신적인 것이었는지 우리는 미처 인식하지 못한다. 고대 문화 중에서 여자와 결혼하기 위하여 남자가 무엇인가를 포기해야 하는 문화는 없었다. 여자에게 그와 같은 희생을 치를 만한 가치가 없다고 보기 때문이다. 오히려 한 여자는 결혼식 날에 자신의 모든 것을 포기해야 했다.

창세기 2장에 나오는 하나님의 말씀은 그 당시 세상의 가치 체계를 완전히 전복시키는 것이었다. 하나님의 관점은 남자가 여자와 영원히 연합하기 위해서는 자기에게 가장 소중한 생명을 준 사람들까지도 포기할 정도로 여자는 귀한 가치를 지니고 있다는 것이었다!

동일한 소명

하나님은 남자와 여자를 위해서 위대한 계획을 갖고 계셨다. 그분이 처음으로 계획을 세우셨을 때 그분은 "그로 모든 것을 다스리게 하자"[19]라고 말씀하셨다. 그것은 세계적인 의미를 포함하고 있는 공동의 지도력이다. 마치 이것을 강조하시듯 하나님은 "그들에게 복을 주시며 그들에게 이르시되 생육하고 번성하여 땅에 충만하라 땅을 정복하라 바다의 고기와 공중의 새와 땅에 움직이는 모든 생물을 다스리라"[20]고 말씀하셨다. 그들 두 사람에게 주신 하나님의 명령은 다스리라는 것이었다.

여자가 남자와 나란히 서기 전에는 하나님이 남자에게 지구를 다스릴 권한을 주지 않으셨음을 주목하라. 아담은 이브가 자신과 함께 섬긴다는 사실을 인식했다. 죄가 들어 오고 나서 그는 "하나님이 주셔서 나와 함께하게 하신 여자"[21] 라고 말했다. 아담은 "하나님이 나에게 주신 여자"라고 말하지 않고 "나와 함께하게 하신 자"라고 말했다. 리 애나 스타는 "이브는 아담의 소유물이 아니었으며…집안에서 그의 동반자였던 것과 같이 다스리는 일에 있어서도 그의 동료였다"[22] 라고 말했다

로마인들이 여자와 노예, 말들을 소유물로 한꺼번에 간주했던 것을 기억하라. 성경이 가지고 있는 견해는 얼마나 다른가!(예수님이 오시기 전에 유대 학자들이 이와 같은 계시를 어떻게 약화시켰는지를 다음 장에서 살펴볼 것이다.) 그러나 우리가 만약 하나님의 말씀만을 살펴본다면 성경의 앞장들에서 하나님이 지도력을 성별과는 아무런 상관 없이 부여하셨다는 사실을 배우게 될 것이다. 하나님은 남자와 여자를 창조하시고 자신의 권위의 어떤 부분을

그들에게 나누어 주셨다. 남자와 여자는 세상을 다스리는 일에 있어 그분과 함께하도록 되어 있었다. 그들이 자신들의 권위를 하나님의 대적에게 넘겨 줌으로써 권위를 포기한 일은 참으로 마음 아픈 일이다.

동일한 비극

창세기 1장과 2장의 아름다움은 창세기 3장의 비극으로 이어진다. 옛날 이야기 같은 요소가 가미되어 전해진 이 이야기는 우리로 하여금 그 심각성을 느끼지 못하게 했다. 하나님의 마음을 아프게 하고 수천 년 동안 사람들을 황폐하게 만들었던 모든 재앙이 그 과실 안에 포함되어 있었다. 아담과 이브가 하나님께 등을 돌렸을 때 고통과 고난, 자연의 변질, 은사의 남용과 같은 예측할 수 없었던 재난이 찾아왔다. 그들은 "하나님과 같이 되어"[23] 라는 헛된 약속에 미혹되었다. 그들이 이미 하나님의 형상대로 지으심을 받았고 그분과 함께 다스릴 수 있는 기회를 소유하고 있었는데도 말이다.

죄를 범할 당시 그들은 확실하게 마음이 일치되었다. 뱀이 여자에게 말했을 때 "하나님이 참으로 너희더러…먹지 말라 하시더냐"[24] 라고 물었다. 영어에 있어서 너(you)라는 단어는 한 사람이나 혹은 한 사람 이상의 사람들을 의미할 수 있다. 그러나 히브리어는 두 가지의 다른 단어를 사용했으며 이 본문에서 사용된 '너' 는 복수를 의미하는 단어였다. 이브 또한 복수형의 단어를 사용하여 "우리가…"[25] 라고 대답했다. 뱀이 "너희가 결코 죽지 아니하리라"[26]고 말했을 때 그는 또다시 복수형의 단어를 사용했다. 우리가 비록 뱀과 이브 사이의 대화를 들을 따름이지만 본문은 아담이 묵묵히 죄에 동참하는 공범으로서 그 장소에 함께 있었다는 것을 암시한다.[27] 이것은 이브가 선악과를 먹은 후에 돌아서서 "자기와 함께한 남편에게도 주매 그도 먹은지라"[28]고 한 내용에서 더욱 확실히 드러난다.

또다시 성경의 이야기는 희랍의 신화와 확실한 대조를 이룬다. 죄악은 판도라라는 한 여인을 통하여 이 세상에 들어 온 것이 아니라 한 부부를 통하여 들어 왔다. 그들은 함께 그 장소에 있었고 함께 죄에 동참했으며 두 사람 다 하나님 앞에서 죄인이었으며 두 사람 다 그 결과를 감수해야만 했다.[29]

이성 간의 전쟁의 시초

그와 같은 죄의 결과는 남녀 관계의 파괴를 가져왔다. 즉각적으로 수치심과 핑계, 조종과 통제가 시작되었다.[30] 두 사람 모두 자신의 소명을 저버렸기 때문에 두 사람 다 함께 책임을 져야 한다. 그들은 자신들로부터 시작된 비극을 돌이킬 수 없었고, 오직 구원자가 필요했다.

창세기 3장에 나오는 하나님의 말씀을 사람들은 종종 '저주'라고 부른다. 그러나 하나님은 단지 뱀과 땅, 곧 영적인 세계와 자연적인 세계만을 저주하셨다. 아담과 이브를 향한 하나님의 말씀은 단지 그들의 결정에 따른 피할 수 없는 결과만을 언급하셨다. 하나님은 그들에게 무엇인가를 부과시키지 않았다. 그분은 죄로 가득 차게 될 미래를 말씀하셨는데, 그분의 말씀은 인류를 향한 자신의 뜻을 선포하는 것이 아니라 단지 하나님의 뜻을 거스리는 사람들의 삶 안에 있는 피할 수 없는 죄의 결과들을 묘사하고 있다.

공동의 소망

그들의 죄가 노출되자마자 곧이어 하나님은 그들을 함정에 빠지게 한 침입자를 대적하여 싸우시겠다고 약속하셨다. 그분은 처음으로 메시아에 대한 예언을 하셨다. 여자의 후손인 예수님이 오셔서 그들의 모든 후손에게 소망을 회복시켜 주실 것이다. 뱀에게 말씀하시면서 하나님은 "내가 너로 여자와 원수가 되게 하고 너희 후손도 여자의 후손과 원수가 되게 하리니 여자의 후손은 네 머리를 상하게 할 것이요 너는 그의 발꿈치를 상하게 할 것이니라"[31]고 말씀하셨다.

하나님이 이브의 후손을 어떻게 묘사하셨는지 살펴보라. 후손이라는 히브리 단어는 문자 그대로 씨앗이다. 희랍과 다른 고대 문화의 의학적 사고방식[32]을 감안할 때 이것은 엄청난 말이 아닐 수 없다! 그들은 남자가 자신의 '씨앗'을 여자의 '밭'에 심는다고 생각했다. 1800년대가 될 때까지 과학자들은 여자들이 생명의 창조에 있어 중요한 역할을 담당한다는 사실을 발견하지 못했었다. 그 후 과학은 마침내 하나님의 말씀의 정확함을 따르게 되었다. 스타(starr)는 다음과 같이 지적했다.

> '그녀의 후손'이라는 개념은 평범한 남자들이 절대로 받아들일 수 없는 것이었다. 프랑스의 프란시스 1세 이전에는 인간의 신체를 해부하는 것을 신성 모독이라고 간주하였다. 이 편견이 극복되기 전까지는 생명 창조에 필요한 난소는 어머니에게서 온다는 사실이 알려지지 않았었다. 1872년에 노브 바이에르가 난소를 발견했다.[33]

하나님의 백성들이 하나님의 말씀에 계시되었던 목적들을 고수했었더라면 좋았으련만! 다음에 우리는 어떤 유대인 교사들이 어떻게 창세기의 처음 세 장에서 발견할 수 있는 동일한 유래, 동일한 목표, 동일한 비극, 동일한 소망을 저버리고 그대신 하나님이 전혀 의도하지 않으셨던 가르침들을 더해서 하나님의 형상을 어둡게 하고 왜곡시켰는지를 보게 될 것이다.

8
왜곡된 이미지

데이비드 해밀턴

하나님께서 여자의 후손으로 오실 메시아를 통해 구원의 길을 예비하신 이야기가 구약에 나온다. 또한 구약의 대부분의 사람들은 하나님이 본래 의도하신 계획으로부터 멀어지고 오직 소수의 사람들만이 하나님의 약속을 굳게 믿었음을 보게 된다. 또한 그들에 대한 하나님의 뜻에 순종하여 일어선 드보라와 훌다와 같은 존경받는 여성들[1]과, 다말과 레위의 첩과 같은 존경받지 못했던 여성들[2]도 보게 된다.

수세기가 지나는 동안 많은 유대인들이 하나님의 원래의 부르심에서 멀어졌다. 유대인들은 하나님의 계시를 전파하며 세상에 영향을 미치는 대신 세상의 영향을 받았고 이웃 이방인들의 가치관에 의해 물들어갔다. 어떤 유대인들은 당시의 사회를 지배하던 희랍 철학을 받아들였다. 나중에 우리는 알렉산드리아의 필로라는 한 유대인이 아리스토텔레스와 모세의 글을 혼합하는 것을 살펴보게 될 것이다.

벽을 둘러싼 또 다른 방어벽

그와 동시에 다른 유대인들은 자신들의 신앙을 보호하기 위한 '벽' 을 쌓았다. 그들은 랍비들 사이에 구전되어 내려오는 전통을 미슈나에 기록했다. 곧 그같은 벽들로는 충분하지 않았기 때문에 벽을 둘러싸는 또 다른 벽, 내부의 방어물을 보호하기 위한 외부의 방어물을 쌓았다. 토세프타, 예루살렘 탈무드, 바벨론 탈무드와 같은 랍비들의 가르침이 하나님의 말씀에 추가되었다. 랍비들은 "미슈나와 탈무드에 포함되어 있는 의식을 지킴으로 군대가 지키는 어떤 전방보다도 안전하게 이방인들로부터 유대인들을 보호해 줄 수 있다"[3]고 주장했다. 유감스럽게도 많은 사람들에게 있어 인간의 전통은 예수님이 말씀하신 "지기 어려운 짐"[4]이 되었다.

필로와 랍비가 비록 동떨어진 견지와 이념을 가졌다 할지라도 여성들에게는 어느 쪽도 안전한 피난처가 되지 못했다. 결국 지배적인 이방 문화에 젖어든 쪽이나, 그리스와 로마의 영향에서 벗어나려고 똘똘 뭉쳤던 쪽이나 모두 하나님이 의도하신 여성 본래의 역할을 왜곡하고 말았다.

자신들은 하나님의 계시가 오염되지 않도록 지키고 있다고 생각했던 사람들을 살펴보자.

첫 번째 '벽'인 미슈나는 사람들을 위하여 사람들이 기록했던 문서에 불과했다. "성경을 해석했던 학자들은 여성에 대한 왜곡된 견해를 굽히지 않고 성경 단어에까지 그러한 견해를 억지로 끼워 맞춘 것 같다."[5] 예를 들면, 미슈나에는 여자들에 관한 법이 기록된 '세더 나심'이라는 법이 있지만 남자를 위해서는 그런 법이 없었다. "남자들을 위해 동일한 법이 존재하지 않는 것은 족장제도 내에서는 남자가 여자들을 위한 법규를 제정하지만 여자들은 남자들을 위한 법규를 제정하지 않는다…여자들은 중요하지 않은 위치에 있었다."[6]

랍비들이 미슈나나, 탈무드의 의견에 항상 동의하는 것은 아니다. 그들의 글들은 세대를 걸쳐 계속되어 내려오는 열렬한 논란으로 가득 차 있다. 이들 중 어떤 것들은 여자들에 관한 토의였다. 때때로 논쟁들은 창세기의 내용에 근거했고 여자들의 가치가 인정되었다. 그러나 대부분의 경우 랍비들은 창세기에서 보여주는 가치 기준을 따르지 않았다. 그들은 뱀이 이브와 성적인 관계를 가졌으며 이것은 "이브를 정욕에 휩싸이게 했다"[7] 고 주장하며 이브를 멸시했다. 창세기에서 하나님의 말씀은 남자와 여자가 동일하다고 했지만 랍비들은 동일하지 않다고 주장했다.[8]

여자의 가치 저하

우리는 하나님의 말씀을 기반으로 문화적 가치관을 형성하기보다는 이미 형성된 문화적 가치관으로 성경을 해석하려는 경향이 있다. 랍비들도 "아담에게 이브를 비교하는 것은 인간에게 원숭이를 비교하는 것과 같다"[9]고 말하며 자신들의 문화적인 가치 기준을 성경 내용에 적용시키려고 시도한 듯하다. 남성 우월주의에 대한 그들의 사고는 아래의 예에서 볼 수 있는 바와 같이 그들의 가르침에 영향을 미쳤다.

- "여자보다 남자의 생명을 먼저 구해야 하며 여자의 재산보다 남자의 소유물을 먼저 회복해야 한다."[10]
- "남자는 자기 아내의 성에 대해 독점적인 권리를 가지지만 남편의 성적 기능에 대해 아내는 결코 독점권을 갖지 못한다. 그녀는 남편이 다른 아내를 맞이하거나 미혼 여성과 성적인 관계를 갖는 것을 법적으로 제지할 수 없다."[11]
- 열 가지의 험담이 세상에 퍼진다면 그 중 아홉 개는 여자들 때문이다.[12]
- "여자들은 탐욕스럽다."[13]
- "여자들은 변덕이 죽끓듯 한다."[14]
- "딸자식을 가진 부모는 불행하다! 딸은 그 아비에게 있어 골칫거리와도 같다…딸이 어릴 때 그 아비는 그가 유혹을 받을까 두려워

하고 처녀가 되면 성적으로 문란해질까 두려워하고 나이가 차면 시집을 못 갈까봐 두려워하고 결혼을 하게 되면 아이를 못 낳을까 봐 걱정하고 그녀가 늙으면 점쟁이가 될까봐 두려워한다."[15]

여자가 남자보다 더 죄가 많다

성경의 가르침과는 대조적으로 랍비들은 여자들이 남자보다 죄에 빠질 확률이 더 크다고 말했다.[16] "내 자녀들아…여자들은 사악하기 때문에 남자들보다도 더 음행의 영에 사로잡히기가 쉽다고 주님의 사자가 내게 말씀하시고 가르쳐 주셨다."[17] 그러므로 랍비들이 제정한 대부분의 율법은 소위 그들이 말하는 여성들의 본성적 정욕을 억누르는 데 초점을 맞추고 있다.

'피로 물든 바리새인'

여자의 신체에 관한 모든 것은 성적인 것으로 간주되었다. 랍비들은 "만일 누가 여자의 새끼손가락을 응시한다면 그것은 마치 그녀의 은밀한 곳을 바라보는 것과 마찬가지다!"[18] 라고 말했다. 여자들은 자신들의 죄에 대한 책임이 있었을 뿐만 아니라 그들로 인해 남자들 안에 고개를 드는 정욕에 대한 책임마저 지게 되었다.

희랍인들과 마찬가지로 랍비들도 여자들은 이용하기 위한 소유물이면서도 또한 완전히 회피해야 하는 소유물이라고 믿었다. 만약 가능하다면, 여자를 쳐다보거나 대화도 하지 말아야 했다. 어떤 바리새인들은 '피로 물든 바리새인들' 로 불리웠는데 그 이유는 여자를 보지 않기 위해서 그들이 종종 눈을 감고 길을 걷다가 어떤 것들에 부딪쳤기 때문이다. 그들은 밖에 나갈 때마다 아내를 감금시켰던 어떤 사람을 칭찬했다.[19] 그들은 한술 더 떠 남자의 아내를 고

깃덩어리와 비교하기까지 했다. "남자는 자기 아내와 성관계를 가질 때 자기가 원하는 것은 무엇이든지 할 수 있다…도살장에서 나오는 고깃덩어리는 소금을 치고 구워서, 익혀서, 혹은 끓여서 먹을 수 있기 때문이다."[20]

희귀한 칭찬

여자에 관련된 모든 랍비들의 가르침이 전부 부정적이었다고 말하는 것은 부당하다. 어떤 이들은 간혹 긍정적인 발언을 했다. 여자의 가치에 대하여 협조적이었던 사람은 바울의 스승인 가말리엘이었는데 그는 여자를 '금 주전자'[21]에 비유했다. 또 다른 랍비는 자신의 어머니를 아름답게 칭찬했다. 어머니의 발자국 소리를 들을 때마다 "나는 다가오는 하나님의 영광스러운 임재 앞에서 소생한다"[22] 라고 그는 말했다. 한 랍비가 자기 어머니를 칭찬하는 것이 유독 두드러지는 이유는 그것이 매우 희귀한 일이기 때문이다! 때로는 칭송하는 와중에서도 랍비들이 여자들을 소유물 —비록 마음을 흐뭇하게 해 주긴 하지만 소유물은 소유물이다— 로 간주했다는 것을 보여준다. 그들의 법규 중 많은 것이 아내들을 노예, 가축, 다른 '소유물들' 로 분류했다.[23]

이것이 바로 남자가 자기의 아내로부터 이혼하는 것은 수월했지만 아내가 남편으로부터 이혼하는 것은 불가능했던 이유였다. 한 저자는"주인이 소유물을 포기할 수는 있지만 소유물이 주인을 포기할 수 없는 것과 마찬가지다"[24]라고 말했다. 심지어 자신의 남편이 정신 이상이 되더라도 그녀는 남편에게 평생 동안 묶여 있어야 한다.

무엇이 남편이 아내를 버릴 수 있는 '의로운' 근거가 되는지에 대하여는 랍비들 사이에 의견이 분분했다.[25] 그들은 예수님을 이와 같은 논쟁에 끌어들이려고 했지만 주님은 어느 한 편에 들기를 거부하셨다. 그 대신에 주님은 그들의 주의를 창세기로 돌려서 하나님이 의도하신 결혼의 본래의 의미를 말씀하셨다. "이러므로 사람이 부모를 떠나 그 아내와 합하여 그 둘이 한 몸이 될지니라."[26] "이러한즉 이제 둘이 아니요 한 몸이니 그러므로 하나님이 짝지어 주신 것을 사람이 나누지 못할지니라."[27]

문화적인 눈가리개

예수님의 말씀은 단지 이혼을 장려하지 않는 것 이상의 것이었다. 주님의 말씀은 여자들을 하나님이 원래 의도하셨던 대로 남자들과 동등하게 높이셨다. 주님의 말씀은 하나님의 단순한 계시를 매우 왜곡시켰던 랍비들의 교훈과는 현저한 대조를 이룬다.

그러나 종교 지도자들은 문화적인 눈가리개를 쓰고 있었기 때문에 남자와 마찬가지로 여자들도 동일하게 하나님의 형상을 따라 지으심을 받았다는 진리를 보지 못했다. 그들이 그와 같이 단순한 진리를 부인했으므로 복잡한 기준을 가지고 여러 가지 법을 남녀에게 적용시키면서 정교한 설명들을 세우려 했다.

유대인들이 하나님의 말씀을 받았음에도 불구하고 진리에 대해 그토록 눈이 멀었던 사실에 대해 놀란다. 그러나 우리도 교회 안에서 그와 동일한 일을 하고 있지 않은가? 우리도 역시 하나님이 교회 안에서 어떤 사람을 어떻게 사용하실 것이다 라고 구분짓고 있지는 않은가? 만약 예수님이 오늘날 찾아오셔서 우리의 문화적인 편견을 지적하신다면 무엇이라고 말씀하실 것인지 상상할 수 있는가?

하나님이 의도하시지 않은 담

주변의 오염으로부터 유대교를 보호하려는 잘못된 열정으로 인해 랍비들은 그와 같은 비성경적인 교훈을 초래했다. 여자에 대한 그들의 의견은 창세기를 통하여 하나님이 계시하신 것보다 이방 사람들의 가치관에 더 가까웠다.

유대 여자들은 하나님께 예배하는 것에서도 소외되어 있었다. 그들은 가장 중요한 여러 가지 의식에 참여할 수 없었다. 그들은 헤롯의 성전 안에서 별도의 뜰에 분리되어 있었는데 그것은 회막에 대해 하나님이 원래 의도하셨던 설계나 솔로몬의 성전, 혹은 바벨론으로부터 돌아온 포로들에 의하여 건축되었던 성전의 설계와는 전혀 무관한 것이었다.

대개의 경우가 그렇듯이 예술은 사상을 따른다. 랍비들은 사람들을 분리시키는 벽들을 쌓았다. 이제 헤롯 성전의 건축가들은 그 벽을 실제화시켜서 이방인을 유대인과 구분하고, 유대 여자를 유대 남자로부터 분리하는 별도의 뜰을 만들었다. 그 건물은, 어떤 부류의 사람들은 다른 부류의 사람들보다 하나님께 더 가까이 나아가는 것이 허락된다는 건축가들의 사상을 입증했다. 미슈나의 랍비들은 편파적으로 흘러 헤롯이 하나님의 의도를 얼마나 왜곡시켰는가를 깨닫는 대신에 이 불경한 왕의 사상을 실제로 칭송했다.[28]

여자는 중요하지 않다

대부분의 유대인들은 특별한 절기를 지키기 위해 일 년에 수차례 성전에 왔다. 매주 드리는 예배는 회당에서 이루어졌다. 기원후 2세기 즈음에 고고학자들은 여자들은 뒷문으로 출입하고 회당에서는 휘장으로 가리워진 2층에 따로 앉도록 제의했다.[29] 랍비들은 남자 10명이 있는 곳에는 어디든지 회당을 세울 수 있다는 법을 제정했다.[30] 이와 같은 것이 성경 안에 존재하지 않음에도 불구하고 그들은 여자들에게 "당신들은 중요하지 않아!"[31]라는 메시지를 전하고 있는 것이었다.

유대교의 중요한 공적인 예식 중 하나는 토라(구약 성경에 나오는 첫 5권의 책들)를 회중 앞에서 낭독하는 것이었다. 심지어 여자들은 이와 같은 예식에서도 제외되었다. 랍비들은 여자들이 토라를 낭독하는 것은 지역 사회에 불명예스러운 일이라고 말했다.[32] 또한 토라를 공부하는 것이 예배의 가장 고상한 형식이며 하나님께로 가까이 나아가는 것이었음에도 불구하고 여자들이 개인적으로 그것을 공부하는 것을 제지했다.[33] 랍비들은 "토라 안에서 자라나고 토라를 공부하는 것에 열심인 남자는 행복하다"[34]라고 말했다. 만일 그것이 사실이라면 그와는 반대가 되는 '토라를 공부하지 못하면서 자라나는 여자들은 불행하다' 는 것도 사실이다!

대부분의 랍비들은 여자에게 토라를 가르치는 것에 대하여는 생각조차 하지 않았다. 바울의 스승이었던 가말리엘과 같은 랍비는 자기의 딸을 가르쳤는데 그것은 희귀한 예였다.[35] 각 소년은 필수적으로 율법을 공부해야만 했다. 그것은 하나님 앞에서 은혜를 입는 기본적인 길이었지만 토세프타에 의하면 여자들에게는 그것이 "필수적이지 않았다"[36]고 한다.

이것은 여자들에게 그들이 참된 가치를 갖고 있지 않다는 메시지를 전하는 것이다. 랍비들은 하나님과의 바른 관계를 맺기 위해서는 그분이 시내산에서 모세에게 주신 율법을 준행해야 한다고 가르쳤다. 그러나 그 율법은 오직 남자 자유인들에게만 적용되는 것이었다. 그러므로 어린이들, 노예들, 여자들은 하나님을 온전히 섬길 수 없었다.[37]

소년들은 성장하여 남자들이 되었다. 심지어 남자 노예들도 자유인이 될 수 있는 가능성이 있었다. 그러나 여자들은 남자들이 하나님과 가졌던 것과 같은 관계를 절대로 가질 수 없었다. 랍비들은 여자들에게 그들의 자녀들과 남편들이 랍비 학교인 '연구원' 에 반드시 가도록 해서 하나님의 은혜를 얻으라고 가르쳤다.[38] 여자는 다른 사람들을 통하여 영적인 목표에 도달할 수밖에 없었다. 자기 집에서 혼자 있을 때조차 하나님께 가까이 나아갈 수 없었다.

비록 어떤 랍비들은 하나님이 남자들보다 여자들에게 더 큰 이해심을 주셨다고 믿었지만[39] 그들은 여자들의 영적, 지적 계발을 장려하기 위한 아무런 노력도 하지 않았다. 여자들은 율법을 공부할 '필요가 없다' 고 말하면서 그들을 '준 유대인' 으로 만들었다.[40] "우매한 사람은 성자가 될 수 없다"[41] 는 힐렐의 말이 있다. 소녀에게 하나님의 말씀을 가르치는 것은 시간 낭비거나 혹은 그것보다 더 못한 것으로 간주되었다. 랍비 엘리저는 "만일 어떤 남자가 자신의 딸에게 율법에 대한 지식을 가르친다면 그것은 마치 그녀에게 음란을 가르치는 것과 같다"[42] 고 말했다. 유사하게 예루살렘 탈무드는 "토라의 말씀을 불에 태울지언정 여자에게 주지는 말라"[43]고 말한다.

깊어지는 어두움

나쁜 소식을 듣기 전까지는 기쁜 소식을 들을 수 없다고 어떤 사람이 말했었다. 다른 말로 하면 칠흑같이 어두운 곳에 밝힌 촛불이 가장 환하다는 것이다. 그렇기 때문에 우리가 예수님과 소망과 자유함에 대한 그분의 메시지를 연구하기 전에 그분이 꿰뚫으려고 오신 어두움의 또 한 면을 바라보지 않으면 안 된다.

랍비들이 유대교 주변에 벽을 쌓으려고 시도하고 있었던 반면, 다른 사람들은 자신들의 유대적인 유산을 희랍과 로마의 유산과 연결시키는 다리를 수축하는 데 열심을 내고 있었다. 이같은 사람들 중 가장 잘 알려진 사람이 예수님 당시에 생존했던 알렉산드리아의 필로였다.

필로는 유대 그리스도인 전통에 있어서 하나님의 계시된 '진리' 와 인간의 논리에서 유래된 '진리' 를 결합시키려고 시도했던 첫 번째 사람이었다. 유감스럽게도 필로는 성공했다. 그는 희랍과 로마 철학에 다리를 놓았을 뿐만 아니라 미래를 향한 다리가 되었다. 많은 경우 교회의 지도자들과 신학자들 또한 그의 인도를 따라 이와 같은 철학들을 수용했다.

희랍 사고의 무서운 병균은 서구 사회의 종교적인 가르침을 감염시켰다. 예를 들면, 오늘날 우리는 계시된 하나님의 말씀이 합리적이지 않으면 안 된다고 믿도록 가르침을 받았다. 만약 '교육받고' 믿음을 갖기 원한다면, 비합리성을 거슬러 '믿음의 도약'을 해야 하는 셈이다. 필로가 했듯이 희랍인들의 합리적인 사고와 성경에 계시된 진리를 결합시키려는 시도는 절대적으로 잘못된 것이다. 계시된 진리는 합리적인 것임에도 불구하고 철저히 다른 기초 위에 세워져 있다.

희랍의 철학은 인간이 모든 것의 기준이라는 사고 위에 세워진 것이다. 자신의 논리만을 사용하여서 인간은 무엇이든지 이해할 수 있다. 그러나 성경의 기본적인 사고는 측량할 수 없는 하나님이, 인간과 다른 모든 측량할 수 있는 것들을 창조하셨다는 것이다. 유한한 존재가 어떻게 무한한 존재를 온전히 이해할 수 있다는 것인가? 하나님이 자신의 피조물인 인간에게 진리를 계시하실 때 진리가 드러나는 것이다.

이와 같은 두 가지 사고, 합리주의와 계시는 서로 극적으로 상충되는 사고다. 필로가 했던 것과 같이 이 둘을 결합시키려는 사람들은 누구나 물과 기름 같은 결과를 얻었다. 섞을 수 없는 것을 섞으려고 하면 한 가지가 위로 떠오른다. 필로가 희랍의 전제 조건에 맞추기 위하여 계시된 진리를 재해석했을 때 인간의 사고가 기름처럼 떠올랐다. 필로의 복합액 안에서 희랍 가르침의 기름이 진리를 혼탁하게 하며 표면으로 떠오른 것이다. 그것은 사악한 용액이었다.

필로는 희랍인들과 합세했다

필로는 희랍 문화를 사랑했기 때문에 그가 여인을 향한 증오심에 있어 희랍인들과 합세했다는 사실은 별로 놀랄 일이 못 된다. 한편으로는 희랍 철학, 그리고 또 한편으로는 성경의 재해석을 사용하여 그는 여자들을 향한 경멸을 쏟아 냈다. 그는 "여자는 악의 근원"[44]이라고 말했다. 여성은 단지 더 약할 뿐만 아니라 더 사악하고, 더 쉽게 미혹되고, 더 미혹시킬 수 있다.[45]

필로에 의하면 여자는 그렇게 만들어졌기 때문이다. 그는 남자들과 비교할 때 "여자들의 판단력은 전반적으로 약한데"[46] 그 이유는 그들이 "분별력이 부족"[47]하기 때문이다. 아리스토텔레스의 말에 공감하면서 그는 "남자가 여자보다 더 완벽하다"[48]고 강력하게 주장했다.

그러므로 "남자들이 영원한 것들과 모든 선한 것을 다스려야 하고 여자들은 죽음과 모든 악한 것을 다스려야 한다."[49]

하나님의 말씀을 왜곡시키다

이와 같이 비성경적인 견해를 뒷받침하기 위하여 필로는 성경을 왜곡시켰다. 하나님의 말씀이 그의 문화적인 사고를 조명하게 하는 대신에 필로는 자신의 사고에 맞추어 성경을 왜곡시켰다. 창세기 3:16을 에덴 동산에서 아담과 이브가 범했던 죄악의 결과에 대한 슬픈 묘사라고 제시하는 대신, 그는 여자는 남자에게 복종하는 것이 하나님의 뜻이었다는 것을 증명하기 위해 이 구절을 왜곡했다. 그러나 죄의 열매는 절대로 하나님의 뜻이 아니다. 구약 성경 어디에서도 아내들이 남자들의 종이 될 것을 명령한 곳을 찾아볼 수 없다.

필로는 여자들을 참으로 사악한 존재라고 생각했기에 구약에 나오는 덕 있는 여자들에 대해 어떤 해석을 내렸는가? 비참하다 못해 우스꽝스럽다고 말할 수밖에 없을 정도로 억지 논리를 주장했다. 필로에게 있어 '고결한 여인' 에 대한 생각은 용어 자체와도 상충되는 것이었다! 고결이라는 단어는 라틴어와 희랍어의 '남자답다' 라는 말에서 유래되었다. 그의 요지를 증명하기 위하여 필로는 창세기 18:11의 "사라의 경수는 끊어졌는지라" 를 인용했다. 히브리 원어는 문자대로 '생리가 끊어졌음' 을 말했다. 필로는 갱년기에 대한 완곡한 표현을 가지고 불가능한 설명을 하려 했다. 사라가 덕이 있었던 이유는 갱년기 이후에 그녀가 속으로 남자가 되었기 때문이라는 것이다! 필로는 여자의 본성을 "불치의 약점들과 설명할 수 없는 질병들에 의한 비합리적, 야만적인 열정, 두려움, 슬픔, 쾌락, 욕망"[50]이라고 했기 때문에 다른 어떤 해석은 불가능하다.

지적인 남자가 진리의 단순성을 억지로 설명하기 위하여 자신의 정신적인 은사를 사용하는 것은 참으로 어리석은 일이다.

유대교와 그 당시 우세하던 철학을 결합시키려고 시도했던 사람들은 필로만이 아니었다. 유대인 역사가인 요세푸스도 그 중 하나였고 또한 아포크리파의 저자였던 시락도 마찬가지였다. 시락은 인간의 타락에 대한 연대 책임에 대한 성경적인 개념을 거부하고 "죄악은 여자에게서 말미암았고 여자 때문에 우리 모두는 죽음을 맞이하게 되었다"[51]며 모든 책임을 이브에게 전가시켰다. 그는 또한 말했다. "여자들과 자리를 함께하지 말라. 옷에서 좀이 나오는 것과 같이 여자에게서는 사악함이 나온다. 남자의 사악함은 선을 행하는 여자보다 나으며 수치와 오욕을 가져오는 것은 여자다."[52]

마지막의 구절들은 참으로 충격적이다! 아포크리파가 그리스도인들에 의하여 하나님 말씀의 한 부분으로 널리 받아들여지지 않은 것은 당연한 일이다. 시락의 말은 "범죄하는 그 영혼이 죽으리라"[53]는 성경의 가르침과 대치된다. 이것은 남자나 여자에게 있어 동일하게 적용되었기 때문에 성별에 대한 언급이 없었다. 죄를 짓는 사람은 누구든지 상관 없이 그는 죽게 될 것이다.

바울은 "차별이 없느니라 모든 사람이 죄를 범하였으매 하나님의 영광에 이르지 못하더니 그리스도 예수 안에 있는 구속으로 말미암아 하나님의 은혜로 값 없이 의롭다 하심을 얻은 자 되었느니라"[54]고 말하며 하나님의 계시된 진리를 확인했다. 당시 대부분의 사람들의 사상에 반박하면서 바울은 창세기의 처음 세 장에 나오는 남자와 여자는 동일한 유래, 동일한 목표, 동일한 비극, 동일한 소망을 가지고 있다는 진리를 선포했다.

9
예수님이 막힌 담을 허무셨다

데이비드 해밀턴

우리에게 익숙한 성경 구절을 대할 때 한 가지 위험 요소가 있다. 그 위험은 우리가 성경이 말하려고 하는 것을 진정으로 들으려 하지 않는다는 것이다.

복음서에 나오는 예수님의 말씀에 대해 우리는 너무나 익숙해져서 그 말씀을 그냥 지나쳐버리지 않기 위해 애를 써야 할 지경이다. 낯익은 구절을 대할 때 무의식적으로 자신이 성장한 문화의 요소들이나 어린시절부터 익숙해져 있는 것들로 해석하려 하는 경향이 있다.

이 책의 주제를 다룰 때 성경에 나오는 예수님의 말씀을 명확하게 이해하고자 하는 노력은 너무나 중요하다. 그 말씀이 그분의 말씀의 대상이었던 사람들, 우리와 전적으로 다른 문화 안에 살고 있었던 그들에게 미쳤던 영향력을 상상해 보지 않으면 안 된다. 1C 이스라엘의 남자와 여자의 관계에 있어서 무엇이 정상적으로 여겨졌는지를 염두에 두고 생각해 보면 예수님의 말씀과 행동은 물의를 일으키며, 격분시키고, 혁명적인 일이었다.

예수님은 에덴 동산에서 아담과 이브가 비극에 동참했을 때 하나님이 약속하셨던 치유의 역사를 시작하기 위해 오셨다. 그분은 남녀 관계의 균열을 포함하여 깨어지고 죄로 물든 세상의 고통스러운 결과를 끝내기 위해 오셨다. 예수님은 남자와 여자에게 자유함을 주시기 위하여 오셨다. 그러나 여자들이 감수해야 했던 끔찍한 고립 때문에 여자들을 향한 예수님의 따스한 환대는 그들의 마음에 더욱 감동을 주었다. 적대하는 세상 안에서 여자들에게는 아무것도 주어지지 않았다. 한 저자는 말했다. "예수님은 여자들을 위한 운동을 시작하신 것이 아니라 인간을 위한 운동을 시작하셨다. 그러나 여자들이 그분의 사상에 대하여 더욱 민감했던 것은 당연한 일이다. 때로는 적대적인 가정 안에서 소외되어 있던 여자들은 세상이 얼마나 불안하고 불공평하고 고독한지 잘 알고 있었다."[1]

예수님의 사명은 성별에 의한 것이 아니라 모든 성별을 다 포함하는 것이었다. 예수님은 "아버지께서 내게 주시는 자는 다 내게로 올 것이요 내게 오는 자는 내가 결코 내어 쫓지 아니하리라"[2]고 말씀하셨다.

처음에는 말구유에, 마지막에는 십자가에

도로시 세이어스는 이것을 다음과 같이 잘 표현했다.

> "제일 처음 말구유 옆에 있었고, 제일 마지막까지 십자가에 남아있었던 사람들이 여자들인 것은 어찌보면 당연하다. 그들은 예수님 같은 분을 한 번도 만나보지 못했는데 그와 같은 사람은 존재하지 않았기 때문이다. 선지자며 선생인 그분은 여인들에게 절대로 잔소리하지 않았고 입에 발린 찬사도, 감언이설로 속이려고도 하지 않았고 선심을 쓰는 체 하지도 않았다. 절대로 그들에 대해 어리석은 농담을 하지 않았고 '여자들? 아이구 맙소사!' 혹은 '여자들, 형편없는 것들' 과 같은 말로 그들을 대하지도 않았다. 화를 내지 않으셨고 꾸짖거나 우쭐함 없이

> 오히려 여인들을 칭찬하셨다. 그들의 질문과 논쟁을 심각하게 받아주셨으며 자신의 의견을 고집하거나 여성답게 굴라고 요구하지 않았으며 그들의 여성다움을 비웃지도 않았다. 무시하거나 어줍잖게 남자의 위신을 세우려고도 하지 않았고 여성들을 있는 그대로 이해해 주고 언제나 따뜻하게 대하셨다. 복음서 전체를 통하여 여자의 사악함을 거론하는 어떤 행동이나, 설교나, 비유도 찾아볼 수 없으며 예수님의 행동이나 말씀 속에 여성의 본성을 천박하게 간주하는 어떤 근거도 볼 수 없다.

예수님의 사역이 어떻게 여자들의 삶에 변혁을 일으키셨는지 살펴보자. 예수님이 보여주신 것은 남자 중심의 세계에서 그들이 통례적으로 받았던 대우와는 판이하게 다른 것이었다. **예수님에게는 이중적인 가치 기준, 배척, 하나님이 주신 목표에 대한 제한, 이 세 가지가 없으셨다.**

두 손이 맞아야 손뼉을 친다

그들은 발로 차고 소리지르는 그녀를 억지로 끌고 왔다. 그녀의 헝크러진 머리와 흐트러진 옷차림으로 보아 옷을 제대로 입을 여유도 없었음이 분명했다. 그녀의 얼굴은 눈물과 흙으로 뒤범벅이 되어 있었다. 그녀는 팔을 꽉 붙들고 있는 남자들로부터 도망치려고 몸부림쳤다. 그러나 그녀는 작고 아무 힘도 없었으며 분노에 찬 남자들에게 둘러싸여 있었을 뿐만 아니라 방탕하고 부도덕한 여인을 바라보는 질시에 둘러싸여 있었다.

그들은 그녀를 나사렛에서 온 인기 있는 랍비의 발 앞 길가에 내팽개쳤다. 그들에게는 판사나 배심원이 필요하지 않았다. 그녀는 간음의 현장에서 서기관들과 바리새인들에게 붙잡혔기 때문이다. 그들은 물러서서 냉소를 머금고 팔짱을 낀 채 예수님이 어떻게 하실 것인지 보려고 기다렸다.

이 이야기에 대해 의심을 가져 본 적이 있는가? 우리는 왜 이것을 단지 간음하다 잡혀온 여인의 이야기라고 부르는가?[4] 한 여인이 혼자 간음을 저지를 수 있는가? 그것은 불가능하다! 그녀 혼자 '간음의 현장에서 잡히는' 일은 있을 수 없다. 남자들이 그렇게 열심히 지키려고 하는 율법은 이것에 대해 무엇이라고 하는가? 그것은 간음의 경우에 남자와 여자 두 사람을 죽일 것[5]을 명시하고 있었다. '서기관들' 이 죄의 공범을 체포하지 않았던 이유는 무엇인가? 그가 옷을 움켜쥐고 달아나도록 했던 이유는 무엇인가? 그들은 하나님의 말씀이 아니라 문화의 이중적인 가치 기준을 따랐기 때문이다.

예수님은 그들에게 장황하게 설명하지 않으셨다. 그것은 너무나 분명한 것이었기에 설명할 필요조차 없었다. 손가락으로 땅바닥에 무엇인가를 쓰시려고 앉으셨을 때 주님의 입가에는 씁쓸한 미소가 감돌았는지도 모르겠다.

주님이 무엇을 쓰셨을지 나는 궁금하다. 그것에 대한 기록은 없지만 예수님은 그들의 편협된 판단에 끌려들어가기를 거부하셨다는 것을 볼 수 있다. 예수님은 남성을 여성보다 우위에 놓는 문화를 옹호하지 않으셨다. 스타는 "그분은 이중적인 가치를 거부하셨다. 그분은 '여자는 돌로 치고 남자는 놓아주라' 는 자신의 백성들과 그 이후 사람들의 외침을 꾸짖으셨다.[6]

드디어 그분이 입을 열었다. 조용하고 짧았지만 그 말은 그곳에 있던 사람들의 마음을 찔렀다. "너희 중에 죄 없는 자가 먼저 돌로 치라."[7] 그분이 다시 앉아 땅바닥에 쓰시기를 계속하시는 동안 침묵과 죄책감이 군중을 압도했다. 분노가 수치감으로 변했다. 하나씩 하나씩 그들은 떠나갔다.

예수님의 말씀은 간략했지만 큰 의미를 가진다. 남자든 여자든 그가 누구든지 간에 죄는 죄다. 우리 모두는 주님의 심판대 앞에 서게 될 것이다. 아무도 숨거나 도망칠 수 없을 것이다. 아무도 남을 탓할 수 없을 것이다.

그 여인의 죄는 남자의 죄보다 큰 것이 아니었으며 또한 작은 것도 아니었다. 공평한 기준으로 판단할 때에는 돌로 치는 일이 흔하지 않다.

동등한 사람끼리의 사랑

예수님이 모든 사람들의 생각을 깨뜨리신 일은 이 번만이 아니었다. 사실상 결혼과 이혼에 관한 그분의 가르침은 무척 파격적인 것이었다. 예수님은 "여자들이 남자들과 동등한 권리와 책임을 갖고 있다"고 전제했다.[8] 아이러니하게도 예수님이 결혼과 이혼에 관해 가르칠 수 있었던 기회는 예수님을 미워하던 사람들에 의해서였다. 바리새인들은 이혼이라는 주제를 가지고 예수님을 함정에 빠뜨리려고 했다. 예수님의 대답은 이혼을 반대하시는 하나님의 심정 이상의 것을 보여주기 때문에 주목할 필요가 있다. 예수님은 또한 그들이 잊고 있었던 에덴 동산에서 하나님이 지으신 남자와 여자가 동등하다는 사실을 부각시켰다.

예수님은 창세기 1:27을 인용해 "창조 때로부터 저희를 남자와 여자로 만드셨으니"[9] 라고 말씀하셨다. 이 주장은 남자와 여자가 동일한 근원에서 시작되었으므로 동일한 권리와 책임을 가져야 한다[10] 는 것이다. 그리고 그분은 최초의 결혼 상담자로서, "이러므로 남자가 부모를 떠나 그 아내와 연합하여 둘이 한 몸을 이룰지로다"[11] 라는 하나님의 말씀을 그들에게 상기시켰다. 예수님이 그들을 데리고 창세기 2장으로 거슬러 올라갈 때 무엇을 암시하고 계셨는가? 당시 결혼과 남녀의 역할에 대한 유대인의 개념은 하나님의 계획과는 거리가 먼 것이었다. 그들의 사고는 희랍 사상이 지배적이던 로마 풍습과 가치관에 더 가까웠다. 젊은 로마 소녀에게 있어 결혼은 익숙했던 모든 것으로부터 단절되는 것을 의미했다. 우리가 앞서 6장에서 보았던 것처럼 남편의 집에 들어서는 순간 그녀가 그동안 섬기던 우상들마저도 빼앗기게 되었다.

그러나 예수님의 말씀은 달랐다. 그분은 여자는 열등하지 않다고 말씀하셨다. 결혼 생활을 시작하기 위하여 남자들은 먼저 자기 가족에 대한 권리를 내려놓아야 한다고 말씀하셨다. 그것은 기상 천외의 발언이었다!

예수님은 또한 "둘이 연합하여 한 몸을 이룰지로다"[12] 라는 창세기의 말씀을 인용하며 남편과 아내 사이의 연합과 동등성을 강조하셨다. 그들은 두 사람의 개인이지만 사랑 안에서 하나가 되는 것이었다. 히브리 말로 한 몸은 복합 단수어로 포도 한 송이나 혹은 구두 한 켤레와 같다. 그것은 유대교에서 가장 중요한 선포에 사용된 것과 동일한 단어였다. "이스라엘아 들으라 우리 하나님 여호와는 오직 하나인 여호와시니."[13] 그렇기 때문에 하나님이 남자와 여자를 위해 의도하신 연합은 아버지 하나님, 성자 하나님, 성령 하나님이 영원토록 즐기시는 연합과 같은 것이다. 이것이 그 말의 중요한 부분이다. "우리의 형상을 따라…남자와 여자를 창조하시고"[14] 삼위일체 안에 어떤 수직적인 권위 체계가 없었고, 삼위일체 안에 우월감과 열등감이 없었던 것과 마찬가지로 남편과 아내 사이에 그런 것이 있을 수 없다.

이중잣대를 외면한 예수님

그리고 예수님은 "하나님이 짝지어 주신 것을 사람이 나누지 못할지니라"[15] 는 단호한 명령을 더하셨다. 그분은 여기서 단순히 이혼을 정죄하시지 않을 뿐만 아니라 인간의 가치 체계에 의해서 사람들을 분리시키지 말 것을 명령하고 계셨다. 우리는 남자와 여자를 위한 서로 다른 표준을 가질 수 없다. 이중적인 기준을 가지는 것은 하나님이 짝지어 놓으신 것을 나누는 또 하나의 방법이다.

그분의 제자들까지 이말을 듣고 놀랐다. 예수님은 여자와 남자를 동일한 가치 기준에 의하여 다루셨던 것이다! 그들은 "만일 사람이 아내에게 이같이 할진대 장가 들지 않는 것이 좋삽나이다"[16] 라고 소리질렀다. 만일 남자가 여자와 동등한 법에 의해 살아야 한다면 그들은 결혼하는 것을 재고해 보지 않을 수 없었다.

만약 이혼이 불가피한 경우에는 어떻게 하는가? 예수님은 이와 같은 비극이 인간의 강퍅함에서 비롯된다고 하셨다.[17] 그러나 행여 생각조차 할 수 없는 일이 일어나서 이혼이 성립되게 될 경우에도 여자는 남자와 동일한 권리와 책임을 갖는다. 예수님은 다음과 같이 말씀하셨다. "누구든지 그 아내를 내어버리고 다른 데 장가드는 자는 본처에게 간음을 행함이요 또 아내가 남편을 버리고 다른 데로 시집가면 간음을 행함이니라."[18]

예수님은 수백 년 동안 내려오던 랍비의 가르침에 반기를 들었다. 약혼의 권리와 이혼의 권리는 온전히 남자에게 속했다는 것을 모든 사람들이 알고 있었다.[19]

예수님의 말씀은 결혼 생활을 약화시키고 있는 것이 아니라 오히려 동등한 배우자 사이의 사랑과 친밀함을 평생 동안 발견하는, 하나님의 원래의 결혼 계획에 다시 한번 초점을 맞춰 강화시켰다.

당당히 앞에 선 여인

또 하나의 이야기는 예수님이 랍비들의 이중적인 기준에 대해 어떻게 도전하셨는가를 드러낸다. 누가복음 13:10—17에서 예수님이 회당에서 가르치실 때 꼬부라져서 허리를 조금도 펴지 못하는 여자를 보셨다. 예수님은 그녀를 앞으로 부르셨다. 예수님이 그녀에게 손을 얹으시자 그녀는 완전히 치유되어 똑바로 설 수 있게 되었다.

이것은 단순한 치유에 불과했는가? 그렇지 않다. 예수님 당시에 여자들은 예배 장소에서 완전히 변두리로 쫓겨나 있었다. 우리가 앞장에서 살펴본 바와 같이 여자들은 남자들로부터 분리되어 회당의 뒤편으로 물러나 있었다.[20] 이 불구 여인을 향한 예수님의 초청은 남성들이 독주하는 공중 예배에서 확연히 눈에 띄는 것이었다. 예수님이 회당의 모든 사람들 앞에서 그 여인에게 초점을 맞추시는 순간 남자들의 세계관이 흔들렸을 것이다. 그날 귀빈석에 앉아있던 남자들은 깜짝 놀랐다. 예수는 도대체 무슨 일을 하고 있는가? 여자들은 휘장 뒤에 숨어 있어야 되는 사실도 모르는가![21]

회당장은 그날 모였던 모든 사람들의 불만을 노골적으로 드러내었다. 그러나 그는 예수님이 의도적으로 사회적인 관습을 위반했다는 것에 초점을 두는 대신 안식일을 지키는 것이 중요하다고 우회적으로 돌려서 이야기했다. 다음에 일어난 일은 그들의 분노심을 더욱 증가시켰다. 예수님은 안식일이라 할지라도 "이 아브라함의 딸"[22]은 질병으로부터 고침을 받을 자격이 있다고 말씀하심으로 자신을 변호하셨다.

랍비들의 가르침에 한 여자를 개인적으로 "아브라함의 딸"이라고 부른 곳은 아무 곳에서도 찾아볼 수 없다. 유대 남자들은 자주 "아브라함의 아들들"[23]로 불리워졌었지만 여자들은 그렇게 불리우지 않았다.[24] 남자들은 아브람의 후손이었지만 여자들은 결코 그렇게 될 수 없다고 모든 사람들은 생각했다. 그러나 예수님은 이 여인, 특별히 늙고 병든 이 여인에게 전에 없이 이와 같은 용어를 사용하셨다.

그날 그 여인이 회당 안에서 당당히 설 수 있었던 또 하나의 이유가 있었다고 생각한다. 예수님은 단지 허리만을 고치신 것이 아니었다. 그녀가 하나님께 존귀한 자녀임을 보이심으로 인간으로서 그녀의 존엄성을 회복시켜 주셨다. 그녀 역시 남자들과 마찬가지로 하나님이 아브라함에게 약속하신 모든 것을 유업으로 받을 수 있는 동등한 상속자였다.

배척하지 않으셨다

예수님은 말이나 행동에서 여자를 소외시키지 않으셨다. 그리고 의도적으로 여자와 남자에 대한 올바른 개념을 인식시키는 말씀을 하셨다.

말은 중요하다. 언어 때문에 전쟁이 발발하기도 했었다. 오늘날, 말의 문제로 나라가 분열될 위기에 놓이기도 한다. 정치인의 부주의한 말 한마디가 선거의 결과를 뒤엎는다. 경영진의 편견적인 발언이 보도될 때 큰 사업체의 주가가 폭락한다.

말은 우리가 믿는 것, 가치관의 근본이 무엇인지를 보여주기 때문에 중요하다. 예수님이 사용하셨던 말들, 특히 자신을 묘사하실 때 사용하셨던 말씀을 살펴보는 것이 중요하다. 주님께서 가장 많이 자신을 지칭하셨던 용어는 "인자"[25] 였다. 언어의 한계로 이 단어는 주님께서 자신의 남성다움을 강조하는 것처럼 들리지만 실상, "인자"라는 구절에 사용되었던 희랍 단어 '안드로포스' (anthropos)는 남성과 여성을 포괄하는 단어다. 그렇기 때문에 '남자' 라고 번역하기보다는 '인간' 혹은 '사람' 으로 번역하는 것이 타당하다.[26] 예수님은 성육신의 놀라운 현실성을 확인하시며 "나는 사람이다"라고 말씀하고 계신 것이다.

신약의 모든 저자들도 예수님의 예를 따른 사실은 흥미롭다. 예수님을 칭할 때 그들은 '남성 혹은 남자' 를 의미하는 특정 성에 국한된 희랍 용어 아네르(aner) 대신에 '인간 혹은 사람' 을 의미하는, 성별을 초월하는 희랍 단어 안드로포스를 사용했다.

물론 우리는 예수님이 남자였다는 사실을 알고 있다. 그러나 성경은 주님이 남성이었다는 사실에 집착하지 않았다. 예수님은 또한 유대인이셨지만 그 사실도 가장 우선적인 것은 아니었다. 중요한 것은 예수님이 전적으로 신이셨던 반면에 또한 모든 면에서 충분히 우리를 공감하셨던 참 인간이셨다[27]는 사실이다. 하나님이신 동시에 또한 인간이셨기에 유대인이나 남자들만을 위해서가 아니라 모든 개개인을 위해 자신의 삶을 주시려 오셨다. 주님이 사용하셨던 용어와 모든 신약 성경 저자들이 선택했던 단어가 이것을 강조하고 있다.

성별로 인한 차별은 없다

예수님이 삼위 안의 다른 분들을 묘사하실 때 사용하셨던 용어들 또한 중요하다. 삼위의 첫째 분을 위해 사용하셨던 모든 단어들 가운데 가장 흔히 사용되었던 것은 "아버지"[28]였다. 우리 중 대부분은 기독교 배경에서 자라왔기 때문에 이 말이 정상적으로 들릴지 모른다. 그러나 1C 유대인들의 귀에 그것은 참으로 생소하게 들렸는데 그 이유는 그 용어가 구약 성경에서 매우 드물었기 때문이다.

그렇다면 왜 예수님은 하나님을 "아버지"라고 불렀는가? 그분은 하나님이 인간 아버지들처럼 남성적이라는 것을 보여주시려 했는가? 그렇지 않다. 그분은 자신의 말을 듣고 있던 사람들에게 하나님이 얼마나 그들과 친밀한 관계를 원하시는지, 그들이 이해할 수 있는 모습으로 보여주려 하셨다. 이것은 이방인들과 또한 많은 유대인들이 가지고 있던 적당히 멀고 이론적인 하나님과는 극적인 차이가 있었다.

하나님에 대해 유대인들이 통상 사용하던 용어는 '아브라함의 하나님, 이삭의 하나님, 야곱의 하나님' 이었다. 수백 년 전 이와 같은 단어들이 처음으로 사용되었을 때는 가깝고 개인적인 의미를 드러내고 있었다. 그 단어들은 아브라함, 이삭, 야곱이 개인적으로 만났던 하나님을 의미했었다. 그러나 세대를 거치는 동안 그와 같은 현실감은 희미해졌다. 하나님은 오래 전에 살았던 선조들의 하나님이 되었다. 개인적인 경험 대신에 전통이 자리잡게 되었다. 아브라함, 이삭, 야곱의 후손이 되는 것이 그들이 경험했던 하나님을 아는 것보다 더 중요하게 되었다. 그와는 반대로 예수님은 언제나 하나님을 "우리 아버지"라고 부르심으로써 그들의 생각을 흔들어 놓으셨다. 또한 예수님은 "아버지 하나님" 이 아니라 "하나님 우리 아버지"를 사용하심으로써 그 지역에 수세기 동안 내려오던 풍요의 이방 종교로부터 자신의 사고를 분리하고 계셨다. 그 지역의 고대 종교들은 언제나 "아버지 신"(가장 초기에는 바알 신)과 그에 비등한 여신인 "어머니 신"(아세라)를 숭상했다. 이런 사상이 예수님 당시 널리 퍼져 있던 이방 종교들 안에 내재되어 있었다. 하나님과 그분의 본질에 대한 가시화된 개념은 언제나 유대인들을 유혹하였다. 그렇기 때문에 하나님을 상징하는 남자나 여자의 우상을 만들지 말라고 구체적으로 명령하셨던 것이다.[29] 즉 창조주 하나님이 피조물들에게 부여하셨던 남성이나 여성의 이미지를 하나님에게 부여하면 안되기 때문이었다. 예수님은 하나님을 이방 종교와 같이 "아버지 하나님"이라고 부르기를 피하시고 "하나님 우리 아버지"라고 부르셨다.

하나님이 "아버지"로 불리운 경우는 구약 성경에 19번이지만[30] 히브리서에서는 하나님이 여성적인 용어로 묘사되어 있다.[31] 극적인 예로는, 이사야 42:13–14에 하나님이 전쟁에 나가는 용맹한 남자로 묘사된 후에 이어서 또한 아이를 해산하는 여인으로 묘사된 경우다.

예수님은 여성적인 용어를 두 번 사용하여 하나님을 설명하셨는데, 한 경우는 잃어버린 동전을 찾는 여인의 비유와 다른 하나는 반죽에 누룩을 넣은 여인의 비유다.[32]

주님은 하나님이 남자인 동시에 여자라고 말씀하고 있지 않다. 이것은 또한 성경에서 남성과 여성적인 은유를 사용하여 하나님을 설명했던 다른 사람들도 마찬가지다. 하나님은 남자도 아니고 여자도 아니시다. 그분은 성별을 비롯하여 자신이 창조했던 모든 것보다 위대하시다. 정말 예수님의 말씀대로 우리 인간의 성별 차이는 우리가 생각하는 것같이 영속적인 것이 아닐지도 모른다. 부활에 대한 질문을 받으셨을 때 예수님은 천국에서는 우리가 장가도 시집도 가지 않을 것이라고 말씀하셨는데 그것은 우리가 "천사들과 같아"지기 때문이다.[33] 그분의 말씀은 영생에는 성별의 차이가 존재하지 않거나 혹은 중요하지 않을 것이라는 것을 의미한다. 그러므로 우리가 영생을 염두에 두고 살아간다면 성별로 인한 차별은 있을 수 없다.

새로운 예식-세례

예수님은 새로운 시대를 여셨다. 천국으로 들리우시기 전에 그분은 자신의 제자들에게 마지막 지시를 내리셨다.[34] 남녀 모두를 새로운 믿음의 공동체인 교회에 포함시키기 위해 마련된 성례를 제정하셨다. 옛 성례인 할례는 오직 남자들만을 위한 것이었다. 그러나 예수님이 주신 새로운 입문 예식은 세례였다. 그것은 남자나 여자가 모두 자신이 하나님의 백성들이 되었다는 사실을 공포하는 것이다.

복음서의 저자들에 의해 기록된 대로 여자들은 예수님의 공생애와 사역에 있어 중요한 부분을 차지했다. 그들이 그곳에 있었다는 기록은 고대의 문학들과 현저한 대조를 이룬다.

극작가들의 작품을 제외하고 희랍이나 로마 문학의 대부분은 여자들에게 의견을 반영할 수 있는 기회를 주지 않았다. 여자들에 대한 언급은 많이 있었지만 그들이 직접 발언하는 기회는 참으로 희귀했다. 탈무드나 미슈나 같은 유대 문학이 수세기에 걸쳐 전해 내려오는 동안 여인에 대한 언급은 단 한 줄도 없었다. 그러나 복음은 현저하게 달랐다. 마태, 마가, 누가는 112개의 확실한 구절에서 여자들에 대하여 기록했다.[35]

예수님의 생애와 가르침 가운데 특이한 점은 항상 여인들이 포함되었다는 사실이다. 그것은 매우 파격적인 일이었다. 예수님은 여인들을 섬기고 가르쳐야 할 대상으로 여기셨다. 여자들을 소유물로 간주했던 유대 사회와는 달리 예수님은 여자들을 가치와 위엄을 지닌 각 개인들로 대우해 주셨다.[36]

여자들의 존재를 인정했을 뿐 아니라 그들과도 함께해 주셨다. 예수님은 복음, 성경의 의미, 종교적인 진리를 그들에게 가르치셨다. 대부분의 유대인들은 여자를 가르치는 것은 부당하며, 심지어 모욕적인 일로 여겼다. 예수님의 행동은 여자들에 대한 이와 같은 편견을 깨뜨리기 위한 의도적인 결정이었다.[37]

예수님은 대중에게 가르치실 때도 여자들을 포함시키셨다. 예수님이 자신의 공적인 가르침의 주된 장소로 예루살렘 성전을 선택하지 않으셨던 것은 흥미롭다. 그 대신에 주님의 가르치는 사역의 대부분은 남녀를 분리시키는 벽이 없었던 갈릴리 바다 근처 동네와 시골에서 이루어졌다.[38] 예수님은 남녀 모두를 가르치셨다. 유대인들을 대상으로 저술했던 마태는 이와 같은 공적인 가르침의 장소에 참석해 있던 여자들의 이야기를 충실하게 기록하고 있다. 그것은 귀한 일이었고 그렇기 때문에 가치가 있었다.[39] 예수님이 회당에서 가르치셨을 경우에도 그분은 여자들의 출입이 허락되었던 바깥 뜰 같은 더 공적인 장소를 택하셔서[40] 그들이 자신의 말을 들을 수 있도록 하셨다.

진리의 기초석을 놓은 여인

예수님은 또한 사적인 자리에서도 여자들을 가르치셨다. 그런 사건 중 하나가 나사로의 자매들이었던 마리아와 마르다의 집에서 일어났다.[41] 저자는 마리아가 "주님의 발 아래 앉아 그의 말씀을 들었다"고 말한다. 선생의 '발 아래 앉는다'는 것은 랍비와 그의 제자 사이가 공식적인 사제 관계임을 보여주는 통상적인 표현이었다. "누가는 독자들에게 마리아가 랍비의 문하생이었음을 간접적으로 말하고 있다."[42] 그것은 바울이 자신이 가말리엘의 문하에서 교육받았음을 묘사하던 때에 사용했던 것과 동일하다.[43]

랍비의 가르침을 모아놓은 미슈나는 "너의 집을 현인들의 모임 장소가 되게 하고 그들의 가르침을 마심으로 갈증을 채울 것"[44]을 독자들에게 권고한다. 그러나 곧 이어 그 다음 글귀에는 "여자와는 말을 많이 하지 말라…여자와 말을 많이 하는 사람은 자신에게 악을 가져오며 율법의 연구를 태만히 하고 급기야는 '지옥'을 유업으로 받게 될 것이다"[45]라는 말이 나온다. 가정이 훈련을 위한 장소였음에도 불구하고 여자들의 참여는 허락되지 않았다. 예수님은 여자들의 교육에 대한 랍비들의 배척에 반기를 드셨다. 그분은 "마리아는 이 좋은 편을 택하였으니 빼앗기지 아니하리라"[46]고 말씀하심으로써 주님의 제자로서 마리아가 배울 수 있도록 그녀의 권리를 옹호하셨다.

예수님께 사적으로 가르침의 혜택을 받았던 사람은 마리아뿐만 아니었다. 예수님은 또한 나사로가 죽었던 시기에 마르다를 가르치셨다. "마르다는 예수 오신다는 말을 듣고 곧 나가 맞았다."[47] 그 후 몇 절에 걸쳐 예수님은 복음서에서 가장 중요한 대화 중의 하나를 마르다와 나누셨다. 그 두 사람은 나사로를 잃어버린 아픔을 나누는 가운데 신학적인 진리를 다루었다.

예수님은 마르다에게 말씀하셨다. "나는 부활이요 생명이니 나를 믿는 자는 죽어도 살겠고 무릇 살아서 나를 믿는 자는 영원히 죽지 아니하리라."[48]

예수님은 우리 믿음의 중심이 되는 이같이 중요한 진리를 열두 제자 중 하나에게 계시하지 않으셨다. 이 말은 교회 안에서 가장 귀히 여김을 받는 구절에 속한다. 이 말들은 우리의 가장 고통스러운 시기에, 임종을 맞이할 때, 그리고 장례식에서 종종 반복해서 사용된다. 그러나 만약 예수님이 한 여인에게 중요한 신학적인 문제들을 가르치기 위해 시간을 할애하지 않으셨다면 우리는 이같은 구절들을 가질 수 없었을 것이다. 또한 여인들이 개인적으로 배웠던 교훈들을 나누려고 하지 않았다면 우리가 이같은 구절을 가질 수 없었을 것이다.[49]

예수님은 단순히 마르다에게 진리를 선포하는 데서 그치신 것이 아니다. 그분은 좋은 교사답게 마르다의 사고를 자극하여 그녀가 암시하는 바들을 숙고하도록 했다. 그분은 "이것을 네가 믿느냐"[50]고 물으셨고 마르다의 대답은 그녀의 영적인 깨달음의 심도를 드러내었다. "주여 그러하외다 주는 그리스도시요 세상에 오시는 하나님의 아들이신 줄 내가 믿나이다."[51]

요한복음에 나오는 마르다의 진술은 다른 세 복음서에 기록되었던 베드로의 고백과 거의 동일하다.[52] 그때 예수님은 베드로가 '작은 돌' 을 의미하는 페

트로스(petros)며, 나아가 '반석'을 의미하는 이 페트라(petras) 위에 자신의 교회를 세우시겠다고 대답하셨다.[53] 예수님은 베드로가 교회를 위한 기초석이 될 것이라고 말씀하고 계시지 않았다. 주님께서는 예수님이 그리스도시요 세상에 오시는 하나님의 아들이시라는 고백 위에 그분의 모든 교회를 세우시겠다고 말씀하신 것이다!

이와 같이 믿음의 기초석이 베드로와 마찬가지로 마르다에 의해서도 놓여졌음을 볼수 있다. 두 사람 모두 예수님이 누구셨는지를 이해했다. 그리고 성령에 의해 자신들에게 계시되었던 진리를 선포했다. 만일 남자인 베드로의 기본적인 가르침을 용납한다면 여자인 마르다의 가르침도 받아들여야 한다. 베드로의 영적인 깨달음이 지도력의 중요한 자격이라고 전제한다면 마르다가 여성이라고 해서 달리 적용해야 할 것인가?

삼중으로 소외된 여인

예수님이 가르치기 위하여 시간을 할애했던 또 한 사람은 우물가에서 만났던 사마리아 여인이었다.[54] 실상 이것은 예수님이 어떤 개인과 나누었던 대화의 기록 중 가장 긴 대화였다. 이 여인은 소외된다는 것에 아주 익숙해져 있는 사람이었다. 사마리아인으로서 그녀는 유대인들에게 외면당했다. 여자로서 그녀는, 남자들이 성적인 목적을 위하여 그녀를 원했을 때를 제외하고는 그들에게 외면당했다. 부도덕한 여인으로서 그녀는 심지어 다른 사마리아 여인들에게 외면당했다.[55] 그녀는 당시 가장 가치 없는 부류의 사람들 중에 속해 있었다. 그러나 예수님은 그녀를 거절하지 않으셨다. 그분은 그녀의 강퍅해진 모양과 천박한 의상만을 보지 않으시고 그녀를 정중하게 받아주셨고 동등한 사람으로서 대화하셨다.

그 여인은 당시의 인종적 갈등에 관한 질문을 하며 예수님의 융통성에 놀라는 반응을 보였다. 예수님은 그녀를 무시하지 않으셨다. 결코 "그런 걱정일랑 하지 말아라. 그런 질문은 남자들이나 하는 것이란다" 고 말하지 않으셨다. 오히려 주님은 이 '부정한 여인' 을 심각한 신학적 토론 가운데로 이끌었다. 그리고 그 여인은 신앙에 관하여 심각하게 고민했음이 역력히 보이는 반응을 나타냈다.

예수님은 그녀의 말을 경청하셨으며 그녀의 질문에 대답하셨다. 그분은 그녀와 함께 시간을 보내주셨다. 그녀를 외면하지 않으셨을 뿐만 아니라 성경 전체에서 하나님에 대하여 가장 중요한 말씀 중 하나를 그녀에게 하셨다. "하나님은 영이시니 예배하는 자가 신령과 진정으로 예배할지니라."[56] 베드로나 마르다가 예수님이 메시아라는 진리를 이해하게 되기 이전에 예수님은 처음으로 이것을 이 여인에게 말씀하셨다.[57] 참으로 이것은 요한복음의 신학적인 골자를 형성하고 있는 "나는…" 으로 시작되는 진술 중 첫 번째 것이다.[58]

예수님과 삼중으로 소외되었던 사람과의 만남은 예수님께 있어서는 유력한 유대인 지도자, 니고데모를 만나셨던 것과 동일하게 중요했다.[59] 사실상 그 두 만남을 비교해 보면 예수님은 니고데모보다는 여인에게 하나님의 길을 설명하시는 데 더 많은 시간을 할애하셨다.[60] 예수님은 외면당한 한 여인에게 하나님의 길을 가르치시는 데 모든 주의를 기울이셨다. 노련한 랍비이신 예수님은 그 만남 가운데 훌륭한 교육 기술을 모범으로 보이셨으며 그분은 다른 모든 사람들이 가장 가치 없고 가능성도 없다고 여기던 학생을 위하여 그렇게 하셨다.

제자들이 음식을 사 가지고 돌아와서 예수님이 우물가에서 신학적인 토론에 열중하고 계신 것을 발견했을 때 어떤 일이 일어났는가? 요한은 그들이 "예수님께서 여자와 말씀하시는 것을 이상히 여겼으나"[61]라고 기록하고 있다. 그들이 놀랐던 것은 여인이 사마리아인이었기 때문이 아니라 여자였다는 사실 때문이었다! 그 상황은 제자들의 남성 중심적인 세계관을 드러내었다.

예수님은 참으로 뛰어난 교사였기 때문에 제자들을 깨우치기에 적합한 이 기회를 포착하셨다. 요한복음 4:35에서 그분은 제자들에게 1)눈을 들어 그리고 2) 보라는 두 가지 명령을 하셨다. 만약 주님께서 단지 "보라" 고 하셨다면 그것은 어떤 말씀 선포의 의례적인 시작처럼 들릴지도 모른다. 그러나 주님께서 "눈을 들어 보라" 고 말씀하셨을 때 그분은 제자들에게 "이 상황을 새로운 안목으로 바라보아라. 너희들의 세계관은 너무나 편협적이다! 너희들을 보지 못하게 하는 문화적인 눈 가리개를 벗어버려라. 나는 너희들의 생각을 넓히기 원한다. 나는 너희들이 사람들을 새로운 안목으로 바라보기 원한다."

그것은 여인을 새로운 안목으로 바라보는 것을 포함했다. 여자들은 예수님이 거두러 오신 추수의 일부분이기에 그들도 포함되어야 한다.

사마리아 여인은 곧이어 전도자가 되기 위해 마을로 달려갔다. 그녀는 마을로 들어가며 "나의 행한 모든 일을 내게 말한 사람을 와 보라 이는 그리스도가 아니냐" 고 외쳤다.[62] 그녀의 전도는 매우 성공적이었다. 참으로 그녀의 동네에서 많은 사람들이 "그녀의 증거로 인해 예수를 믿게 되었다."[63]

이 일의 증인이었던 요한은 이 '우물가 학습실' 이야기를 42절에서 이렇게 마무리지었다. 그녀가 동네 사람들을 전도한 후에 그들은 "이제 우리가 믿는 것은 네 말을 인함이 아니니 이는 우리가 친히 듣고 그가 참으로 세상의 구주신 줄 앎이니라" 고 말했다. 사실 이 말은 요한복음에서 가장 극적인 장면들 중 하나인데[64] 그것은 경멸과 소외를 당해 온 한 여인을 예수님은 진리를 갈급해 하는 다른 사람과 동일하게 대해 주셨기 때문이다.

은밀히 고침을 받은 여인

사회로부터 외면당했던 또 다른 여인의 이야기가 있다.[65] 그 일은 다음과 같이 일어났다.

예수님은 회당장이었던 야이로에게 자신의 어린 딸의 병을 고쳐 달라는 부탁을 받고 서둘러 거리를 걸어가고 계셨다. 야이로의 집을 향해 가는 거리에는 군중들이 예수님을 따르고 있었다. 실상 그들은 예수님의 주의를 끌기 위해 예수님을 에워싸고 밀고 있었다.

그런데 갑자기 예수님이 걸음을 멈추셨다. 그분은 누군가 자기를 만지는 것을 감지하셨다. 뒤에서 주님의 옷자락을 살짝 잡아 당겼을 뿐이었으나 자신의 능력이 다른 사람에게로 전달되는 것을 느끼셨다. 주님은 물으셨다. 누가 내 옷을 만졌느냐?"

주님의 말은 제자들에게 마치 대단한 농담처럼 들렸다. "무리가 에워싸 미는 것을 보시며 누가 내게 손을 대었느냐 물으시나이까."[66]

예수님은 이 말에 개의치 않으셨다. 주님은 범인을 찾으시려고 군중을 둘러보셨다. 몇 초의 시간이 흘렀다. 그 일을 범했던 여인은 숨을 죽이고 주님께서 군중 가운데 있는 자기를 발견하지 않기를 바라고 있었다. 혹시 발각되지 않고 도망갈 수 있는 기회가 아직 있을지도 몰랐다.

무엇 때문에 여인은 그렇게 당황했을까? 이 여인의 '범죄' 에 대해 이해하기 위해서 모세의 율법을 기억할 필요가 있다. 이 여인은 12년 동안 그치지 않는 하혈병으로 고통 당해 왔다. 유대인의 예식을 위한 율법에 의하면[67] 그녀와 그녀가 만지는 모든 것은 '부정' 한 것으로 간주되었다. 그녀는 이 심각한 율법을 알고 있었다. 12년 동안 그녀는 사람들을 부정하게 만들지 않도록 격리되어 있었다. 마가는 "많은 의원에게 많은 괴로움을 받았고 있던 것도 다 허비하였으되 아무 효험이 없고 도리어 더 중하여졌"[68]다고 말한다.

그녀가 예수님에 대하여 듣게 되었을 때 그녀는 주님만이 유일한 소망이라는 사실을 깨달았다. 그러나 어떻게 그녀가 주님께 접근할 수 있단 말인가? 그녀의 부정함이 그 위대한 랍비마저 부정하게 만들 것이 분명한데! 그분은 자신의 몸과 옷을 물로 씻지 않으면 안될 것이다(이것은 부정함을 씻어내는 유대인의 정결예식을 말하고 있다—역주). 그리고 그는 저녁까지 부정할 것이다.

어떤 종교 지도자도 그녀가 자신에게 접근하도록 허용했던 사람은 없었다. 그녀는 12년이라는 긴 세월 동안 고독감과 수치감에 사로잡혀 지냈다.

그날 그녀는 예수님을 둘러싸고 법석을 떨며 밀고 있는 군중들을 보았고 "이것이 기회다! 군중 사이를 뚫고 들어가 그를 만지기만 해야지. 아니야. 그렇게까지 하지 않아도 되겠지. 그냥 그분의 옷자락을 만지기만 해도 될거야. 아무도 눈치채지 못하겠지!"라고 생각했다.

군중 사이로 숨어 들어간 그녀는 옷자락을 만졌다. 즉각적으로 예수님의 능력이 그녀에게 흘러들어와 그녀는 나음을 얻었다. 그러나 그 순간 놀랍게도 주님께서 멈추시더니 "누가 내 옷에 손을 대었느냐"[69]고 물으셨다.

여인은 얼어붙은 채 숨을 죽였다. 무슨 일이 일어나고 있는지 그녀는 알고 있었다. 그녀는 자신의 하혈병으로 말미암아 부정하게 되는 것을 두려워했던 종교 지도자들로부터 지난 12년 동안 수백 번도 넘게 들어 왔던 꾸지람을 생생하게 기억하고 있었다. 그리고 지금 이곳, 군중들에 둘러싸인 이 위대한 사람 앞에서…그것은 너무도 끔찍한 일이었다! 혹시 그분이 포기하고 가던 길을 계속 갈지도 모른다. 그렇지만 여기서 빠져나가는 것은 불가능하다. 그분은 저기 서서 기다리고 계시지 않는가.

급기야 그녀는 앞으로 나와 그분의 발 앞에 엎드려서 자신이 어떤 일을 했는지를 고백했다. 모든 사람들 앞에서 그녀는 자신이 왜 주님을 만졌는지 그리고 어떻게 자신이 즉각적으로 병고침을 받았는지를 말했다.[70] 그러자 가장 놀라운 일이 일어났다. 꾸지람이 아니라 예수님은 그녀를 칭찬하셨다. 주님의 말씀은 그녀 안에 있는 상처 위에 향유와 같이 부어졌다. "딸아 네 믿음이 너를 구원하였으니 평안히 가라 네 병에서 놓여 건강할지어다."[71]

이 분주한 거리에서의 짧은 만남 가운데 예수님은 여자의 생리가 더 이상 부정한 것이 아니라는 것을 보여주셨다. 생리로 인해서 더 이상 여자들이 하나님의 백성들 사이에 온전하게 참여하는 것으로부터 제외되는 일이 없어야 하는 것이었다. 주님은 진정으로 "주의 은혜의 해"[72]를 시작하고 계셨다. 메시아의 시대가 시작되었다. 창세기에서 약속하셨던 여자의 후손이 과연 인간을 구속하고 회복하기 위해 찾아오셨다.

하나님이 주시는 소명은 한계가 없다

어떤 사람들은 예수님이 12명의 남자들을 자신의 제자들로 선택하셨다는 사실에 어떤 배타적인 면이 있었다고 여길지도 모른다. 그러나 로렌이 3장에서 언급한 것과 같이 이것으로 예수님이 남자만이 그분의 교회 안에서 사역할 수 있다는 조건을 책정하고 있는 것이라는 잘못된 인식을 가져서는 안 된다. 우리가 지도력을 남자에게만 국한시킨다면 우리는 또한 갈릴리 출생의 유대인에게 지도력을 국한시켜야 하며 실상 우리의 지도자들은 아람어를 할 줄 알아야 한다. 더구나 3년 동안 주님과 함께하며 주님의 사역을 직접 목격한 사람들만이 지도자가 될 자격이 있다.

이와 같은 기준은 단 한 번만 적용되었을 뿐이다.[73] 그 경우만 하더라도 바사바라고도 하는 요셉과 맛디아 두 사람만이 그 기준을 모두 만족시키는 사람들이었다. 나중에 교회가 성장하면서 지도자를 위한 그와 같은 기준이 부적합하고 부적당하다는 것을 깨닫게 되었다. 교회가 여러 나라로 퍼져 나가면서 그와 같은 기준은 곧 사라져 버렸다.

그러나 질문은 여전히 남아있다. 예수님은 여자가 사역하는 것을 허락하셨는가? 물론이다. 성경에 나오는 증거는 명확하다. 여자들은 예수님께 수종들었으며 또한 그분과 함께 사역에 종사했다. 복음서에서 동사 디아코네오(diakoneo)는 7명의 여자들과 관련되어 사용되었다[74]. 초대교회에서 지도자로 선출되었던 7명을 묘사할 때 사용되었던 것과 동일한 동사다.[75] 7명의 남자 '집사들'[76]의 사역은 잘 알려져 있고 예수님의 추종자였던 여자 '집사들'은 잘

알려지지 않았으나 동일하게 중요시되었다. 이 여자들은

→ 베드로의 장모[77]

→ 막달라 마리아[78]

→ 야고보와 요셉의 어머니 마리아[79]

→ 세베대의 아들들의 어머니 살로메[80]

→ 구사의 아내 요안나[81]

→ 수산나[82]

→ 마리아의 언니며 나사로의 누이인 마르다[83]

이 여인들은 예수님과 그분을 따르던 사람들을 섬김을 통해 축복했던 사역자들의 본으로 꼽혔다.

또 다른 여인들

누가는 흥미 있는 것을 기록하고 있다.

> 이후에 예수께서 각 성과 촌에 두루 다니시며 하나님의 나라를 반포하시며 그 복음을 전하실새 열두 제자가 함께하였고 또한 악귀를 쫓아내심과 병 고침을 받은 어떤 여자들 곧 일곱 귀신이 나간 자 막달라인이라 하는 마리아와 또 헤롯의 청지기 구사의 아내 요안나와 또 수산나와 다른 여러 여자가 함께하여 자기들의 소유로 저희를 섬기더라[84]

'열두 제자와 함께 여자들도 있었다' 는 구절을 생각해보자. 이 여자들은 열두 제자와 같이 특별하고 공적으로 인정받은 역할을 갖고 있었던 것일까? 적어도 한 명의 학자는 그것이 사실이었다고 믿고 있다.

> 이 여인들은 열두 제자에 버금가는 무리였을까? 성 프락시디스 티툴러스 교회에는 그것이 사실이었음을 시사하는 모자이크가 남아 있다. 성 제노(Saint Zeno) 교회당의 입구 주변에는 8명의 여자들의 동상이 있는데 중심에는 마리아가 있고 그 양편에는 두 사람의 집사들의 흉상이 있다. 그것은 확실히 남자와 여자로 구성된 한 무리의 사도의 전통이라는 느낌을 준다.[85]

이와 같은 고고학적인 발견에 대해 우리가 어떻게 생각하든지 상관없이 복음은 여자들이 예수님의 사역의 무리 안에 항상 포함되어 있었음을 말하고 있다. 누가는 "갈릴리에서 예수와 함께 온 여자들"[86]을 분명히 인정받았던 예수님의 한 사역 팀으로 언급하고 있다. 그들이 예수님과 함께 여행하면서 무엇을 했는지 그 전모는 알 수 없다. 그러나 생각해 보면 열두 제자가 어떻게 하루를 보냈는지에 대해서도 별반 증거가 없다. 너무나 많은 퍼즐의 조각들이 분실되었다.

복음서의 목표는 예수님의 인격과 그분의 역사를 증거하기 위한 것이지 초대 제자들의 일상적인 생활을 우리에게 알려주기 위한 것이 아니다. 그렇다 하더라도 예수님과 가까웠던 사람들에게 "그 여자들" 혹은 "우리 여자들"이라고 불렸던 무리의 여자들이 확실히 존재했다.[87] 중요한 것은 "그 여자들"은 제자들과 마찬가지로 대개는 예수님과 함께 있었다. 이것은 바로 예수님이 사람들을 자신에게 부르신 목적이 아니었는가? 마가복음 3:14은 "열둘을 세우셨으니 이는 자기와 함께 있게 하시고"라고 말하고 있다. 우리는 그 여인들이 열두 제자와 마찬가지로 정기적으로 예수님과 함께 있었다는 사실을 보았다. 그러나 예수님이 사람을 부르신 두 번째 목적은 무엇인가? "또 보내사 전도도 하며 귀신을 내어 쫓는 권세도 있게 하려 하심이러라"[88]는 구절은 어떻게 해당되는가?

예수님이 복음을 전하러 내보내셨던 칠십 인 중에 필경 여자들이 포함되어 있었을 것이다.[89] 여자들이 포함되어 있었는지 아니었는지 확신할 수는 없지만 그것은 분명히 가능한 일이었다.

우리가 확신할 수 있는 것은 예수님이 자신의 부활을 처음으로 선포하는 일을 여자에게 맡기셨다는 것이다. 주님은 막달라 마리아에게 "너는 내 형제들에게 가서 내 아버지 곧 너희 아버지, 내 하나님 곧 너희 하나님께로 올라간다 하라"[90]고 명하셨다. 리 앤 스타는 "복음을 전파하는 데 이보다 더 큰 명령을 주신 일이 없다. 교회의 머리 되시는 그분이 직접, 부활의 사실을 아직 이해하지 못한 둔한 남자 제자들에게 전파하는 일을 위하여 여자를 파송하셨는데도 여자가 가르쳐도 되는 것인가 라고 질문하는 것은 지혜롭지 못하다.[91]

막달라 마리아가 유일한 사람이 아니었다. 부활의 첫날 아침 그분께 찾아와서 그분의 발을 붙들고 그분을 예배했던 여인들에게 주님은 "무서워 말라 가서 내 형제들에게 갈릴리로 가라 하라 거기서 나를 보리라"[92]고 말씀하셨다. 예수님이 여자들을 신뢰하시고 부활의 첫 선포를 그들에게 맡기셨는데 도대체 우리가 오늘날 신실하게 복음을 전하는 일에 그들을 신뢰할 수 있을지에 대해 어떻게 의심할 수 있단 말인가? 우리가 예수님보다도 더 현명하고 더 주의가 깊은가? 예수님은 여자들에게 단지 복음을 전파해도 좋다는 허락을 내리셨던 것이 아니라 그들에게 복음을 전하라고 명령하셨다.

마지막으로 한 여자와 예수님과의 중요한 만남을 살펴보자. 예수님이 그 당시 전통적인 남녀의 역할에 어떻게 도전하셨는지를 볼 수 있는 이야기다. 주님은 전통적인 역할 대신에 모든 여자와 남자가 하나님이 주신 소명을 발견하는 데 사용할 수 있는 하늘나라의 기준을 새로 만드셨다.

예수님이 가르치실 때 갑자기 "무리 중에서 한 여자가 음성을 높여 가로되 당신을 밴 태와 당신을 먹인 젖이 복이 있도소이다"[93] 라고 소리쳤다. 예수님의 가르침에 몹시 감동했던 모양이다. 그 말은 여자는 아들이나 남편을 통하여 간접적으로 하나님의 축복을 받는다는 전통적인 랍비의 견해를 반영하는 것이었다. 여자는 단독자로 하나님을 섬길 수 없었다. 랍비들은 "여자들이 어떻게 칭찬을 받겠는가 경전을 공부하도록 자녀들을 회당에 보내고, 남편들이 미슈나를 배울 수 있도록 랍비 학교에 보내고, 남편이 돌아올 때까지 기다림으로써 칭찬받을 수 있다"[94]고 가르쳤다. 이와 같이 제한적인 세계관에 의하면 소리쳤던 여자의 말은 타당한 것이었다. 아무도 예수님처럼 하나님을 섬기는 아들을 가졌던 여자는 없기 때문에 마리아는 참으로 축복받은 여자였다.

그러나 예수님은 여인의 말을 받아들이지 않으셨다. "예수께서 가라사대 오히려 하나님의 말씀을 듣고 지키는 자가 복이 있느니라 하시니라."[95] 주님은 무엇을 하고 계셨는가? 주님은 자신의 어머니 마리아에 대해 부정적인 것을 보여주시려 하셨는가? 물론 그렇지 않다. 예수님은 평생 동안 그녀를 사랑하며 정중하게 "여자여"[96] 라고 불렀다. 십자가 위에서 돌아가시며 신체적, 영적 고통을 겪고 있을 때에도 주님은 어머니를 염려했다.[97] 또한 예수님은 어머니의 역할을 경시하지도 않았다.

예수님은 수세기에 걸쳐 여인들이 하나님과 관련된 일에 능동적으로 참여하는 것을 제약했던 사고 체계를 거부하고 계셨다. 예수님은 한 개인의 믿음 생활이나 혹은 하나님을 위한 그녀의 사역을 금지하고, 소외시키고, 제약하는 종교적인 가치관에 결코 동조하지 않으셨다.

하나님 나라는 그와는 다른 것이리라. 여자들은 하나님의 축복을 받기 위해 더 이상 남자들에게 의존하지 않아도 된다. 새로운 기준은 하나님의 말씀에 대한 개인적인 순종이었다.

우리는 무엇 때문에 예수님이 제거하신 것들을 복원시키려 하는가? 성별을 사역 자격 중 하나로 만드는 대신에 사역자 후보생에게 물어야 할 것이다. 당신은 당신의 삶을 향한 하나님의 부르심에 신실하였습니까? 당신은 하나님의 말씀을 듣고 순종합니까? 만일 그에 대한 대답이 예라면 당신의 소명에는 어떤 제한도 없는 것이다.

10 바울은 당시의 사회를 뒤엎었다

데이비드 해밀턴

바울이 가는 곳마다 소동이 일어났다. 어떤 사람들은 삶이 변화되어 기뻐했다. 바울이 자신들의 견해를 위협할 때 증오와 두려움으로 대적하는 사람들도 있었다. 그가 가는 곳마다 교회가 개척되고 소요가 일어났다. 바울은 그릇된 현상을 유지하는 사람이 아니었다. 그는 세상의 체제를 위협했다. 이것은 "천하를 어지럽게 하던 이 사람들이 여기도 이르매"[1] 라고 소리치던 데살로니가 사람들의 말에서 확실히 드러난다. 바울이 사역하는 곳마다 복음으로 인해 이방인과 유대인을 막론하고 수세기를 거쳐 내려오던 전통이 파괴되었다.

분노한 군중들이 바울과 그의 동료들을 대항하였던 에베소에서의 사건도 매우 극적이었다. 유대인 지도자들은 바울의 가르침이 거대하고 다문화적인 도시의 유대 공동체에서 자신들의 신분을 위협했기 때문에 바울을 시기했다. 이방인들도 바울을 증오했다. 에베소는 유명한 아데미 신전을 찾아오는 사람들로부터 얻게 된 관광 수익이 큰 부분을 차지했다. 바울의 개종자들은 아데미를 숭상하는 일로부터 멀어졌기에, 재정적인 타격을 받았다. 이방인들은 바울의 사고가 잘못되었음을 증명할 수 없었기 때문에 그들은 군중을 선동하여 바울과 그의 동료들을 죽이려고 했다.[2]

그러나 에베소에서는 그보다 더 깊고, 어두운 무엇이 역사하고 있었다. 바울은 단지 반대하던 사람들의 분노만을 돋구었던 것이 아니라 악마의 벌집을 쑤신 것이었다. 그의 가르침은 초자연적이고 주술적인 힘과 밀착되어 있었던 에베소인들의 지적인 교만과 신전 예식의 변태적 음란이라는 사탄의 요새를 공략했다. 고대 에베소는 오늘날의 어떤 것에도 비길 수 없었다. 옥스포드의 지적인 명성과, 동경의 경제력, 플로렌스의 찬란한 예술, 라스베가스의 화려함, 방콕의 매춘업, 카트만두의 어두운 주술적인 능력을 모두 갖춘 도시를 상상해 보라. 바울이 목숨을 겨우 부지하고 도피했던 것도 무리는 아니다!

때로 원수의 말도 사실이다

수년 후 바울은 큰 어려움에 봉착한다. 예루살렘 성전에서 예배를 드리는 중 몇 명의 에베소 유대인들이 바울을 대항하여 또다시 폭동을 일으켰다. 한 로마인 백부장이 필경 폭행을 당할 뻔했던 바울을 구해주고 그가 법정에 설 수 있도록 했다.[3] 그들이 바울을 재판에 데리고 갔을 때 에베소에 있던 유대인들은 바울이 이방인을 데리고 헤롯의 담을 지나서 유대 남자들에게만 허락되는 거룩한 곳에 들어감으로 예루살렘에 있는 성전을 더럽혔다고 주장했다.

이 특정한 혐의는 사실이 아니었지만 바울은 또 다른 면에서는 죄가 있었다. 실상 그의 진짜 '범법 행위'는 더욱 심각한 것이었다. 즉, 이방인을 막힌 담 안으로 데리고 들어갈 수 없었다. 그는 이방인, 노예, 여자들에게 예수님이 막힌 담을 허셨다는 것을 선포하고 있었다. 인생의 마지막 순간에 바울은 감옥에서 에베소에 있는 신자들에게 편지를 썼다.

> 이제는 전에 멀리 있던 너희가 그리스도 예수 안에서 그리스도의 피로 가까워졌느니라 그는 우리의 화평이신지라 둘로 하

> 나를 만드사 중간에 막힌 담을 허시고 원수된 것 곧 의문에 속한 계명의 율법을 자기 육체로 폐하셨으니 이는 이 둘로 자기의 안에서 한 새사람을 지어 화평하게 하시고 또 십자가로 이 둘을 한 몸으로 하나님과 화목하게 하려 하심이라 원수 된 것을 십자가로 소멸하시고[4]

우리가 8장에서 살펴본 바와 같이 성전 안에 있던 헤롯의 담은 절대로 하나님의 뜻이 아니다. 그것들은 인간이 만들어 낸 것—인간의 불경건한 전통에 의한 사회적 장벽을 드러낸 건축물—이었다.

농장을 방문하여 전기 울타리를 본 적이 있는가? 전기가 꺼진 지가 오래 되었는데도 동물들은 울타리 안에 온순하게 남아있다. 몇 번 전기 충격을 받은 후에는 절대로 탈출하려고 시도하지 않는다. 초대 교회도 그와 마찬가지였다. 예수님은 이미 막힌 담을 허셨다. 그러나 이제 신자들이 새로 얻게 된 자유함을 누리는 것을 가르치는 것이 필요했다. 바울이 에베소인들에게 보낸 편지의 요지는 바로 그것이며 이제부터 그 점을 살펴볼 것이다.

통념을 뒤엎은 개혁가

현상 유지에 도전하는 사람으로서 바울보다도 더 적합하지 않은 사람은 없었을 것이다. 다소의 사울로서 그는 로마 시민의 특권을 가지고 태어났다. 그는 또한 유대 젊은이가 받을 수 있는 최상의 교육을 받았다. 그는 가장 존경을 받던 스승의 유망한 학생이었으며 서기 1C에 있어 가장 지대한 영향력을 가지고 있던 가말리엘의 문하에서 교육을 받았다.[5] 사울은 매우 예리한 사고력을 가지고 있었으며 자신이 배웠던 모든 것—모세 오경과 수세기에 걸쳐 축적된 위대한 랍비들의 지혜의 글들—을 전적으로 믿고 있었다.

사울은 최상의 랍비 전통에 의하여 교육을 받았을 뿐만 아니라 그 당시 희랍과 로마의 사고에 대해서도 익히 잘 알고 있었다.[6] 그는 완벽한 경력을 가지고 있었으며 여러 곳으로 여행을 했다.[7] 다메섹 도상에서 일어날 사건이 아니었다면[8] 우리는 오늘날 미슈나 안에서 랍비였던 사울의 사상들을 읽게 되었을지도 모른다. 그러나 사울이 땅에 쓰러지고 빛에 의해 시력을 잃던 그날 모든 것이 변했다. 그가 전에 배웠던 대부분의 것들이 완전히 바뀌어 버렸다.

그리하여 바울의 가르침은 랍비들로부터 받았던 가르침과는 너무나 달랐다. 그의 생각은 필로가 했던 것과 같이 희랍과 로마의 철학을 재탕해 놓은 것이 아니라 하나님께로부터 받은 계시였기 때문에 새로운 것이었다. 그 생각은 사람들의 일상 생활 거의 모든 면을 변화시키기 위한 것이었다. 예를 들면, 고대 사회 전반에 걸쳐 흐르던 기본적인 개념은 '가정의례법' 이었다. 이 개념은 탈무드라고 알려져 있는 유대 글들을 포함한 모든 고대 문학에 영향을 미쳤다. 고대 사회의 법은 가정의례법을 기반으로 하여 세워졌다.[9] 가정의례법은 세 종류의 대인 관계로 규정지어졌다.

→ 남편과 아내
→ 아버지와 자녀
→ 주인과 종

사회에 속해 있는 모든 사람의 역할은 아무도 예외없이 가정의례법에 의하여 결정되었다. 희랍인, 로마인, 유대인들에게 있어 세상은 엄격한 족장 제도였다. 남편이자 아버지며 주인인 한 사람이, 아내와 자녀와 종들에 대한 완전한 통제권을 소유했다. 그가 자신의 가정 안에서 하는 일에 대해서는 아무도 참견하지 않았다. 개인적인 법률이나 법정에서의 판결도 그의 특권을 옹호했다. 복종은 아내로부터 남편에게, 자녀로부터 아버지에게, 종에게서 주인에게로 향하는 일방통행이었다.

그러나 바울이 로마에 위치한 감옥에서 에베소인들에게 편지를 썼을 때 그는 가정의례법을 가지고 사람들을 놀라게 했다. 그는 피차에 복종하라는 전혀 생소한 명령을 했다. 남자는 더 이상 가정에서 독재자와 같이 억압하면 안 되었다. 복종은 쌍방통행이었다. 바울은 하나님의 목적은 모든 것을 그리스도 안에서 하나 되게 하는 것이라고 말했다.[10] 그는 신자들에게 그들이 함께 진노의 자녀였으나[11] 이제 함께 후사가 되었다고 말했다.[12] 십자가 밑에는 동일한 용서함과 동일한 소망과 동일한 목적의 평등함이 있다. 신자들은 하나님의 거하실 처소로 함께 지어져 가고 있다.[13]

바울은 과장된 연설을 하지 않았다

많은 사람들이 그리스도 앞에서 동등함이 아닌 다른 것을 보여주기 위해 에베소서 5:22을 사용한다. 다수의 현대 번역본들과 마찬가지로 NIV도 22절을 별도의 문장으로 해석하여 "아내들이여 자기 남편에게 복종하기를 주께 하듯 하라" 고 말한다. 바울은 여자들만을 꼬집어서 그들의 남편에게 복종하라고 말하고 있는 것일까? 이같은 질문에 대한 공평한 대답을 얻기 위해서는 바울이 쓴 정교한 편지의 구체적인 언어를 조심스럽게 살펴보아야 한다. 만일 그의 길고 복합적인 문장을 연설문식으로 분리하려고 한다며 우리는 그가 의도한 바를 왜곡시킬 수 있다.

에베소서 5:15—23은 바울의 사고가 변화된 것을 보여주는 뛰어난 실례다. 이 구절들은 희랍어로는 한 문장으로 표현되었다. 그러나 현대의 독자들의 이해를 쉽게 하기 위하여 번역자들은 원문에는 존재하지 않았던 문장들과 구절들을 추가했고 함께 있어야 자연스러운 것들을 분리시켜 버렸다. 만일 당신이 이 구절들을 분리시킨다면 그것은 마치 바울이 희랍어 원본에서 의도했던 것과 반대되는 것을 말하고 있는 것이 된다. 에베소서 5장 22절의 내용은 분리된 것이 아니다! 그것은 계속 이어지는 하나의 문장이다. 한술 더 떠서 21절과 22

절 사이에 문단을 나누고 그 사이에 소제목을 따로 붙이는 것은 공평하지도 않을 뿐더러 정확하지도 않다.[14]

이 길다란 문장은 2개의 명령 동사와 5개의 종속적인 절들을 중심으로 구성되었다. 원어의 형식을 정확하게 반영하는 바울의 문장에 대한 명확한 번역은 다음과 같다.

> 술 **취하지 말라** 이는 방탕한 것이니 오직 성령의 **충만을 받으라** 시와 찬미와 신령한 노래들로 서로 **화답하며** 너희의 마음으로 주께 노래하며 **찬송하며** 범사에 우리 주 예수 그리스도의 이름으로 항상 아버지 하나님께 **감사하며** 그리스도를 경외함으로 피차 **복종하라** 아내들이여 자기 남편에게 [　　]를 주께 하듯 하라 이는 남편이 아내의 머리 됨이 그리스도께서 교회의 머리 됨과 같음이니 그가 친히 몸의 구주시니라[15]

바울의 긴 문장은 "성령의 충만을 받으라"는 명령을 중심으로 이어진다. 성령의 충만함을 받는다는 것은 무엇인가? 어떤 이들은 방언 말함을 성령 충만함의 표적으로 사용해 왔다. 그러나 바울은 또 다른 기준을 제시했다. 우리는 서로 복종하는 삶을 살고 있는가? 성령이 충만하다면 그러한 삶을 살 수밖에 없다. 성령님은 영원 전부터 아버지와 아들에게 서로 복종하는 삶을 살아오셨다. 만약 성령님께서 우리의 삶에 적극적으로 역사하고 계신다면 우리는 동일한 태도를 갖게 될 것이다.

바울은 고대의 모든 문화들이 그랬듯이 남자들에게는 완전한 자유를 허락하면서 여자들에게만 남자들에게 순종할 것을 촉구하고 있지 않았다. 왜냐하면 생략법[16] 이라고 불리우는 문법적인 형태로 인해서 '복종한다' 라는 동사는 원문 22절에는 나타나 있지도 않기 때문이다. 그 구절은 실제로는 "아내들이

여 자기 남편에게 [ ]를" 이다. 빈칸을 채우기 위해서 고대 희랍의 독자들은 복종한다는 동사를 찾기 위해 그 앞의 문장으로 거슬러 올라가야 했다. 아내들이 남편들에게 복종해야 하는 것은 사실이지만 그것은 21절에서 보여주는 것처럼 상호 복종하는 관계였다. 아내들은 남편들이 아내에게 복종하는 것과 동일한 방법으로 남편들에게 복종하며 그들 모두는 그리스도의 몸 안에서 피차 복종해야 하는 것이다.

전례 없는 일

바울은 계속해서 아내와 남편, 자녀와 부모, 주인과 종 사이에 일상 생활의 관계에서 성령으로 충만하다는 것이 무엇인지를 설명한다. 우리는 에베소서 5:18—6:9을 바울의 가정의례법이라고 부를 수 있다. 바울은 그것을 아주 실제적으로 만들었다. 성령으로 충만한 결과는 교회나 기도 모임 안에서만 경험되는 것은 아니었다("시와 찬송과 영적인 노래로 서로 화답하고 마음으로 주께 노래하며 찬송하며"). 성령 충만의 결과는 가정과 직장에서 우리의 대인 관계 안에 분명하게 드러나야 한다. 어떤 사람도 주일에는 웃으며 찬송을 부를 수 있다. 그러나 월요일부터 토요일까지 사랑, 존경, 상호 복종으로 다른 사람을 대할 수 있는가? 이렇게 우리가 가지고 있는 믿음은 실제 생활에서 시험된다.

앞서 언급했던 바와 같이 바울의 가르침이 그 당시 사람들에게 미쳤던 영향력을 상상하기는 쉽지 않다. 바울은 그들에게 익숙해 있던 가정의례법의 구절들을 들어서 하나님의 마음에서 시작되어 에덴 동산에서 계시되었고 십자가를 통하여 완성된 획기적인 내용을 말했다. 그 이후에 나오는 328개의 희랍 단어들을 통해[17] 바울은 가정의례법에서 '작은 자' (아내, 자녀, 종)를 위하여 전통적으로 '큰 자' (남편, 아버지, 주인)가 져야 하는 책임들을 나열했다. 이것은 새롭고 충격적인 것이었다. 어떤 문화의 가정의례법도 '큰 자' 가 '작은 자'

를 위해 어떤 책임을 가지고 있다고 한 적은 전혀 없다.

바울이 에베소에 있는 신자들에게 하고 있는 구체적인 명령들을 숙고해 볼 때 이것은 굉장히 충격적이다. 8개의 직접적인 명령 중에…

→ 다섯 개는 가정의 남자 가장에게 주어졌다.

→ 두 개는 자녀들에게 주어졌다.

→ 한 개는 종들에게 주어졌다.

→ 아내에게 주어진 명령은 없다.[18]

어떤 이들은 에베소서 5:33을 지적할지도 모르겠다. 바울이 "아내도 그 남편을 경외하라"고 말한 것은 여자들에게 준 명령이 아닌가? 희랍어는 그렇지 않다. 원문에서 이 동사는 어떤 욕구, 소원, 혹은 희망을 표현하는 가정법 구절로 쓰여졌다. 더구나 이 구절은 "…하기 위해서는"이라는 뜻의 희랍어 뒤에 위치하고 있다. 이것은 33절 상반부에 따라오는 종속절이다. 바울은 아내가 그를 경외하도록 그녀를 사랑하라고 말하고 있다. 진정한 존경은 강요될 수 있는 것이 아니라 획득해야 되는 것이다.

에베소서 5:22—6:9에서 성령 충만한 삶에 대한 바울의 묘사를 살펴보자.

→ 그는 남편을 바로 대우하는 아내의 성령 충만한 모습을 설명하는 데 40개의 희랍어 단어들을 사용하였다. 그러나 그후 바울은 아내를 향한 남편의 책임을 묘사하는 데 150개의 단어를 사용하였다. 놀라운 일이다!

→ 바울은 자녀들에게 아버지를 향해 그들이 어떻게 행동해야 하는지를 설명하는 데 35개의 단어를 사용했다. 그러나 그는 아버지들을 가르치는 데 16개의 단어를 사용했다. 전례도 없는 일이었다!

→ 그는 종들에게 성령 충만함이 무엇을 의미하는지를 설명하는 데 59개의 단어를 사용하는 한편 주인들에게는 28개의 단어를 사용했다. 예외적인 일이었다!

만일 위의 두 번째 세 번째 범주가 불공평한 것 같으면 다음의 사실을 상기하라. 아버지들과 노예의 주인들은 그때까지 아무런 제약이 없이 다스려왔다. 자신의 가정에 대한 한 남자의 통제력은 거의 무한한 것이었다. 고대 시대의 가장들은 자신이 원한다면 자기 자녀와 종들을 죽일 수도 있었다. 바울이 아버지들에게 명령했을 때—"자녀를 노엽게 하지 말고"[19]—그는 아버지들에게 어떤 제약을 가하는, 전에 없던 명령을 하는 것이었다. 처음으로 자라나는 자녀들에게 사랑으로 양육하는 환경의 필요성이 강조되었다.

이것과 유사하게 바울은 노예 제도를 노골적으로 지적하지는 않았다. 대신 종들에게 그리스도를 위하여 일하는 것처럼 주인을 위하여 일하라고 했고 주인들을 향해서는 종들을 대할 때 그들이 하나님 앞에서 동등하므로 "이와 같이"[20] 대하라고 말했다. 바울은 점차적으로 전세계 안에서 노예 제도가 없어지도록 하는 의도를 가졌음이 분명하다. 그는 사회에 변화를 가져올 만한 씨앗을 심었다. 그러나 변화는 저항과 폭력적인 혁명으로 오는 것은 아니었다. 회개와 하나님 앞에서 인간의 평등함을 인정할 때 변화는 일어나게 된다.

바울의 제안이 얼마나 담대한가를 볼 때 우리 자신의 행태를 돌아보게 된다. 변화하는 문화 속에서 일어나는 문제나 새로운 문화에서의 행동의 의문점들에 대해 어떻게 접근할 것인가? 우리는 자신의 문화적인 눈가리개를 쓰고 '내가 항상 그렇게 배워왔기 때문에 이것은 옳다' 라고 말해서는 안 된다. 바울처럼 행동에 대한 개인적인 의문을 하나님의 말씀에 비추어 보고 필요한 부분마다 성령님이 새로운 행동 패턴과 사회적인 구조로 인도하시도록 해야 한다. 혹은 성령님이 어떤 특정한 행동은 잘못된 것이 아니라 가족 안에 하나님이 허락하신 다양함의 표현이라는 것을 보여주실 때도 있다. 그러한 경우에는 그것들을 사용하여 하나님의 영광을 선포함으로 문화와 관습을 구속해야 한다.

바울이 언급하지 않은 것

바울이 주장한 가정의례법 안에서 말하지 않은 것이 무엇인지를 살펴보자. 그는 아내들에게 남편에게 복종해야 한다고 말하지 않았다. 바울이 자녀들과 종들에게는 순종하라고 말했기 때문에 이것은 대조적이다. 그는 단지 고대 세계의 가정의례법의 전통을 깨뜨릴 뿐 아니라 문학적 대칭법을 사용하여 독자들을 놀라게 만들었다.

바울이 남편들에게 어떻게 아내들을 사랑하라고 했는지 주목해 보라. 그는 두 가지를 제시했는데 그 중요성을 가능한 강조하기 위하여 반복해서 기록했다.

→ 남편들은 "그리스도께서 교회를 사랑"하신 것같이 아내를 사랑해야 한다.[21]

→ 그들은 서로를 "제 몸같이" 사랑해야 한다.[22]

→ 남편들은 "그리스도께서 교회를 보양함과 같이" 사랑해야 한다.[23]

→ 남편들은 아내 사랑하기를 "자기를 사랑하는 것같이" 해야 한다.[24]

고대 세상의 학대와 강압적인 남성주의와는 180° 다르지 않은가? 바울은 전통적인 가정의례법에 변화를 불러일으키는 복음의 능력을 불어넣었다. 아니면 그가 가정의례법을 "성령으로 충만하게 했다"라고 말해야 할지 모르겠다. 바울은 무심하게 자신의 문화를 흉내내지 않았다. 그는 파격적인 대안을 제시했다. 그의 글은 너무나 파격적이어서 에베소에 있는 신자들은 상당히 당황했을 것이다.

여자의 존재 가치

바울이 남편들에게 자기 아내 사랑하기를 그리스도께서 사랑하신 것같이 하라고 말했을 때 그것이 무엇을 의미했는가 생각해 보라. 어떤 사람을 사랑할 때 자기 몸같이 사랑하는 것은 좋은 것이다. 그러나 어떤 사람을 그리스도께서 사랑하신 것같이 사랑하는 것은 상당히 높은 기준을 설정하는 것이다. 그리스도께서는 우리를 위하여 목숨을 내어주셨다. 예수님이 우리를 위하여 죽으셨을 때 그분은 하나님이 우리에게 얼마나 귀한 가치를 부여하셨는가를 보여주셨다. 십자가는 하나님이 그분의 백성들을 얼마나 사랑하셨는가를 보여주는 가장 실제적인 표현이었다. 하나님의 아들이 우리 각 사람을 위하여 자신의 생명을 내어주셨기 때문에 인간은 매우 귀중한 존재다. 그러므로 여자들도 매우 귀중한 존재로 여겨져야 한다. 하나님은 남편들이 아내를 사랑한 나머지 자신의 목숨까지 내어주어야 한다고 말씀하신다. 한 남자의 아내에게, 혹은 한 남자의 누이에게, 어머니에게, 혹은 딸들에게 이것보다 더 존재 가치의 귀중함을 일깨우는 말이 있을까?

소유 재산이 아니라 동역자

바울은 계속하여 남편이 아내를 향하여 가져야 할 희생적인 사랑에 대해 설명했다. 그는 하나님이 남자와 여자를 처음 창조하신 때로 돌아가 그것을 설명했다. "이러므로 남자가 부모를 떠나 그 아내와 연합하여 둘이 한 몸을 이룰지로다." 얼핏 보면 이같은 말들은 우리에게 별다른 의미를 주지 않는다. 결혼식에 갈 때마다 우리는 이 구절을 들어 왔다. 바울은 이 말을 에베소인들에게 반복하면서 무엇을 말하려고 하는가? "그녀와 결혼을 했으니 이제는 그녀를 사랑하지 않으면 안 된다"라고 말하고 있는가?

예수님이 이미 말씀하셨던 것을 바울이 어떻게 강조하고 있는지 보라. 바울은 에베소에 있는 남자들에게 결혼에 대한 하나님의 원래 의도가 무엇인지 말하고 있다. 남자는 아내를 맞기 위해 모든 것을 두고 떠난다. 고대 사회에서는 이런 식으로 결혼하지 않았다. 이것은 희랍인들과 로마인들이 했던 것과 정반대되는 것이었다. 우리는 앞서 희랍인들과 로마인들이 남편과 결혼하기 위해서 여자들에게 모든 것을 버리도록 요구한 것을 살펴보았다. 결혼은 남자에게 아무런 희생을 요구하지 않았다. 여자가 모든 희생을 감수하고 모든 권리를 포기해야만 했다.

심지어는 이방인의 우상 숭배 예식을 용납하지 않았던 유대인들까지도 창세기에서 명시되었던 여자의 가치를 지키는 데는 실패했다. 맨 처음부터 하나님은 여자를 남자의 이기심으로 취할 수 있는 재산처럼 취급되지 않고 남자가 자신을 주어야만 하는 동역자로 대우받도록 하셨다. 그러나 남자들은 점점 진리에서 멀어지기 시작했다. 구약 성경은 종종 남자들이 자신을 위해 아내를 택했음을 기록하고 있다.[26]

그것은 절대로 하나님이 의도하신 바가 아니다. 수세기가 지나는 동안 유대인의 풍습은 하나님의 계시로부터 더욱 멀어지게 되었다.

바울은 에베소서에서, 하나님이 원래 의도하신 것을 예수님을 통해 회복하시기 원했기에 주님은 자신의 모든 권리를 포기하고 이 땅에 오셔서 교회를 위하여 자기 몸을 내어주셨다고 말했다.[27]

이와 같은 자기 희생, 권리 포기, 겸손에서 우러난 사랑이 아내를 대하는 남편의 특성이 되어야 하는 것이다. 에덴 동산 이후 이와 같이 고차원적으로 결혼의 모습이 묘사된 적은 없다. 에덴 동산 이후 여자의 가치가 이같이 인정되고 존귀하게 여겨졌던 적은 없다. 상호 의존은 하나님 나라를 대표하는 표시가 되어야 한다. 결혼한 두 사람이 그리스도의 다스림 가운데서 서로를 위하는 것이 바로 존중하는 것이다. 예수님이 오셨기 때문에 여자들은 자기의 남편들에게 복종할 수 있고 남편들은 자원하여 아내를 위해 자기 몸을 내어줄 수도 있다. 그리스도 안에서 일방통행 도로가 쌍방통행할 수 있는 도로로 바뀌었다. 에덴 동산의 소망으로 오셨던 예수님은 에덴 동산의 비극을 바로잡으셨다.

복음에서 말하는 동등함

바울은 이와 같은 새로운 제안의 기초가 되는 원칙들을 말하면서 가정의례법을 마무리지었다. 하나님은 외모로 사람을 취하지 않으시기 때문에[28] 우리는 하나님 앞에서 동등하다. 그것이 에베소서 5:21에 나오는 상호 복종의 근간이 되는 원칙이다. 하나님은 인간을 수직적인 관계로 계획하지 않으셨다. 우리가 서로에게 복종할 수 있는 이유는 하나님은 우리 모두를 하나로 보시기 때문이다. 이것이 복음의 중심적인 가르침이다. 동등함은 인본주의에 근거하지 않고 하나님의 공평하심에 근거하고 있다. 그분께서 모든 인간을 공평하게 대하시기 때문에 우리도 그렇게 해야 하는 것이다. 다른 사람들에 대한 우리의 견해는 우리를 향한 하나님의 견해에 의해 비롯되어야 한다.

하나님 앞에서의 평등함은 바울 서신에 자주 등장하는 주제다. 수직적인 계급 현상을 바울이 공격하는 좋은 예 중 하나는 갈라디아서 3:28이다. "너희는 유대인이나 헬라인이나 종이나 자주자나 남자나 여자 없이 다 그리스도 예수 안에서 하나이니라." 왜 바울은 이런 말을 했을까? 그가 세 종류의 인간 관계에 대해 언급한 것을 주목하라. 바울은 전통적인 가정의례법에 나오는 세 가지의 인간 관계가 아닌 또 한 무리의 사람들을 사용하고 있다. 갈라디아서 3장에는 아버지와 자녀의 관계가, 유대인과 이방인의 관계로 대치되었다. 유대인과 헬라인, 종과 자주자, 남자와 여자를 사용하여 바울은 자신의 편지를 읽는 사람들의 마음에 무슨 생각을 일으키고자 하였는가?

나는 바울이 의도적으로 이같은 것을 선택했다고 믿는다. 바울은 극적인 회심을 경험하기 전에 엄격한 바리새인이었다. 그뿐만 아니라 그는 촉망받는 청년 바리새인으로서 성공을 향한 사다리를 타고 올라가던 중이었다. 그렇기 때문에 그 당시 경건한 다른 유대 청년들과 마찬가지로 아침에 일어날 때와 잠자리에 들 때 다음과 같은 기도문을 외웠을지도 모른다.

> 나를 이방인으로 만들지 않은 분을 송축하라.
> 나를 여자로 만들지 않은 분을 송축하라.
> 나를 교육받지 않은 자(혹은 종)로 만들지 않은 분을 송축하라.[29]

모든 경건한 유대인들은 아침에 일어나자마자 잠자리를 빠져 나오기 전에 베라카(beraka)라고 불리우는 이 기도를 했기 때문에 옆에 누워 있는 아내가 아침마다 듣는 첫 마디가 바로 이 말이었다. 당신은 그녀와 입장을 바꾸어서 생각해 볼 수 있는가? 이 잔인한 말은 결혼한 이후 여인이 아침에 잠을 깨자마자 처음으로 듣게 되는 말이다. 잠자리에 누워서 당신의 남편이 당신처럼 태어나지 않은 것을 하나님께 감사하는 말을 듣다니! 섬짓한 깨달음이 당신을 짓누를 것이다. 종은 자유인이 될 수 있고 이방인도 개종할 수 있지만 당신이 여자가 되지 않을 수는 절대로 없다.

랍비 문학에는 이 기도문이 여러 다른 형태로 실려 있다.[30] 남자들이 아침마다 베라카를 열심히 기도했다는 사실은 하나님이 창세기에서 정해놓으신 남녀 평등으로부터 그들이 얼마나 멀리 벗어나 있었는지를 보여준다. 이같은 말들은 오직 유대인 남자들만이 하나님의 백성으로서 완전히 참여할 수 있다는 랍비 유대주의의 교만한 마음을 분명하게 보여준다.

랍비들의 다른 저술도 이 견해를 지지한다. 이방인들은 가축보다도 못한 인간들이라고 취급했다. "당나귀에 대해서는 그것을 쉬게 해야 할 책임이 당신에게 있다. 그러나 이방인에 관련해서는 그 사람이 마땅히 쉬도록 해주어야 하는 의무가 당신에게 없다."[31] 종들은 '당나귀와 같은 사람들'[32] 이라고 불리우면서 동물과 같이 대우를 받았다. 이와 유사하게 탈무드가 "백 명의 여자가 두 명의 남자보다 못하다"[33]고 말하고 있는 것처럼 한 여자의 가치는 한 남자의 가치의 2%에 해당한다고 여겨졌다.

바울은 갈라디아서 3:28에서 이같은 차별이 더 이상 존재하지 않는다는 것을 선포하기 위하여 전통적인 아침 기도에 등장하는 세 쌍의 사람들(이방인/유대인, 종/자주자, 남자/여자)을 의도적으로 택한 듯하다. 그는 사람들에게 그들이 얻은 이 놀라운 자유를 저버리지 말 것을 열렬하게 간청한다. 그럼에도 그들이 이같이 위대한 구원을 저버리고 인간의 율법주의로 되돌아가는 이유는 무엇일까?

바울은 그의 독자들에게 말했다. "그리스도께서 우리로 자유케 하려고 자유를 주셨으니 그러므로 굳게 서서 다시는 종의 멍에를 메지 말라."[34] 율법적인 멍에의 한 부분은 사람들이 자신의 편견에 따라 다른 사람들을 차별하는 것이다. 그러나 이제 더 이상 그런 일은 없어야 한다. 예수 그리스도 안에서 모든 차별과 낙인은 벗겨져 버렸다고 바울은 선포한다. 모든 사람이 하나다. "갈라디아서 3:28은 '하나님은 너희 각 사람을 사랑하시지만 그러나 각자의 위치에 남아 있어라' 고 말하지 않는다. 그 말씀은 이제 권리, 특권, 준칙, 가치에 있어 더 이상 지위, 구분, 불화가 없다고 말하고 있다."[35]

만일 우리의 신분을 유지하는 데 집착하고 있거나 어떤 특정한 문화가 가르쳐 준 수직적인 권위 체제를 고수하려 한다면 비그리스도인처럼 행동하는 것이다. 이같은 반응들은 복음의 메시지와는 반대되는 것이다. 이방인, 종, 여자는 열등한 사람들도 하나님 앞에서 덜 값진 사람들도 아니다.

예수님은 분리되고, 수천년 묵은 사슬로 묶여 압제받는 세상 가운데로 오셨다. 예수님은 벽을 허무시고 사슬을 끊으셨다. 그리스도 안에는 유대인이나 이방인, 종이나 자유인이나, 남자나 여자가 없다. 십자가 밑에서는 모든 사람이 동등하다.

예수님은 한 사람도 예외 없이 모든 사람을 구속하기 위하여 가장 낮은 사람이 되셨다. 소외된 채 발코니에서 창살 틈으로, 혹은 휘장 뒤에서 들여다봐야 되는 사람은 더 이상 없다. 예수님의 죽음은 기존의 문화적인 견해를 무너뜨렸다. 모든 벽이 허물어졌다. 더 이상 차별을 수용하지 않는다. 예수님은 모든 인간이 함께 공유하는 소망이시다. 그분의 성육신은 인간이 어디로부터 왔는가를 알려준다. 십자가 위에서 당하신 주님의 죽음은 인간이 함께 겪어 왔던 비극을 치유하신다. 예수님의 부활은 모든 인간의 목표를 회복시킨다. 하늘에서 그리스도와 함께 앉기 위해, 성령이 충만하여 세상으로 나아가기 위해, 모든 대인 관계 안에 복음을 실천하기 위해, 그리고 모든 인간이 하나님께 귀한 존재이기 때문에 자부심을 갖도록 부르심을 받았다.

11
기원후 50년, 죄악의 도시에 복음이 들어오다

데이비드 해밀턴

여자들에 대한 바울의 견해를 신중하게 연구하는 학생은 누구나 고린도전서에 집중해야 하는데 그 이유는 바울이 성별의 문제를 다루는 데 있어 다른 어떤 서신보다 그곳에 더 많은 지면을 할애했기 때문이다.

바울이 말하려는 바를 읽을 때 우리는 그의 말이 대화의 반쪽에 불과하다는 것을 알지 않으면 안 된다. 그것은 마치 어떤 사람이 전화로 대화하는 것을 어깨 너머로 듣는 것과 같다. 우리는 상대방이 무슨 말을 하는지 상상해 재구성해야 한다. 바울의 서신은 그가 개척한 교회들로부터 받았던 질문들과 편지에 대한 답장으로 쓰여진 것이다. 우리가 그 대화의 다른 반쪽을 가지고 있지 않기 때문에 이 편지를 더 자세히 이해하기 위해서 우리는 고린도의 상황에 대하여 가능한 한 많은 것을 캐내야 한다.

부유하면서도 빈곤한 곳

고린도는 희랍의 주요한 두 곳을 잇는 직경 4마일(6km)의 좁은 땅에 위치하고 있었다. 북부 희랍으로부터 남쪽으로 향하는 모든 교통 수단은 고린도를 통과해야만 했다. 또한 희랍 남단의 위험한 바다를 피하기 위하여 동부 지중해에서 온 대부분의 해상들은 고린도를 통과하는 육로로 상품을 운반한 후 서쪽으로 항해를 계속했다. 그리하여 고린도는 주요 교통로가 되었고, 상업과 무역을 독점하여 부유해진 희랍 문화의 중심지로서 아테네와 겨루게 되었다. 또한 고린도는 로마가 지배하는 동안 로마 군인으로서 복무하고 시민권을 획득했던 로마의 자유시민들이 모여들게 되었다.[1]

기원 후 1C가 될 즈음 고린도는 인구 3,000명 정도의 작은 식민지에서 희랍에서 가장 큰 도시로 성장했다. 인구 조사 기록이 존재하지 않지만 "2C가 될 즈음에는 도시와 인근 지역에 10만 명에 가까운 인구가 있었다"[2]고 추정되었다. 고린도는 매우 부유해져서 "마치 시장과 같았고…어디를 가나 넘치는 부와 풍성한 상품이 있었다."[3]

그러나 고린도가 '보기에는 매혹적이고 사치품이 풍성한 곳' 이었지만 '부자들의 탐욕' 은 '빈곤한 사람들의 참혹함' 과 대조를 이루었다.[4]

절대로 고린도 사람을 신뢰하지 말라!

고린도는 아름다운 동상과 그림, 뛰어난 예술작품과 문화의 중심지였고 큰 운동 경기가 행해진 곳이었다. 그러나 고린도는 다른 것으로도 유명했다. 고린도는 성적 문란함이 너무 편만하여 '고린도인처럼 산다' 라는 의미의 동사인 코린디아제스다이(korinthiazesthai)는 성적으로 부도덕한 삶을 사는 것을 의미했다. 또한 고린도는 술취함으로 가득 차서 많은 희랍 연극에서 고린도인들은 술주정뱅이로 묘사되었다.[5]

그것이 바울이 고린도에 있는 교인들에게 술취하지 말 것을 경고했던 이유였다.[6] 그리고 희랍 시인 메난더가 "고린도인들을 신뢰하지 말며, 그들의 친구가 되지 말라"[7]고 쓴 것도 그 이유 때문이다.

매춘지대

다른 항구 도시와 마찬가지로 고린도도 매춘업으로 유명해졌다. 바울시대 이후의 한 저자는 고린도의 "아름다움, 열정, 성적인 쾌락은 많은 사람들을 매혹시켰다…이 도시는 분명히 아프로디테의 도시다"[8]라고 썼다. 아프로디테는 성적인 사랑을 나타내는 희랍의 여신(로마인들에게는 비너스라고 알려짐)이었다. 지중해 연안 전역에 걸쳐 그녀는 숭배의 대상이 되었지만 특별히 고린도에서는 더 심했다. 그 도시의 부도덕성에 대한 명성으로 인하여 플라톤은 매춘부를 의미하는 코린디아 코레(korinthia kore—고린도 소녀)라는 용어를 사용했다.[9] 한 저자는 고린도에 있었던 "매춘부들의 큰 군대"에 대해 말했고, 또한 예수님 당시에 책을 저술했던 스트라보는 다음과 같이 말했다.

> '고린도에 위치한' 아프로디테의 신전은 너무나 부유했기 때문에 남자와 여자들이 여신에게 바쳤던 천 명도 넘는 신전 노예들, 매춘부들을 소유하고 있었다. 그리고 이 여자들로 인해 사람들이 모여들게 되었고 도시는 더욱 부하게 되었다. 예를 들면, 배의 선장들이 그들의 돈을 탕진해 버렸기 때문에 '고린도 항해는 아무나 하지 못한다' 라는 격언이 생겼다.[11]

자신들의 수입을 신전에 바쳤던 고린도의 '고상한' 매춘부 외에 수천 명도 넘는 '속된' 매춘부들이 있었다. 이들 매춘부들은—고상하든 속되든 상관없이—고린도 경제에 매우 중요한 사람들이었다. 그들은 또한 그 도시의 영적 삶에 영예로운 한 부분이었다. 고대 사람들은 기록했다.

> 전 시민이 매우 중요한 일들을 아프로디테에게 간구할 때마

> 다 가능한 한 많은 매춘부들을 동원했다. 이 여자들은 여신에게 간구를 드렸으며 후에 제물을 드리는 일에도 참여했다.[12]

사교(邪敎)의 범람

고린도의 여주인이었던 아프로디테가 최고의 신으로 군림했지만 다른 신들과 여신들도 숭배의 대상이었다. 고린도는 확실히 이방의 난잡한 종교 행사장이 되었다. 대부분의 종교는 여인들의 참여를 금했지만 예외가 되는 신비적인 사교들이 여인들이 추종하는 신앙이 되었다. 예를 들면, 디오니소스의 비밀 사교에서 여인들은 며칠 동안을 산 위에 머물면서 춤추고, 술마시고, 부도덕한 성관계를 가졌다.[13]

> 디오니소스를 숭배하는 여자들은 마에나드스라고 알려졌는데 그것은 '미친 사람들' 이라는 의미다. 그 용어는 남자들에게는 적용되지 않았는데, 신의 광기에 영향을 받는 사람들은 주로 여자들이었다. 마에나드스들은 자신들의 변화된 의식 상태가 포도주와 광기의 신이었던 디오니소스로부터 받는 선물이라고 자랑스러워했다. 바깥 세상을 별로 본 적이 없는 이 여인들은 디오니소스를 자신들의 해방자로 추앙했다. 일 년에 두 차례 광기에 도취되어 '여자들을 재봉틀과 직조기를 돌리는 일에서 해방시켰으며' 산으로 올라가 마음껏 춤추고 놀며 디오니소스의 잔치를 축하도록 했다.[14]

바울이 오기 전 고린도에서 이방 여인들에게 개방되었던 종교들은 대개 부도덕함과 미친 짓을 즐기던 것들이었다. 바울이 예수 그리스도의 의로우심과 그의 십자가 상에서의 죽으심[15]을 전파하기 위해 찾아왔던 고린도는 이같이 부패하고 미혹되었던 도시였다.

바울이 개척한 교회

바울이 기원후 50년 경 고린도에 도착했을 때 그는 로마에서 망명해 온 두 명의 유대인 아굴라와 브리스길라를 만났다.[16] 그 부부는 텐트를 만드는 사람들이었기 때문에 바울은 함께 그 일에 종사하기 위하여 그들이 사는 집으로 이주하였고 함께 교회를 시작했다. 또한 실라와 디모데가 바울과 합세하게 되었다.[17] 그와 그의 동역자들은 이 년 정도 머무르면서 하나님 나라를 전파했다.

바울과 그의 동역자들이 개척한 교회에서도 고린도 사람들의 귀천상하를 모두 볼 수 있었다.[18]

- 초신자 중에는 우상 숭배, 성적인 문란, 금전적으로 부패한 생활을 하던 사람들이 있었다.
- 부유한 사람들도 있었지만 대부분은 가난한 사람들이었다.
- 교육을 받은 사람은 소수였고 대부분은 교육을 받지 못한 사람들이었다.
- 교회 안에 유대인과 이방인이 섞여 있었다.
- 교회 안에 종들과 자유인들이 섞여 있었다.
- 교회 안에 남자와 여자가 함께 있었다.

이 사람들은 어쩌면 당신이나 내가 주일마다 다니는 교회보다 훨씬 복잡한 인종적 다양성을 가지고 있을지도 모른다. 사람들을 향한 바울의 권고를 살펴볼 때 이것을 이해하는 것은 중요하다.

바울의 존경받는 동역자 브리스길라

바울은 혼자 사역하지 않았다. 그는 대개 복음을 전하고 교회를 개척하는 일을 동역자들에게 의뢰하면서 팀으로 함께 사역했다. 우리는 앞서 브리스길라와 아굴라 부부가 고린도에서 바울의 팀에 속해 있는 것을 보았다. 이들 두 명의 동료들은 또한 에베소와 로마에 있는 교회를 개척할 때도 도왔다. 바울은 그들의 지도력을 신뢰했으며 그들을 가장 신뢰했던 동역자로 꼽았다.[19]

어떤 경우 하나님은 남자들을 사역의 우두머리로 부르신다. 또 다른 경우, 여자를 그렇게 부르신다. 그리고 어떤 때는 부부가 함께 섬기도록 부르신다.

브리스길라와 아굴라는 이같은 경우의 실례다. 신약 성경에서 일곱 번 그들의 이름이 언급될 때마다 그들의 이름은 늘 함께 등장한다. 그뿐 아니라 그 일곱 번 중에서 다섯 번은 브리스길라의 이름이 먼저 언급된다. 이것은 부부를 칭할 때 남자의 이름이 먼저 등장하던 로마의 풍습과는 대조적이다. 사실상 고대에는 이같은 일이 매우 희귀했기 때문에 함께 사역을 하던 이 부부 가운데 브리스길라가 더 유력한 사람이었다는 것을 나타내는 듯하다.

그래서 사도행전 18:26에서 브리스길라와 아굴라가 함께 '아볼로' 를 "데려다가 하나님의 도를 더 자세히 풀어 이르더라" 고 말할 때는 필경 브리스길라가 아볼로에게 복음을 가르치는 일에 지도자적인 역할을 맡았을 것이다. 빌리 그래함과 빌 브라이트에게 영향을 미쳤던 현대의 헨리에타 미어즈와 같이 브리스길라의 제자도 유력한 대중 사역을 위해 나아가게 되었다. 아볼로는 고린도와 또한 다른 장소에서 막강한 기름부으심이 있는 전도자였다.[20] 브리스길라의 공헌에 대한 다음과 같은 이해는 기원후 4C에 저술했던 교부 존 크리소스톰에 의한 것이다.

> 바울이 그들을 언급할 때 왜 브리스길라의 이름을 그녀의 남

> 편보다 먼저 언급했는가 하는 질문은 물어볼 가치가 있는 것이다. 왜냐하면 그는 '아굴라와 브리스길라에게 문안하라' 고 하지 않고 "브리스길라와 아굴라에게"라고 했기 때문이다. 그것은 아무 이유없이 그렇게 한 것이 아니라 그녀의 남편보다 그녀의 경건함을 더욱 인정해주는 듯이 보인다. 내가 말한 것은 짐작이 아니라 사도행전에서 그렇게 말하기 때문이다. 브리스길라는, 연설을 잘하고 성경을 잘 알지만 요한의 세례밖에 모르던 아볼로를 데려다가 주님의 도에 대하여 자세히 가르쳐서 훌륭한 교사로 만들었던 것이다(사도행전 18:24—25).[21]

존 크리소스톰은 여자들을 비하하는 언급을 하는 사람으로 알려져 있었던 까닭에 이같은 그의 발언은 더욱 놀라운 것이다.

전혀 이상한 일이 아니다

4C에 사도행전 18:26에 나오는 설명하다(ektitheimi)라는 단어는 디모데전서 2:12에 등장하는 '가르치다' (didasko)라는 단어와는 전혀 다르다는 주장이 제기되었다. 만약에 가르치는 것이 어떤 사람에게 진리를 설명하는 것이 아니라면 가르친다는 것은 과연 무엇인가? 의미론적으로 자세히 쪼개는 유일한 이유는 여자가 가르치는 것을 반대하는 당신의 편견 때문에 결국은 확실한 성경적인 실례에도 불구하고 계속해서 그들의 편견을 고수하려는 것이다.

그러나 누가는 브리스길라가 남편의 도움을 받아 아볼로에게 하나님의 도를 가르쳤다고 분명하게 언급했다. 놀라운 것은 누가가 이것을 말할 때 매우 자연스럽고 아무렇지도 않게 언급했다는 것이다. 만약 바울이 여자 사역자들을 반대하는 가르침을 전했다면 브리스길라의 공헌을 그렇게 기정사실로 드러내어 언급하는 것을 어떻게 설명할 수 있는가? 누가에게는 브리스길라가 가르치고 있었다는 사실이 전혀 이상할 것이 없었다.

다른 저자는 이렇게 썼다.

> 여자가 초대교회 안에서 가장 유력한 교사를 지도했다는 사실을 누가가 기록했을 때 그가 제공한 은밀하고 놀라운 정보를 주목하는 것은 매우 중요하다. 우리는 아볼로가 브리스길라의 가르침을 전적으로 받아들였다는 주요한 사실을 놓쳐서는 안 된다. 더구나 누가나 바울은 브리스길라가 남자를 가르친 일로 인해 그녀를 꾸짖지 않았다. 여자가 가르치는 사역에 관여하는 것을 반대한다는 소위 바울의 금지령이란 것을 브리스길라가 위반했다고 한다면 누가나 혹은 바울이 그녀가 남자를 가르친 것을 비난했어야 옳을 것이다.[22]

심지어는 여성들을 적대하여 비난을 많이 했던 초대 교부 터툴리안도 "거룩한 브리스길라에 의하여 복음이 전파되었다"[24] 는 것을 인정했다.

히브리서의 저자는 브리스길라인가?

최근 들어 몇몇 학자들이 브리스길라가 신약 성경의 열아홉 번째 책인 히브리서의 저자일 수도 있다는 가능성을 부각시켰다.[25]

브리스길라가 히브리서를 썼을 것이라는 것을 나타내는 것들 중 몇 가지는 아래와 같다.

→ 여자가 저자였을 경우에는 책을 인정하지 않을지도 모르기 때문에 저자가 익명이라는 사실은 저자가 여자였을지도 모른다는 가능성

을 암시한다.

- 브리스길라는 뛰어난 교사였던 것으로 알려져 있으며 히브리서에 언급되어 있는 내용의 대부분은 아볼로에게 가르쳤던 것일 수도 있다.
- 히브리서의 저자는 브리스길라가 그랬던 것처럼 바울의 가까운 동료였음이 확실하다.
- 그 책은 바울이 죽은 후에 저술되었던 것 같으며 바울이 마지막으로 썼다고 알려진 편지에서 그는 특별히 디모데, 브리스길라, 아굴라를 언급했다.
- 히브리서 11장에 몇 명의 여인들이 믿음의 영웅으로 등장했다.
- 히브리서의 저자는 어린 시절과 자녀 양육에 대한 몇 가지 실제적인 실례를 포함했다.
- 4개의 항해 용어들이 희랍어로 언급되었는데(영어 번역본에는 뚜렷하게 드러나지 않았지만) 브리스길라는 적어도 네 번 항해를 했다.
- 회막에 대한 저자의 가장 큰 관심사는 저자가 텐트를 만드는 사람이었을지도 모른다는 것을 암시한다.
- 때로 저자는 복수 일인칭을 사용하는데 이것은 그녀가 아굴라를 포함하고 있음을 암시할 수도 있다.[26]

브리스길라가 히브리서의 저자인가? 나는 모른다. 그러나 그녀가 재능이 뛰어난 교사였음은 의심할 여지가 없다. 아볼로와 바울은 그녀를 존경했다. 이 기름부으심이 있던 여인은 고린도, 에베소, 로마에 교회를 세우는 것을 돕는 매우 중요한 역할을 담당했다.

고린도의 다른 여자 지도자들

고린도 교회의 삶 가운데서 중요했던 다른 여인들이 있었다. 고린도전서 1:11에 글로에가 언급된다. "내 형제들아 글로에의 집 편으로서 너희에게 대한 말이 내게 들리니 곧 너희 가운데 분쟁이 있다는 것이라." 집이라는 단어는 희랍어에는 나타나지 않는데 그것은 바울이 생략법을 사용했기 때문이다.[27] '집' 이라는 단어의 원래 의미는 '글로에의 권속들…' 이다. 이 구절은 로마서 16장에 나오는 두 구절과 문법적으로 유사하다. 로마서 16:10 하반부에서 바울은 "아리스도불로의 권속에게 문안하라" 고 말했다. 또다시 집이라는 것을 뜻하는 것으로 이해되지만 희랍어로는 언급되지 않았다. 또한 로마서 16:11 하반부에서 바울이 "나깃수의 권속 중 주 안에 있는 자들에게 문안하라" 고 말하는 부분에서 이와 같은 것이 또 나타난다. 바울은 생략법을 사용하여 '집' 이라는 단어를 생략하고 있다.

이 두 인사는 통례적으로 아리스도불로와 나깃수가 인도하는 가정 교회들을 향한 인사로 이해되고 있다. 바울이 글로에의 권속들을 묘사하는 데 동일한 구절을 사용했다는 것은 참 흥미롭다. 글로에는 단지 집 주인 이상의 사람이었던 것 같다. 그녀는 고린도에 있던 한 가정 교회의 지도자였다.[28]

만약에 글로에가 고린도 교회의 지도자였다면 고린도전서 1:11에 있는 바울의 말은 새로운 긴박성을 드러낸다. 바울은 자기에게 전해진 어떤 소문에 대한 답신을 하고 있는 것이 아니었다. 한 교회의 지도자가 보낸 공식적인 보고에 답하고 있는 것이었다. 바울은 글로에의 보고를 심각하게 받아들였다. 이것은 바울과 동시대를 살던 유대인들이 "어떻게 여자가 영적인 일들을 평가하고 하나님의 백성들의 상태를 올바르게 판단하는 일이 가능하단 말인가?"[29] 라고 주장했던 것과는 명확한 대조를 이루는 것이다.

바울은 글로에의 평가를 신빙성 있는 것으로 간주했다. 그는 하나님의 백성들에 대한 그녀의 판단을 신뢰했기 때문에 고린도전서가 우리에게 존재한다.[30] 만약 고린도에 있던 교회의 한 여자 지도자의 말이 바울로 하여금 이 서신서를 쓰도록 만들었다면 어떻게 바울이 교회에 있던 모든 여자들에게 잠잠할 것을 요구했다고 할 수 있는가?

함께 복종하고 수고하는 자

바울이 고린도 교회에 있었던 또 한 명의 여자 지도자의 이름을 언급했을 가능성이 있다. 스데바나의 이름은 고린도전서 16:15에 언급되고 있다. 스데바나는 여자의 이름이었다. 드물게 그것은 스데바노라는 남자 이름의 축소형으로 사용되기도 했다. 희랍어의 자연적인 느낌은 그것이 여자의 이름인 것처럼 보였음에도 불구하고 이 경우의 스데바나는 권위자임이 분명했기 때문에 주석학자들과 번역자들은 스데바나가 남자였을 것이라고 추측했다.[31]

번역자들은 바울이 고린도 사람들에게 스데바나의 권위에 복종할 것을 촉구했기 때문에 그같이 추측했음이 분명하다. "형제들아…너희를 권하노니 이같은 자들과 또 함께 일하며 수고하는 모든 자에게 복종하라."[32] 지도자가 여자였어도 바울이 "형제들"[33]에게 그녀에게 복종할 것을 요구했을까? 만약에 당신이 복종을 '낮은' 사람이 '높은' 사람에게 순복하는 수직적인 권력 체계로 바라보거나, 여자는 남자보다 못하다고 믿고 있다면 고린도전서 16:15—16에 있는 바울의 말은 당신에게 심각한 문제가 될 수 있다. 반면, 당신이 만약 모든 믿는 자들에게 요구되었던 상호 복종을 이해하며 남자와 여자의 평등함을 믿고 있다면 바울의 말은 당신에게 아무런 문제가 되지 않는다.[34] 그리스도의 몸 안에서 서로에게 순종하는 것은 성령 안에서 살아가는 삶의 정상적인 부분이다.

스데바나가 남자였는가 혹은 여자였는가 하는 것은 중요한 것이 아니라고 생각한다. 고린도전서 16:15—16에서 중요한 것은 바울이 모든 사람에게 복종하고[35], 함께 일하고, 수고할 것을 촉구했다는 것이다. 나중의 두 단어는 바울이 자신의 친구요 사역의 동역자로 간주했던 여인들을 묘사할 때 사용했던 희랍 단어의 형태다.

→ 수네르고스(sunergos, 동역자들)—유오디아, 순두게, 브리스길라[36]

→ 코피아오(kopiao, 일꾼)—마리아, 버시, 드루배나, 드루보사[37]

만약 당신이 바울이 사역의 동역자로서 구체적으로 언급했던 39명을 조사해 본다면, 그가 10명의 여인들과 29명의 남자들을 동일하게 언급했음을 발견하게 될 것이다.[38] F.F. 부르스는 다음과 같이 말한다.

> 바울은 자신의 동료 사역자들 가운데서 남자와 여자를 구별하지 않는 듯하다. 지위나 기능에 관하여 여자나 남자 사이의 은밀한 구별이 있었다는 암시가 없이, 복음 사역에 있어서 그와의 동역으로 인해 남자들도 칭찬을 받았고 여자들도 칭찬을 받았다.[39]

여인에 대한 귀빈 대접

마지막으로 등장하는 또 한 명의 중요한 사람은 고린도 교회와 관련되어 있던 뵈뵈다. 뵈뵈는 대도시 고린도 교외에 있는 겐그레아 출신이다. 로마인들에게 보내는 편지의 마지막에 등장하는 그녀에 관한 바울의 말은 고린도 교회 안에서의 여자들의 위치에 대하여 많은 것을 알려준다.

> 내가 겐그레아 교회의 일꾼으로 있는 우리 자매 뵈뵈를 너희에게 천거하노니 너희가 주 안에서 성도들의 합당한 예절로 그를 영접하고 무엇이든지 그에게 소용되는 바를 도와 줄지니 이

는 그가 여러 사람과 나의 보호자가 되었음이니라.[40]

바울은 로마 교인들에게 보내는 자신의 편지를 전달하는 중요한 임무를 뵈뵈에게 맡겼음이 확실하다. 그녀에 대한 그의 말과 또한 로마 교회가 그녀를 어떻게 영접하기를 기대했는지를 자세히 살펴보자.

뵈뵈와 함께 서다

바울은 그가 뵈뵈를 '천거한다' 고 말함으로 시작했다. 천거한다는 말의 희랍어 단어는 문자적으로 '함께 선다' 를 의미한다. 바울은 그가 뵈뵈와 함께 서서 그녀를 전적으로 추천한다고 말하고 있다. 고린도서를 참작해 볼 때 이 추천은 참으로 대단한 것이다.[41]

고린도인들은 지위에 집착해 있었다. 오늘날 그와 같은 사람을 우리는 '자기를 스스로 치켜세우는 자' 라고 말한다. 바울은 그들의 교만한 놀음에 참여하기를 거부하고 '자기를 칭찬하는 자' [42]들을 꾸짖었다. "옳다 인정함을 받는 자는 자기를 칭찬하는 자가 아니요 오직 주께서 칭찬하시는 자니라." [43] 바울은 교회 안에서 영적인 지도력을 추구하는 사람들이 탐냈던 것과 같이 자기를 위한 추천장을 얻으려고 노력하지 않았다.[44] 이것은 바울이 뵈뵈를 전적으로 추천한 것을 더욱 중요하게 만드는 요소다. 바울은 고린도의 신자들이 그를 칭찬했어야 했지만 칭찬하지 않았다고 말한다.[45] 그는 뵈뵈에게는 이와 같은 일이 일어나지 않기를 원했다. 그래서 그는 그녀와 함께 서서 그녀가 받아 마땅한 칭찬을 하고 있다. 지위 의식이 강하던 고린도 교회 안에서 이것은 인정받은 영적 지도력의 분명한 표적이었다.

성별의 구별이 없다

그녀를 추천하고 나서 바울은 뵈뵈를 묘사하기 위해 두 가지 중요한 단어를 사용했다. 그는 자신의 남자 동역자들을 종종 형제들이라고 부르던 것과 같이 그녀를 자매라고 불렀다. 그리고 그는 그녀를 디아코노스라고 불렀다. 많은 번역본들이 이 희랍어 단어를 '일꾼' 으로 번역했다. 틀린 것은 아니지만 이 단어는 신약의 다른 구절들에서 보는 것처럼 '집사' 혹은 '목사' 로 해석하는 것이 더 낫다.

당신이 그것을 어떻게 번역하든지 상관없이 바울이 이곳에서 자신의 남자 동역자들을 위해 종종 사용하던 단어를 동일하게 사용했다는 것을 주목하라.[47] KJ 번역본은 로마서 16:1에 집사라는 단어의 여성형인 '여집사' 를 삽입시켰다. 그러나 약 300년이 지날 동안 신약 성경이나 혹은 어떤 교회 문학 안에서도 집사의 여성형 단어는 찾아볼 수 없다.[48] 복음 사역자들을 위한 용어에는 남녀 구별이 없었으며 남자와 여자 모두 단순하게 '집사들' 로 불렸다.[49]

우리는 또한 세기가 지나는 동안에 교회가 집사를 전임 목사와는 다른 어떤 것으로 규정했다는 것을 인식해야 한다. 대부분의 개신교 교회에서는 집사는 다른 사람과 같이 임원으로 섬기며, 목사가 지역 교회의 업무를 수행하는 것을 돕는 평신도다. 그러나 신약 성경 안에는 그와 같은 목사와 집사 사이에 구별이 없다.

배나 존경할 자

바울이 뵈뵈를 겐그레아 교회의 '일꾼, 집사, 목사' 라고 언급한 것은 중요한 의미를 갖는다. 이것은 신약 성경에서 명사 '집사' 가 '교회의' 라는 구절에 의해 수식된 유일한 곳이다. 바울은 그의 독자들이 뵈뵈가 단지 한 사람의 하녀가 아니라는 사실을 알기 원했다. 그녀는 공적으로 인정받으며 교회를 섬기고 있던 복음 사역자였다.

그리고 바울은 요점을 말한다. 뵈뵈가 어떤 사람인지 말하고 그렇기 때문에 로마인들에게 '그녀를 영접하라' 고 했다. 이것은 바울이 또 다른 경우에 사용했던 동일한 단어였다. 그가 빌립보인들에게 편지했을 때 그는 매우 존경받고 있던 자신의 동역자 에바브로디도를 칭찬하면서 그들에게 그의 섬김을 인하여 주 안에서 그를 영접하라고 말했다.[50]

홍미롭게도 바울은 로마인들에게 뵈뵈를 "성도들의 합당한 예절로" 영접하라고 말하고 있다. 이것은 "잘 다스리는 장로들을 배나 존경할 자로 알되 말씀과 가르침에 수고하는 이들을 더할 것"이라고 말했던 디모데전서 5:17의 말씀과 유사하다. 이것은 바울이 뵈뵈를 얼마나 강력하게 추천하고 있는가를 보여준다. 그는 독자들에게 경건한 교회 지도자에게 합당한 태도로 그녀를 영접할 것을 요청하고 있다.

최상의 경의를 표하다

바울은 또한 로마의 신자들에게 뵈뵈를 도와주라고 말했다. 이 단어는 직역하면 '함께 선다' 는 의미를 가지고 있는 단어, '천거한다' 와 관계가 있다. 그가 뵈뵈와 함께 섰던 것과 마찬가지로 그들도 뵈뵈와 함께 설 것을 요청했다. 더욱이 그는 "무엇이든지 그에게 소용되는 바를" 도와주라고 말함으로써 그녀에게 '액수가 적혀 있지 않은 수표' 를 주는 것에 해당되는 일을 하라고 했다.

이 시점에서 로마의 교회는 "도대체 뵈뵈가 누구길래 바울이 이 모든 것을 요청하는가?"라는 질문을 하고 있었을지도 모르겠다. 바울은 그녀가 프로스타티스(prostatis)였기 때문에 이같은 특별한 대우에 합당하다고 그 이유를 설명했다. 희랍 단어 '프로스타티스' 는 그 의미가 풍부하지만 신약 성경에는 단지 한 번 등장한다. 대부분의 번역자들은 이 구절에서 '돕는 자' 라는 단어를 사용했지만 그러나 그와 같은 번역은 희랍 원어의 내용보다는 훨씬 약한 느낌을 준다.[51] '섬기는 지도자' 라는 단어가 원어의 뜻에 더 가까운 이유는 자신의 이익을 추구하지 않고 다른 사람들의 이익을 구하는 지도자를 묘사하는 단어이기 때문이다. 영어에는 원어의 뜻을 정확히 묘사하는 단어가 없다. 원어는 높아지고자 하는 사람은 모든 사람을 섬기는 자가 되어야 한다고 말씀하며 모범을 보여주신 예수님의 경건한 지도력을 잘 드러내준다.[52]

고대의 다른 문학 작품 안에서 '프로스타티스' 라는 단어는 가장 고상하고 가장 자비스럽게 선정을 베푸는 통치자들을 묘사하기 위해 사용되었다. 황제, 왕, 군주, 귀족, 족장, 대장, 다수의 권위적인 관료들이 이 단어로 묘사되었다. 그러나 신약 성경에서는 뵈뵈 한 사람만이 이같이 묘사되었다. 바울은 그녀에게 최상의 경의를 표시했다.[53]

이것으로도 만족지 않았는지 바울은 계속해서 "여러 사람" 이 뵈뵈의 섬기는 지도력으로 말미암아 유익함을 입었다고 말하고 있다. 그녀의 역할은 결코 보잘것 없는 것이 아니었고 그녀는 다수의 사람들을 지도했다.

그리고 마지막으로 그는 최대의 찬사를 첨가했다. 로마서 16:2의 뒷 부분은 두 가지로 번역될 수 있다. 바울도 개인적으로 그녀의 섬기는 지도력으로부터 유익을 얻었으며 또한 어떤 특정한 분야에 있어서 그가 그녀의 권위 아래 있었음을 암시하는 '그리고 나 자신도' 라는 번역과, 바울이 그녀를 교회의 지도자 역할에 임명했다는 것을 의미하는 '내가 직접' 이라는 번역이다.[54] 어떤 경우든지 상관없이 바울이 그녀를 특별하게 추천한 사실로 미루어 보아 뵈뵈는 확실히 비범한 자매며, 집사며, 프로스타티스였음이 분명하다.

이것으로 미루어 고린도에 있는 신자들에게 지도층의 여자들이라는 개념은 전혀 생소한 것이 아니었음을 알 수 있다. 역량 있는 여자들은 바울이 고린도에서 하고 있었던 전도 활동을 위해 바울과 밀접하게 협력했다. 뵈뵈, 브리스길라, 글로에, 스데바나는 고린도에 위치한 교회의 생명과 지도력에 커다란 영향력을 발휘했다. 이것은 여자들의 참여가 금지되거나, 정욕의 목적으로 참여하거나, 만취한 상태에서 광적으로 참여했던 고린도의 다른 이방 종교들과는 완전한 대조를 이루는 것이다.

남녀의 역할에 대한 바울의 가르침

바울은 고린도전서에서 남녀가 어떻게 상호 관계를 해야 되는지에 대하여 다른 서신서보다 더 많은 시간을 할애했다. 남자 또는 남편[55]에 해당하는 희랍 단어를 예로 들어 보자. 바울은 서신서에서 그것을 60번 사용하였는데 32번을 고린도전서에서 사용했다. 그는 여자 또는 아내[56]에 해당되는 희랍 단어를 64번 사용하였는데 고린도전서에서 42번을 사용하였다.

그러므로 고린도전서에서 바울이 성별에 대하여 언급하고 있는 모든 것을 묵과하고 여자들에 대한 '논란이 되는 구절' 로 직접 뛰어들어 가는 것은 현명치 못한 처사다.

편지의 서두에서 바울은 복음을 전파하되 인간의 지혜의 말로 하지 않을 것이라 말했다.[57] 그는 고린도에서 일어나는 궤변에 대해 익히 알기에 그것들을 다루기 위해 말장난을 하지 않았다. 기적의 표적을 구하면서 믿지 않는 유대인들과 지혜를 구하는 희랍인들은 모두 잘못되었다고 말했다. 그는 이와 같은 두 가지의 견해는 약하고 우둔한 것임을 선포했다. 오직 십자가의 능력만이 사람들을 변화시킬 수 있었다.[58] 바울은 희랍인들, 로마인들, 유대인들 사이에 편만한 철학과 맞섰으며 십자가의 빛과 변화시키는 영향력 안에서 어떻게 남자와 여자가 관계를 맺어야 하는지를 보여주었다.

우리는 이 책의 전반부에서 어떻게 인간의 지혜가 여자를 이등 국민으로 하락시켰는지를 살펴보았다. 희랍 철학자들은 여자들이 별도의 피조물이었으며 인간 이하라고 말했다. 이 신념의 결과는 사회에 악영향을 미쳤다. 이런 철학은 군대같이 많은 매춘부들을 소유하고 있던 도시를 위해 길을 닦는 역할을 했을 뿐만 아니라 그것에 대해 긍지를 갖게 했다. 결국 여자들은 어떤 도구, 남자가 자기 만족을 위해서 사용하거나 혹은 의로움을 추구하는 남자들이 기피해야 하는 죄악의 도구에 불과했다.

두 경우 다 여자는 실제 사람이 아니라 도구에 불과했다. 그러나 고린도에 보내는 편지에서 바울은 여자들이 인간임을 보여주었다. 여자들은 정욕을 위한 도구가 아니며 또한 악하기 때문에 피해야 할 대상도 아니다. 여자들은 그리스도의 몸에 동등하게 포함되어야 하는 사람들이다.

가장 더러운 행위를 꾸짖다

바울은 여자들을 쾌락의 도구로 이용하는 남녀 관계를 꾸짖었다(고전 5—6장). 바울은 교회의 어떤 남자가 아버지의 아내와 공개적으로 근친상간을 범하고 있음을 지적했다.[59]

고대 이방인들은 어머니와 아들 간의 근친상간을 매우 음란한 행위로 간주했다. 바울은 "이런 음행은 이방인 중에라도 없는 것이라"[60]고 말했다. 음욕에 젖은 고린도인에게 이 말은 충격이었다. 이원론은 영과 혼은, 몸과 물질과는 별개라는 사상이다. 이원론자들은 실제적인 세계는 영적인 세계와는 별개라고 믿었기 때문에, 그리고 은혜가 영혼을 구속할 것이므로 인간이 자신의 몸으로 무엇을 하든지 상관이 없다고 믿었다. 사실상 죄를 더 많이 지을수록 그는 자신의 의로움을 믿는 것이 아니라 하나님의 은혜를 더 많이 신뢰하는 것을 보여주는 것이 된다! 몸으로 죄를 지으면 지을수록 영적으로 더 '거룩해' 진다는 것이었다.

바울은 이같은 이원론적인 거짓말을 공박했고 심하게 꾸짖었다. 그는 신약성경에 나오는 말 중 가장 강한 어휘들을 사용하여 이것을 수정하려고 했으며 고린도의 신자들에게 "이런 자를 사탄에게 내어주었으니"[62]라고 말했다.

문화적으로 용납되는 행위를 공박하다

고린도에서 근친상간과는 달리 매춘은 정상적이며 유익한 것으로 간주되었다. 교회 내의 어떤 사람들은 이처럼 여자들을 정욕의 도구로 이용했다. 그것은 이원론과 왜곡된 은혜의 신학적인 혼합이었다. 예수님이 죽으심으로 구원 받은 영혼은 육신과 분리되었기 때문에 육체를 사용하여 모든 것을 할 수 있다고 믿었다.[63]

또다시 바울은 '그렇지 않다!' 고 반박했다. 음란하기 그지없던 고린도 문화에도 불구하고 바울은 이 점을 설파한다. "몸은 음란을 위하지 않고 오직 주를 위하며 주는 몸을 위하시느니라…내가 그리스도의 지체를 가지고 창기의 지체를 만들겠느냐 결코 그럴 수 없느니라…음행을 피하라…너희 몸으로 하나님께 영광을 돌리라."[64]

반대의 극단적인 행위

여자들을 정욕에 이용했던 사람들을 호되게 꾸짖은 후 바울은 다시 고린도전서 7장에서 여자를 기피하는 사람들을 향해 말했다. 음행을 혐오했던 이 남자들은 정반대로 독신 생활을 권장하며 극단으로 치달았다. 결혼생활에서의 성을 하나님의 선물로 받아들이는 대신에 그들은 성적 행위 그 자체가 악하고 경멸해야 하는 것으로 믿었다.

그래서 고린도에서는 어떤 사람들은 '모두 가하다' 고 하는 반면에 다른 사람들은 '아무것도 해서는 안 된다' 라고 대답했다. 성적인 음행을 피하는 것만으로는 충분하지 않다고 여겼기에 그들은 성 자체로부터 도망치려고 했다. 그들은 음란의 죄는 마음에서 비롯되는 것이 아니라 여자의 육체에서 비롯된다고 생각했다. 그러므로 "남자가 여자를 가까이 아니함이 좋으나"[65]라고 가르쳤다. 그들은 창조 전반에 관해 그리고 특별히 여자에 관해 잘못된 견해를 갖고 있었다. 이들 그리스도인들은 그들이 여자들로부터 완전히 떨어져 있다면 하나님께 더 가까워질 수 있다고 생각했다.

고린도전서 7장에 나오는 바울의 대답은 가히 충격적이며 아주 단순하게 결혼 생활과 독신 생활의 원칙을 제시하고 있다. 성별의 차이가 문제되는 것이 아니었다. 바울은 이중적인 잣대를 제거했다. 대신에 그는 남자와 여자를 동등하게, 때로는 남자들을 상대로 먼저 말하고, 또 다른 경우에는 먼저 여자들을 상대로 말했으며 다른 경우에는 책임과 기대에 있어서 차별 없이 남녀 모두에게 가르쳤다. 바울이 어떻게 이 일을 했는지 보기 위하여 결혼에 대한 가르침을 도표로 만들었다(뒷면 참고).

고린도 전서 7장

<table>
<tr><td>2a 남자마다 자기 아내를 두고</td><td>2b 여자마다 자기 남편을 두라</td></tr>
<tr><td>3a 남편은 그 아내에게 대한 의무를 다하고</td><td>3b 아내도 그 남편에게 그렇게 할지라</td></tr>
<tr><td>4a 아내가 자기 몸을 주장하지 못하고 오직 그 남편이 하며</td><td>4b 남편도 이와 같이 자기 몸을 주장하지 못하고 오직 그 아내가 하나니</td></tr>
<tr><td colspan="2">5 서로 분방하지 말라 다만 기도할 틈을 얻기 위하여 합의상 얼마 동안은 하되 다시 합하라 이는 너희의 절제 못함을 인하여 사단으로 너희를 시험하지 못하게 하려 함이라</td></tr>
<tr><td>11b 남편도 아내를 버리지 말라</td><td>10b 여자는 남편에게서 갈리지 말고
11a 만일 갈릴지라도 그냥 지내든지 다시 그 남편과 화합하든지 하라</td></tr>
<tr><td>12 만일 어떤 형제에게 믿지 아니하는 아내가 있어 남편과 함께 살기를 좋아하거든 저를 버리지 말며</td><td>13 어떤 여자에게 믿지 아니하는 남편이 있어 아내와 함께 살기를 좋아하거든 그 남편을 버리지 말라</td></tr>
<tr><td>14a 믿지 아니하는 남편이 아내로 인하여 거룩하게 되고</td><td>14b 믿지 아니하는 아내가 남편으로 인하여 거룩하게 되나니</td></tr>
<tr><td colspan="2">15 혹 믿지 아니하는 자가 갈리거든 갈리게 하라 형제나 자매나 이런 일에 구속받을 것이 없느니라 그러나 하나님은 화평 중에서 너희를 부르셨느니라</td></tr>
<tr><td>16b 남편 된 자여 네가 네 아내를 구원할는지 어찌 알 수 있으리요</td><td>16a 아내 된 자여 네가 남편을 구원할는지 어찌 알 수 있으며</td></tr>
<tr><td>32b 장가가지 않은 자는 주의 일을 염려하여 어찌하여야 주를 기쁘시게 할꼬 하되 33 장가간 자는 세상 일을 염려하여 어찌하여야 아내를 기쁘게 할꼬 하여 마음이 나누이며</td><td>34b 시집가지 않은 자와 처녀는 주의 일을 염려하여 몸과 영을 다 거룩하게 하려 하되 시집간 자는 세상 일을 염려하여 어찌하여야 남편을 기쁘게 할꼬 하느니라</td></tr>
</table>

결혼 생활 안에서 누가 권위를 가지고 있는가?

대조적인 가르침에 들어 있는 두어 가지 요점을 주목해 보라. 첫째, 바울은 결혼은 한 남자와 한 여자 사이의 일이라고 말했다. 그것은 두 사람 사이의 헌신이며 각자는 자기의 배우자에게 절대적으로 신실해야 한다.

다음으로 바울이 그들에게 배우자의 성적인 필요를 거절하지 말아야 한다고 가르치는 것을 본다. 남자들에게는 자기의 아내를 가까이 하지 않을 수 있는 권리를 부여했지만 아내들에게는 그와 같은 권리를 부여하지 않았던 랍비들과는 달리 바울은, 남편과 아내가 자기 배우자의 성적인 필요를 기피해서는 안 된다고 했다. 사실상 바울은 이것에서 한 걸음 더 나아갔다. 신약 성경에서 남편과 아내의 관계에 관하여서 주장(authority)[66]이라는 단어는 이곳에서 두 번 사용되었다. 그것을 직역하면 남편이 아내의 몸에 대한 권위를 소유하며 또한 아내도 남편의 몸에 대한 권위를 소유하고 있다는 것이다! 그렇기 때문에 신약 성경에서 결혼 관계에 관련되어 유일하게 언급하고 있는 권위는 상호적인 것이다. 얼마나 놀라운 일인가!

바울의 견해는 상당히 획기적이었다. 그는 평등한 상호관계를 주장했다. 더 이상 특정한 성별이 다른 성별을 멸시하며 맹종을 요구할 수는 없었다. 여자는 더 이상 회피해야 하는 존재들이 아니다. 그들은 동역자와 동료로 존귀하게 여겨져야 하는 사람들이었다.

7장 17절에서부터 31절에 나오는 결혼에 대한 바울의 가르침 가운데 공간이 있음을 주목했을 것이다. 그것은 바울이 결혼 생활과 독신 생활의 주제로 되돌아가기 전에 유대인과 이방인의 문제, 종과 자유자의 문제를 언급했기 때문이었다. 이런 의미에서 고린도전서 7장은 바울이 갈라디아서 3:28에서 "너희는 유대인이나 헬라인이나 종이나 자주자나 남자나 여자 없이 다 그리스도 예수 안에서 하나이니라"고 말했던 것의 확대판이다. 갈라디아인들에게 보내는 편지에서 바울은 그들의 커다란 문제였던 인종 차별에 대하여 다루고 있다. 이곳 고린도인들에게 보내는 편지에서 바울은 남녀 차별이라는 또 다른 중요한 문제를 다루고 있다. 바울은 복음의 능력이 남녀 관계의 방법을 변화시킬 수 있다는 사실을 알고 있었다.

독신 여성의 가치

그것은 모두 예수 그리스도로 말미암은 상호 동등함이라는 결론으로 이끈다. 우리가 결혼했든지 독신이든지 상관없이 바울의 전반적인 원칙은 고린도전서 7:17의 "오직 주께서 각 사람에게 나눠 주신 대로 하나님이 각 사람을 부르신 그대로 행하라 내가 모든 교회에서 이와 같이 명하노라"[67]는 말씀 안에서 주어졌다.

바울은 이 말씀을 고린도전서 7:20에서 반복했다. 그것은 간단하게 들리지만 그러나 의미하는 바는 심오했다. 그들의 세계 안에서 여자들은 자신들의 가치를 인정받지 못했다. 한 여자는 오로지 그녀의 생산 능력 때문에 가치가 있다고 여겨졌다. 만약 그녀가 결혼을 했고 아이를 낳았다면 그녀는 어떤 가치가 있는 존재였다. 그렇지 않다면 그녀는 귀찮은 존재일 뿐만 아니라 사회의 자원을 축내는 존재에 불과할 뿐이었다.

바울은 고린도전서 7장에서 여자들(그리고 남자들)에게 독신을 하나의 생활 스타일로 못박으려는 사상에 반박했다. 그것은 바울이 결혼 생활을 가치있게 여기지 않아서가 아니다. 그것은 그가 인간의 가치를 온전히 존중했기 때문이다. 그러므로 결혼은 더 이상 여자를 위한 최상의 목표가 아니었다. 성생활이 삶의 목적이 아니라 오직 "어찌 하여야 주를 기쁘시게 할꼬"[68]에 관심을 가지는 것이며 "이치에 합하게 하여 분요함이 없이 주를 섬기게"[69] 하려는 것이다. 그것이 바울이 개인적으로 결혼할 수 있는 권리를 포기했던 이유다.[70]

여자가 독신이든 기혼이든 과부든지 상관없이 그녀의 내재적인 가치를 인정하고 남자들에게 주어진 것과 동일한 삶의 방식에 대한 선택권을 부여했다.

이 구절에서 한 가지 더 살펴보아야 할 것이 있다. 바울이 남자와 여자는 모두 "어찌하여야 주를 기쁘시게 할꼬" 에 관심을 가질 수 있다고 말했을 때 그것은 랍비들의 가르침에 위배되는 것이었다. 랍비들은 여자들에게 전적으로 가정적인 역할만 감당하도록 함으로써 하나님의 백성으로서 영적 생활을 못하도록 제외시켰다. 그러나 "어찌하여야 주를 기쁘시게 할꼬" 라는 이 구절로 말미암아 바울은 모든 남자들과 여자들에게 많은 사역의 기회를 열어 주었다.

바울이 고린도전서 7장에서 전개한 구조 안에서는 성별로 인한 사역의 제약을 발견할 수 없다.

창조 이야기의 회복

바울은 여자들을 이용하거나 회피의 대상으로 보았던 사람들의 사고를 바꾸었다. 부활의 주제를 다루게 되었을 때 그는 여자들이 교회 안에서 동료들이라는 것을 분명하게 밝혔다. 고린도전서 15:39에서 바울은 고린도에 있는 교회들에게 인간 곧 남자와 여자는 동물과는 다르다는 것을 상기시킴으로 부활에 대하여 설명했다. "육체는 다 같은 육체가 아니니 하나는 사람의 육체요 하나는 짐승의 육체요 하나는 새의 육체요 하나는 물고기의 육체라."[72]

이 구절에서 바울은 창조의 순위를 거꾸로 인용했다.

→ 인간[73]

→ 짐승들[74]

→ 새들[75]

→ 물고기들[76]

이렇게 함으로 바울은 고린도에 있는 신자들에게 남자와 여자는 하나님의 형상을 따라 창조되었음을 상기시켰다. "하나는 사람의 육체요." 바울의 말이 그 당시의 독자들에게 미쳤던 영향을 간과하기 쉽다. 그들은 자라나면서 줄곧 여자는 신으로부터 온 저주였으며 암퇘지, 당나귀, 혹은 다른 천한 짐승으로부터 시작된 존재라고 말함으로써 남자와 여자의 근원을 차별하였던 헤시오드와 세모니데스의 창조 설화를 믿고 있었다.

바울은 그와 같은 거짓을 밀어내고 남자와 여자가 근본적으로 '한 육체'[78]를 가지고 있음을 인정했으며 예수님 안에서 구속받은 남녀의 보편적인 소망을 전파했다. "사망이 사람으로 말미암았으니 죽은 자의 부활도 사람으로 말미암는도다 아담 안에서 모든 사람이 죽은 것같이 그리스도 안에서 모든 사람이 삶을 얻으리라."[79]

하나님 앞에서 각 남자와 여자, 그리고 그들 관계의 동등한 위치에 대하여 바울이 얼마나 헌신적이었는가를 살펴보았다. 이같은 확고한 기반을 가지고 여자에 대한 바울의 좀더 난해한 구절들을 살펴보기로 하자.

12 머리의 문제(고린도전서 11:2—16 제1부)

데이비드 해밀턴

예수님을 사랑하는 사람들은 부르심에 순종하여 살기를 원한다. 그리하여 하나님 나라가 확장되고 지상 대명령을 완성하기 위해 은사와 재능을 사용하기를 소원한다. 그러나 하나님의 말씀에 순종하기로 헌신했고 공적인 사역에 부르심을 받았다고 느끼는 여자들에게 바울의 세 가지 언급이 문제를 안겨준다.

1. "여자의 머리는 남자요."[1]
2. "여자는 교회에서 잠잠하라."[2]
3. "여자의 가르치는 것을 허락지 아니하노니"[3]

이 성경 구절들을 읽는 한 여자가 어떻게 하나님의 말씀과 또한 자신을 향한 하나님의 부르심에 충실할 수 있을까?

우리는 다음의 여러 장에 걸쳐 이 구절들을 정직하게 살펴볼 것이며 거기서 제기되는 질문들의 해답을 찾을 것이다. 많은 사람들이 이 구절들을 보며 고린도전서 11장에 있는 구절들과 비교하면서 의구심을 갖는다. 그것은 마치 바울이 자신이 권장하고 있던 평등함에 모순되는 듯하다. 잠시 전에 우리가 보았던 위대한 평등주의자, 족장 제도적인 사회를 전복시키고, 여자에게 주어졌던 열등 국민의 지위를 벗기던 그 사람은 어디로 갔는가? 그는 뒤로 물러나고,

기가 죽어서 자기의 의견을 철회하고 있는 것일까? 바울이 자가당착에 빠졌는가? 성경이 자가당착에 빠졌는가?

하나님은 우리의 질문을 환영하신다

얼핏보면 어떤 구절들이 서로 모순되는 것 같지만 하나님은 자신과 모순되게 일하지 않으신다. 하나님은 진실하시고 변개치 않으시며, 모든 지식과 지혜의 절대적인 근원이 되신다. 그뿐만 아니라 그분은 진리를 우리에게 계시하시고 우리가 이해하지 못할 때 그분께 질문을 던지도록 초청하신다. 하나님은 우리의 사고력을 포기할 것을 요구하지 않으신다. 성경의 하나님은 우리의 사고력을 창조하셨으며 난해하다고 여기는 것들을 이해하기 위하여 씨름할 때 우리를 도우신다. 지혜가 부족하여 그분께 오면 그분께서 우리에게 지혜를 주시겠다고 말씀하셨다.[4] 해결책은 있으며 그분은 우리가 그것들을 발견하는 것을 도와주실 것이다.

전체적인 내용을 살펴보라

문제가 되는 구절의 참된 의미를 분별하기 위하여 우리는 그것을 전체적인 내용 안에서 살펴볼 필요가 있다. 자, 이제는 한발짝 뒤로 물러서서 고린도전서의 전체적인 그림을 살펴보자. 고린도전서 11:2에서부터 시작하여 바울은 고린도 교인 전체의 삶에 관한 긴급한 문제들을 다루었다. 이어지는 네 개의 장들에서 그는 아래의 문제들을 다루었다.

→ 고린도전서 11:2—16	공적인 사역에서의 성별 문제
→ 고린도전서 11:17—34	성만찬에 관련된 지침

→ 고린도전서 12:1—11	하나님이 주시는 은사의 다양함
→ 고린도전서 12:12—31a	그리스도 몸 안에서의 연합
→ 고린도전서 12:31b—13:13	사역의 동기로서의 사랑
→ 고린도전서 14:1—25	예언과 방언의 은사
→ 고린도전서 14:26—40	회중 예배의 순서와 규례

성별의 문제를 가지고 시작하기

바울이 성별의 문제를 가지고 시작하는 이유는 확실히 그것이 고린도 안에서 으뜸가는 문제들 중 하나였기 때문이다. 이 서신서의 초반부에 그는 남자와 여자가 평등하다는 것을 가르쳤고 각 개인의 가치를 보여주었다. 이제 바울은 공적인 사역 안에서 남자와 여자의 관계가 어떠해야 하는지에 초점을 맞추었다.

고린도전서 11:2—16에 나오는 이같은 토론을 위하여 바울은 성경에서 흔히 사용되는 "교체(interchange)"라는 교육 방법을 사용했다. 그는 서로 다르지만 관련이 있는 두 개의 개념을 교대로 이용했다. 학자들은 그것을 A—B—A—B 구조라고 부른다. 한 면 "A" 에서 바울은 올바른 태도, 즉 장소와 나라를 불문하고 모든 그리스도인들이 따라야 할 행동 지침이 되는 절대적인 원칙에 대하여 말하고 있다. 또 다른 면 "B" 에서 그는 1C 고린도 사회에만 해당하는 것으로서 상대적인 자신의 주장과 견해를 말한다.

A—B—A—B 구조를 염두에 두고 다음의 표를 통해 고린도전서 11장을 살펴보자.

고린도 전서 11:2-16[5]

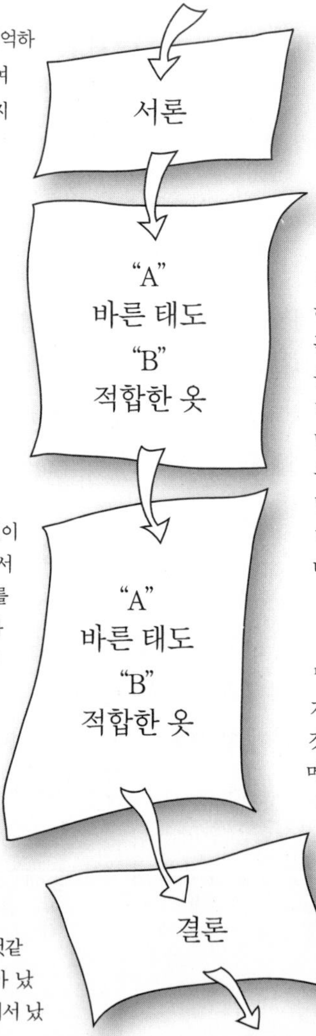

[2] 너희가 모든 일에 나를 기억하
고 또 내가 너희에게 전하여
준 대로 그 유전을 너희가 지
키므로 너희를 칭찬하노라

서론

"B"
[4] 무릇 남자로서 머리에 무엇
을 쓰고 기도나 예언을 하는
자는 그 머리를 욕되게 하는
것이요 [5] 무릇 여자로서 머리
에 쓴 것을 벗고 기도나 예언을
하는 자는 그 머리를 욕되게 하
는 것이니 이는 머리 민 것과 다
름이 없음이니라 [6] 만일 여자가
머리에 쓰지 않거든 깎을 것이요
만일 깎거나 미는 것이 여자에게
부끄러움이 되거든 쓸지니라 [7]
남자는 하나님의 형상과 영광이
니 그 머리에 마땅히 쓰지 않거
니와 여자는 남자의 영광이니라

"A"
[3] 그러나 나는 너희가
알기를 원하노니 각 남
자의 머리는 그리스도
요 여자의 머리는 남자
요 그리스도의 머리는
하나님이시라

"A"
바른 태도
"B"
적합한 옷

"A"
[8] 남자가 여자에게서 난 것이
아니요 여자가 남자에게서
났으며 [9] 또 남자가 여자를
위하여 지음을 받지 아니하
고 여자가 남자를 위하여
지음을 받은 것이니 [10] 이
러므로 여자는 천사들을
인하여 권세 아래 있는
표를 그 머리 위에 둘지
니라 [11] 그러나 주 안에
는 남자 없이 여자만
있지 않고 여자 없이
남자만 있지 아니하니라
[12] 여자가 남자에게서 난 것같
이 남자도 여자로 말미암아 났
으나 모든 것이 하나님에게서 났
느니라

"A"
바른 태도
"B"
적합한 옷

"B"
[13] 너희는 스스로 판단하라 여자
가 쓰지 않고 하나님께 기도하는
것이 마땅하냐 [14] 만일 남자가 긴
머리가 있으면 자기에게 욕되는
것을 본성이 너희에게 가르치지
아니하느냐 [15] 만일 여자가 긴
머리가 있으면 자기에게 영
광이 되나니 긴 머리는 쓰
는 것을 대신하여 주
신 연고니라

결론

[16] 변론하려는 태도를 가진 자가 있을지라도 우리에
게나 하나님의 모든 교회에는 이런 규례가 없느니라

'머리'에 대해 바울이 의미하는 바는 무엇인가?

바울의 말을 주의 깊게 읽어보자. "그러나 나는 너희가 알기를 원하노니 각 남자의 머리는 그리스도요 여자의 머리는 남자요 그리스도의 머리는 하나님이시라."[6] 바울은 자신이 주장하던 평등에 모순되는 말을 하고 있는 것일까? 그것은 머리라는 단어를 어떻게 해석하느냐에 달려 있다.

머리라는 단어를 들을 때 무슨 생각이 머리에 떠오르는가? 아마도 직장의 상사, 지도자, 권위자, 통치자, 우두머리, 대표, 책임자 같은 것이 생각날 것이다. 솔직하게 당신이나 내가 무엇을 생각하는지는 그리 중요하지 않다. 중요한 것은 바울의 편지를 읽던 그 당시의 사람들이 무엇을 생각했는가다. 머리라는 단어는 1C 고린도인들에게 무슨 이미지를 주었을까?

희랍어의 단어는 케팔레(kephale)다. 영어 단어와 마찬가지로 그것은 우리 몸의 머리 부분을 의미하며 또한 여러 가지 은유적인 의미로도 사용된다. 이와 같은 다양한 의미에 접하게 되면 희랍 전문가들의 치열한 논란 가운데 진입하게 된다. 어떤 전문가들은 그 단어가 '부서장'이라고 말할 때와 마찬가지로 '권위자'라는 의미를 가질 수 있다고 믿고 있다.

다른 사람들은 이 희랍 단어는 강의 상류에 해당하는 영어 'headwater'로써 '근원' 혹은 '유래'[7] 라는 개념으로 사용되었다고 생각한다. 한편 리델과 스캇은 그들의 사전에서 케팔레라는 단어의 영어 의미를 48개나 나열하고 있지만 그 중에는 '지도자', '권위자', '첫째', '최상'[8] 을 의미하는 것은 하나도 없다. 또 다른 한편으로 바우어의 사전은 그 의미 가운데 하나로 '상사'라는 단어를 제시하고 있다.[9] 어떻게 전문가들이 한 단어의 의미를 놓고 이렇게 의견이 다를 수 있는가?

"웨이터, 미안하지만 기저귀 하나만 가져다 주시겠어요?"

전문가들 사이에 있는 의견의 차이에는 여러 가지 이유가 있다. 한 가지는 어떤 언어든지 언어는 살아있기 때문이다. 단어의 의미는 시간이 지나면서 극적으로 변한다.

때로 이와 같은 일은 신속히 진행된다. 'gay' 라는 단어를 가지고 그 단어가 우리 조부모들에게 어떤 의미였고 오늘날은 그 단어가 무엇을 의미하는지 생각해 보라. 우리 조부모들에게 'gay' 라는 단어는 '행복하다' 혹은 '걱정이 없다' 라는 것을 의미했다. 그 단어는 1960년대 말에 '동성 연애자' 의 의미로 처음 사용되었다. 단어 의미의 변화는 수년에 걸쳐 일어난 것이었지만 고대 희랍어 학자들은 수세기 동안 진화되어온 단어들의 정의를 내리려고 시도하고 있는 것이다. 바울이 사역했던 수십년 동안에 한 단어가 명확하게 무엇을 의미했는지를 추적하는 것은 얼마나 어려울지 상상해 보라.

더구나 한 언어가 세계의 다양한 장소에서 사용될 때 생겨나는 의미의 차이를 고려해 보라. 미국인들이 영국을 방문할 때 그와 같은 사실을 절감한다. 한 관광객이 식당에서 자기의 '냅킨' 을 떨어뜨려서 웨이터에게 다른 것을 가져다 달라고 할 때, 냅킨의 의미가 영국에서는 '기저귀' 라는 사실을 깨닫지 못한다. 광대한 로마 제국의 각처에서 교육을 받았던 사람들이 희랍어를 사용했으므로 그같은 단어 의미의 차이점이 바울의 시대에도 존재했다.

오래된 실마리

이 사실은 무엇을 말해주는가? 바울이 남자는 여자의 케팔레라고 말했을 때 그가 무엇을 의미했는지를 발견할 수 있는가? 우리는 그것을 찾는 데 도움을 얻을 수 있는 몇 가지의 출처를 갖고 있다. 먼저 우리는 히브리어 성경의 고대 희랍어 번역본을 살펴볼 필요가 있다. 70인역이라고 불리우는 이 번역본은 바울이 희랍어를 쓰는 사람들을 섬길 때 사용했을 것이다. 이것은 조금 복잡하지만 이 문제를 풀기 위한 실마리를 잘 찾기 위해서는 시간을 들일 가치가 있다.

히브리어에서 '머리' 라는 단어는 로쉬(ro'sh)다. 영어에서와 마찬가지로 로쉬는 신체의 한 부분을 의미하든가 혹은 '지도자' 혹은 '통치자' 를 의미할 수도 있다. 구약 성경 구절에서 로쉬가 몸의 머리를 의미했을 때 70인역의 번역자들은 그 단어를 번역하기 위해 239경우 중 226번(거의 95%의 경우에) 케팔레(바울이 고린도전서 11:3에서 사용했던 단어)를 선택했다. 한편 로쉬가 분명히 '지도자' 혹은 '통치자' 를 의미했을 때 70인역의 번역자들은 180번 나오는 단어에서 171번은 다른 단어를 사용하였다. 그들은 단지 5%의 경우에 '지도자' 혹은 '통치자' 로 번역하는 데 케팔레를 사용했다.

간단히 말해서 고린도전서 11:3에서 바울이 남자가 여자의 '지도자' 혹은 '통치자' 가 되어야 한다는 의미로 케팔레를 사용했을 가능성은 있지만 그러나 70인역의 증거에서 보는 바와 같이 그것은 흔하지 않은 단어 사용이다. 다른 한편으로 우리는 고대 문학에서 머리(케팔레)가 '근원' 혹은 '유래' 를 의미했던 많은 경우를 찾아볼 수 있다. 이것은 생명의 근원인 정액이 남자의 두뇌에서 생산된다고 여겼던 고대인들의 사고에서 유래한 것이다. 아리스토텔레스는 이것을 믿었고 후세대들에게 영향을 미쳤다.[11] 그러므로 머리는 그들에게 있어 생명의 근원이었다. 이것으로 인해 로마인들은 때때로 성행위를 '머리를 소멸시키는 것'[12] 이라고 불렀다.

이와 같이 케팔레는 강의 근원을 위해 사용되었던 단어였다. 이것이 희랍인들과 로마인들이 수염을 기른 남자의 머리나 수소의 머리를 분수나 강의 근원에 세웠던 이유다. 이같은 의미는 라틴어와 그 후에 영어에도 전이되어 우리는 아직도 강의 근원을 'headwater' 라고 부르고 있다.

Erich Lessing / Art Resource, NY

어느 것이 정답인가?

고린도전서 11:3의 질문으로 돌아가자. 만일 케팔레가 '통치자' 혹은 '생명의 근원' 을 의미할 수 있다면 바울이 이곳에서 말하고자 하는 것은 무엇일까? 우리가 만일 머리(케팔레)의 의미를 본문 안에서 대치시킨다면 우리는 두 가지의 대안을 갖게 된다.

1. 그러나 나는 너희가 알기를 원하노니 각 남자의 권위자, 지도자는 그리스도요 여자의 권위자, 지도자는 남자요 그리스도의 권위자, 지도자는 하나님이시라.
2. 그러나 나는 너희가 알기를 원하노니 각 남자의 근원, 유래는 그리스도요 여자의 근원, 유래는 남자요 그리스도의 근원, 유래는 하나님이시라.

케팔레의 어느 의미가 고린도전서 11장의 내용에 가장 잘 부합되는가? 이 구절에서 볼 수 있는 4가지가 우리에게 실마리를 제공해 준다.

첫번째 실마리—무엇이 빠져 있는가?

만약 바울이 남자가 여자의 권위자, 지도자임에 대하여 언급하고 있다면, 그가 여자들이 남자가 가지고 있는 '하나님께로부터 온' 지도력에 복종해야 한다고 가르치고 있다면, 그 주제가 구절들에 나타나야 한다. 그러나 이 구절을 살펴볼 때 두 가지가 빠져 있다는 사실이 눈에 띈다.

1. 이 구절 안에서는 복종이라는 단어가 한 번도 등장하지 않는다.
2. 권위[13] 는 단지 한 번만 나타나는데 그것은 '자신의 머리에 대해 여자가 가지고 있는 권위' [14] 에 대해 언급하고 있다.

근원, 유래라는 의미로서의 머리(케팔레)라는 단어는 어떤가? '유래' 라는 개념은 이 구절 전체를 통하여 발견된다. 첫째, 7절에서 사용된 언어는 창세기에 나오는 사건을 연상시키고 있다. 그 다음 8절과 9절은 남자에게서 말미암은 첫 여자에 대하여 언급한다.

12절은 그 이후에 모든 남자가 여자로 말미암아 태어났다고 말하기 위해 원점으로 돌아가고 있다. 마지막으로 바울은 모든 것이 하나님께로부터 말미암았다고 말함으로 마무리짓는다. 그것은 모두 유래에 관한 언급이다. 바울이 이곳에서 사용했던 A—B—A—B 구조를 기억하는가? 그것은 완벽하게 들어맞는다. 첫 번째 "A"는 3절이다. "B"(바울이 그들의 머리에 무엇을 쓸 것인가를 언급했던 4—7절) 다음에 8—12절은 3절을 더 설명하기 위해 "A"로 돌아간다. 유래의 주제에 대하여 길게 언급하고 있는 곳은 바로 이 구절들이다. 그래서 만약 당신이 케팔레를 '근원, 유래'라고 번역한다면 구절의 구조 안에서 문맥이 완벽하게 흐른다. 그러나 만약 당신이 '권위자, 지도자'를 3절 안에 맞추려고 하면 나머지 구절들과는 맞지 않게 된다.

두 번째 실마리—"남자"는 누구인가?

3절을 다시 한번 살펴보자. 두 가지의 관계(각 남자와 그리스도, 한 여자와 남자)를 보는가? 첫 번째의 관계는 전반적인 언급으로 각 남자…그리스도다. 두 번째의 관계는 구체적으로 한 여자…남자의 관계다.[15] 왜 바울은 전반적인 것에서 구체적인 것으로 옮겨갔을까? 이 '여자'는 누구며 또한 이 '남자'는 누구인가?

만약 바울이 3절에서 '권위자, 지도자'를 의미했다면 당신은 여기서 대단한 어려움을 느낄 것이다. 어느 남자가 어느 여자에게 권위자, 지도자가 된다는 말인가?

만약 바울이 남편들이 아내들에게 권위자, 지도자가 된다고 말하고 있다면 그는 왜 '모든 남자'에서 단수며 구체적인 '그 남자'로 옮겨갔을까? 혹은 결혼이 구체적으로 언급되어 있지 않기 때문에 바울은 한 남자는 어떤 여자들에게도 권위자, 지도자가 된다고 말하고 있는 것일까?

혹은 이곳에서 결혼이 언급되어 있지는 않았지만 이것이 결혼에 관한 것이라면 독신 여자들은 어떻게 되는 것인가? 과부들은 어떻게 되는 것인가? 만약 한 남자가 모든 여자들에게 권위를 가진다고 하면 어머니도 자기의 아들에게 복종해야 하는가?

복잡한 질문들

만약에 3절에 나오는 머리(케팔레)를 '권위자, 지도자' 라고 번역한다면 매우 복잡한 문제에 직면하게 될 것이다. 또한 그리스도께서 오늘날 모든 남자들의 '권위자, 지도자' 가 된다고 말하는 것인지 정확하지 않다.[16] 그것이 사실인가? 예수 그리스도는 오늘날 지구상에 존재하는 모든 남자들의 권위자, 지도자가 되시는가?

당신의 주변을 살펴보라. 신문의 제목들을 읽어보라. TV에서 무엇을 볼 수 있는지 살피라. 예수님이 모든 사람들의 권위자, 지도자가 되어 있지 않은 사실을 보게 될 것이다. 성경은 그렇게 될 날이 올 것이라고 말한다. 어느 날 모든 무릎이 꿇어지고 모든 입이 예수 그리스도의 주 되심을 고백하게 될 것이다.[17] 그러나 아직 그 날은 이르지 않았다.

또 한편, 고린도전서 11:3을 머리(케팔레)가 '근원, 유래' 를 의미한다는 관점에서 살펴본다면 모든 것이 구절 전체 안에 적절한 조화를 이룬다. 비록 모든 사람이 예수님을 자신의 '권위자, 지도자' 라고 인정하지는 않았지만 주님은 만인과 만물의 '근원, 유래' 가 되신다.

바울은 아덴에 있던 이방인 철학자들에게 예수님은 "만민에게 생명과 호흡과 만물을 친히 주시는 자이심이라…너희 시인 중에도 어떤 사람들의 말과 같이 우리가 그의 소생이라 하니"[18] 라고 말했다. 예수님은 '모든 사람' 을 위한 생명의 '근원, 유래' 가 되신다.

실상 바울은 고린도전서 앞부분에서 "우리에게는 한 하나님 곧 아버지가 계시니 만물이 그에게서 났고 우리도 그를 위하며 또한 한 주 예수 그리스도께서 계시니 만물이 그로 말미암고 우리도 그로 말미암았느니라"[19]고 선포함으로 이같은 주장을 확립했다.

머리(케팔레)를 '근원, 유래' 로 번역하는 것은 또한 고린도전서 11:3에 나오는 '그 남자' 가 누구인가? 라는 질문에 대한 해답을 제공한다. 바울은 그리스도께서 모든 남자의 근원, 유래가 되신다는 말로 시작하고 나서 '그 남자' 는 여자의 근원, 유래가 된다고 말했다. 그 남자가 아담이 아니고 누구겠는가? 아담은 하와의 근원, 유래였다.

다시 한번 바울은 여자는 구별되고 열등한 존재라고 주장했던 희랍 철학자들의 가르침을 부인하고 있다. 바울은 여자는 남자에게서 말미암았다고 말함으로 여자가 온전한 인간이며 온전히 남자와 평등한 존재라는 점을 밝히고 있다.

이것은 또한 A—B—A—B 구조에 잘 맞는데 그 이유는 바울이 3절에서 자신이 의도한 바를 설명하기 위해 8절과 9절에서 "남자가 여자에게서 난 것이 아니요 여자가 남자에게서 났으며 또 남자가 여자를 위하여 지음을 받지 아니하고 여자가 남자를 위하여 지음을 받은 것이니" 라고 아담에 대하여 언급하고 있다.

세 번째 실마리—누가 먼저 났느냐에 대한 질문

바울이 의도했던 바가 무엇인가를 알려주는 또 하나의 표시는 그가 어떤 순서로 '각 남자와 그리스도', '여자와 남자', '그리스도와 하나님' 이 세 가지 관계를 나열했는지 볼 수 있다. 만약 바울이 우리에게 하나님이 허락하신 수직적인 권위 체계를 제시하고 있었다면, 그가 위에서부터 시작하여 아래로 내려오는 순서로 언급하기를 기대할 수 있다.

명령 체계를 제시할 때 통용되는 방법은 다음과 같다.

수직적인 권위 체계의 순서
권위자 · 지도자

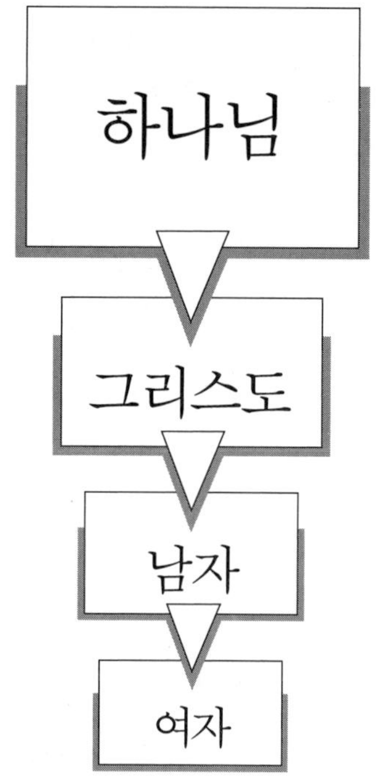

그러나 바울은 이와 같은 관계들을 의례적인 도표의 형식대로 나열하지 않았다. 오히려 그는 '각 남자와 그리스도' 로 시작하여 '여자와 남자' '그리스도와 하나님' 으로 끝맺었다. 만약 바울이 머리(케팔레)를 '권위자, 지도자' 라는 의미로 사용했다면 그는 소위 수직적인 권위 체계를 두 번째 관계로 시작하여, 세 번째 관계로 이어서는 첫 번째 관계로 다시 뛰어넘는 이상한 순서로 정립하고 있는 것이다.[20] 바울은 매우 질서 정연한 저자였다. 그의 질서 정연한 논리는 언제나 매 줄마다, 매 가르침마다 정확하고 명료했다. 이와 같은 임의의 목록은 그가 마음속에 전혀 다른 생각을 갖고 있었음을 시사한다.

만약 당신이 케팔레를 '권위자, 지도자' 가 아니라 '근원, 유래' 로 읽는다면 고린도전서 11:3에 나오는 바울의 목록은 의미가 명백해진다.[21] 창조 순서에서 아담이 먼저 창조되었으며 각 남자가 그로부터 말미암았다. 그리고 하나님이 하와를 창조하심으로 '한 여자' 가 '그 남자' 로부터 말미암게 되었다. 마지막에는 "때가 차매 하나님이 그 아들을 보내사 여자에게서 나게 하시고 율법 아래 나게 하신 것은 율법 아래 있는 자들을 속량하시고 우리로 아들의 명분을 얻게 하려 하심이라"[22] 다.

연대에 의한 순서
근원 · 유래

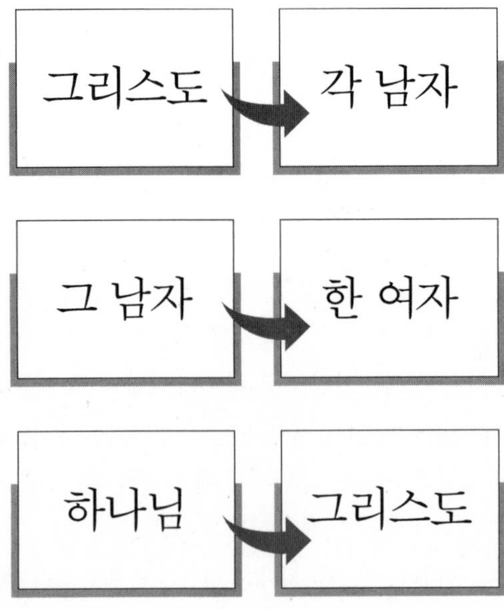

물론 독생자 예수님은 창세 전부터 아버지와 함께 계셨다.[23] 그러나 아담과 하와가 창조되고 나서 많은 세대가 지난 후에 실제로 "말씀이 육신이 되어 우리 가운데 거하시매"[24] 이제는 연대적으로는 그들을 뒤따르게 된 것이다. '첫 사람' 인 아담을 '둘째 사람' 인 그리스도와 비교하기 위하여 바울은 고린도전서 15:47에서 다시 한번 이 연대표로 되돌아간다. 그렇기 때문에 고린도전서 11:3에서 바울은 수직적인 권위 체계를 보여주고 있는 것이 아니라 명확한 연대표를 제시하고 있다.

문맥이 통하지 않는다

바울이 남자가 여자에 대하여 권위자, 지도자가 된다는 것을 말하려 했다는 것은 신빙성이 매우 적은 것임을 이제 당신은 깨달았을 것이다. 그것은 전혀 문맥이 통하지 않는다. 그러나 만약 그가 '근원, 유래' 를 의미했었다면 그의 주장과 조화를 이룬다.

교부들은 이같은 해석에 동의했다. 기원후 5C 알렉산드리아의 씨릴은 "그리스도를 통하여 각 남자가 창조되었고 태어났기 때문에 우리는 각 남자의 케팔레는 그리스도시라 말하고…여자는 남자의 갈비뼈를 취해 만들어졌으므로 여자의 케팔레는 남자라고 말한다. 동일하게 그리스도는 본성에 의하여 하나님께로부터 말미암았으므로 그리스도의 케팔레는 하나님이시다."[25]

성별 문제에서 그리스도가 '머리'로 표현된 다른 예는 바울의 에베소가정 의례법이다. 에베소서 5:23에서 바울은 "이는 남편이 아내의 머리 됨이 그리스도께서 교회의 머리 됨과 같음이니 그가 친히 몸의 구주시니라"고 말했다. 만약 바울이 권위를 염두에 두고 있었다면 끝맺음을 '그가 친히 몸의 주인이시니라'고 했을 것이라 기대하겠지만 그는 그렇게 하지 않았다. 오히려 그는 이 구절에서 더 흔히 사용되는 '주님'이라는 말 대신에 훨씬 덜 사용되는 '구주'라는 단어를 선택했다.[27] '주님'이라는 단어를 사용하지 않음으로써 그는 교회의 머리 되신 예수님을 언급할 때 권위자의 개념으로부터 의도적으로 방향을 돌이키고 있다. 그 대신에 바울은 그리스도를 죽음에서 우리를 구속하시고 새로운 생명의 근원이신 '구주'로 묘사했다. 다시 한번 성별의 문제를 논하면서 머리(케팔레)의 개념을 '근원, 유래'로 보여주었다.

네 번째 실마리—그리스도는 하나님 아버지와 동등하시다

고린도전서 11:3에 나오는 머리(케팔레)가 '권위자, 지도자'가 아니라 '근원, 유래'로 이해되어야 하는 네 번째 이유는 그곳에 등장하고 있는 세 번째 관계인 그리스도와 하나님의 관계의 신학적인 의미에 근거한다. 예수님이 이 땅에서 하신 사역 전반에 걸쳐 그분은 아버지의 뜻에 자발적으로 순종하셨던 것을 알고 있다. 그러나 이것은 삼위일체 안에서 아들이 아버지를 향하여 어떤 영구적이고 일방적인 복종을 의미하는 것은 아니다. 사실상 그리스도의 몸 안에서 우리가 상호 복종해야 하는 것은[28] 삼위일체 안의 상호 복종에서 흘러나오는 것이다.

성경을 통하여 우리는 삼위일체의 각 위께서 사랑 안에서 서로 존귀하게 여기는 것을 본다. 아버지는 언제나 아들을 칭찬하고[29] 성령을 통하여 역사하시며[30] 아들은 언제나 아버지께 양도하고[31] 성령님을 높여드리며[32] 성령님은 언제나 아들에게 초점을 맞추고[33] 아버지가 말씀하시는 바를 수행한다.[34] 삼위일체는 사랑과 존귀 안에서 서로를 낫게 여기며, 온전한 연합 안에서 서로에게 순종하는 섬김의 궁극적인 모델이다

삼위일체의 왜곡

"그리스도의 머리는 하나님이시다"라는 구절이 아버지와 아들이 동등하지 않음을 의미할 수는 없다. 예수님은 모든 면에서 하나님과 동일하신 '참 하나님의 본체이며 하나님이시다.' 삼위일체 안에는 수직적인 권력 체계가 존재하지 않는다. 이것이 4C의 교부인 아사나시우스가 고린도전서 11:3에 관하여 '머리' 는 '상관' 이 아니라 '근원' 으로 이해되어야 하며 그렇지 않으면 삼위일체의 왜곡된 이해에 도달하게 된다고 말했던 이유다.[35]

삼위일체에 대한 왜곡된 이미지 없이 바울이 케팔레를 '권위자, 지도자' 로 의미했다고 말할 수는 없다. 또한 바울이 동일한 문장에서 남자와 여자에 대해 언급했을 때 한 구절에서는 한 가지를 의미했고 다른 구절에서는 전혀 다른 뜻을 의미했다고 말하기 위해 바울의 병행법을 나눌 수는 없다. 그러나 만약 우리가 케팔레를 번역하기 위해 '근원, 유래' 를 사용한다면 고린도전서 11:3은 그리스도의 공생애를 단도직입적으로 인정하는 것이다. 삼위일체의 자기 희생적인 사랑은 보다 명확해진다. 아버지의 희생적인 사랑이 사랑하는 아들로 하여금 천국을 떠나, 지구상에 태어나고, 우리를 구속하기 위해 자신의 생명을 내어주게 하는 것이다.

이제 바울의 A—B—A—B 교체 방식 사용을 상기해 보자. 우리들은 첫 번째의 "A"를 살펴보았는데 그것은 바른 태도를 가지는 것(3절)이다. 바울은 복합

적인 사고를 가진 사람이었다. 그는 자기가 8—12절에서 다시 그 주제를 다루었을 때 자신의 독자들이 3절에서 그가 말했던 것을 기억하기를 기대했다. 더 쉽게 이해하기 위해 우리는 두 번째 "A" 부분으로 뛰어 넘어가서 바른 태도에 대한 그의 견해를 더 다루려고 한다.

우리는 서로가 필요하다

> 남자가 여자에게서 난 것이 아니요 여자가 남자에게서 났으며 또 남자가 여자를 위하여 지음을 받지 아니하고 여자가 남자를 위하여 지음을 받은 것이니 이러므로 여자는 천사들을 인하여 권세 아래 있는 표를 그 머리 위에 둘지니라 그러나 주 안에는 남자 없이 여자만 있지 않고 여자 없이 남자만 있지 아니하니라 여자가 남자에게서 난 것같이 남자도 여자로 말미암아 났으나 모든 것이 하나님에게서 났느니라.[36]

바울은 남자들과 여자들에게 그들의 공통적인 근원을 상기시키기 위해 창세기에 나오는 창조의 기사를 사용했다. 고린도전서 11:8—9에서 그는 남녀가 서로 의존하면서 살아야 함을 강조했다. 바울은 남녀가 서로 경멸하는 것을 절대로 허락하지 않았다. 여자는 남자로 말미암아 태어났기 때문에 여자들은 남자로부터 독립될 수 없었다.[37] 그러나 여자를 필요로 하는 남자의 필요를 채우기 위해 여자가 창조되었기 때문에 남자들은 여자를 향해 교만하고 멸시적인 태도를 가져서도 안 되는 것이다.[38]

8절에서 남자가 먼저 창조되었기 때문에 지도자의 위치가 남자에게만 국한되어야 한다고 말하는 사람은 유감스럽게도 요점을 완전히 놓치는 것이다. 7장에서 우리가 토의한 것을 기억하는가?[39] 고린도전서를 많이 읽지 않아도 연대적인 순차가 어떤 사람에게 사역이나 혹은 특정한 지도력의 위치에 대한 자격을 부여하지 않는다는 것을 곧 발견하게 될 것이다. 만약 그것이 어떤 자격을 부여했다면 지극히 작은 자 바울은 그와 같은 사역을 할 수 없었을 것이다.[40]

독자가 놓치는 요점은 바울이 고린도전서 11:9에서 아담이 강한 동역자인 'ezer keneged' 가 필요했다고 한 점이다.[41] 아담은 하와의 도움이 없이는 과업을 수행할 수 없었기 때문에 하나님은 아담과의 온전한 동역을 위해 하와를 디자인하셨다. 동일하게 바울도 고린도에 있는 남자 신자들에게 여자들과 나란히 함께 섬기는 것이 필요하다는 것을 보여주었다. 남자들이 홀로 과업을 수행할 수 없는 이유는 하나님이 남녀가 서로 의존하며 동역하도록 고안하셨기 때문이다.

원본에 없던 단어들

여자들이 사역에 있어서 온전하고 동등한 동역자들이었기 때문에 바울은 말했다. "이러므로 여자는…권세 아래 있는 표를 그 머리 위에 둘지니라."[42] 이 구절의 NIV 번역본은 합당하지 않다. 그것은 희랍어 원본에는 존재하지 않았던 '표를' 이라는 단어를 첨가하고 있다. '권세 아래 있는' 이라는 구절로 번역되었던 원어는 엑수시아 에피(exousia epi)다. 이 구절은 신약 성경에서 15번 등장하고 있으며[43] 매 경우마다 이것은 어떤 다른 사람이나 혹은 다른 물건에 대해 어떤 사람이 가지고 있는 권위에 대한 적극적인 표현이다.

엑수시아(exousia)라는 단어는 '권리, 권위, 자유함, 결정할 수 있는 능력' 을 의미한다.[44] 바울은 여자는 남자와 마찬가지로 무엇이든지 원하는 대로 머리에 쓸 권리가 있음을 말하고 있다. 물론 고린도전서에 나타난 바울의 나머지 말에서는 여자와 남자는 사랑에 의해 이끌리어야 함을 강조한다. 마음의 올바른 태도야말로 복음의 목적을 이루게 하는 주요 요소다.

권리 포기와 도전

권리는 결코 우리가 꽉 움켜쥐어야 할 어떤 것이 아니다. 우리는 자신의 권리를 살짝 붙들고 있다가 하나님 나라의 확장을 위해서나 혹은 그리스도 몸 안에서 더욱 약한 자들을 보호하기 위하여 필요하다면 언제든지 포기해야 한다. 고린도전서에서 바울이 제시하는 주된 원칙—남녀가 평등하지만 그러나 필요한 경우라면 언제든지 개인적인 권리를 포기하는 것—은 우리가 사역하는 어느 곳에서든지 적용될 수 있다.

만약 당신이 1C 고린도와는 전혀 다른 문화권 안에서 사역하고 있다고 가정해 보라. 만약 당신이 사모아에 간다고 하면 머리에 무엇을 쓸 것인가 아닌가를 염려하는 대신 방안에 연장자가 들어오면 재빨리 앉아야 한다. 만약 당신이 인도나 혹은 중동에 가게 된다면 바울의 원칙을 사용하여 왼손으로 사람을 건드리는 일을 피해야 할 것이다.

바울은 흥미 있는 단어들을 첨가했다

바울은 이와 같은 여자들의 권위에 있어서 매우 흥미 있는 단어를 첨가시켰다. 그는 "이러므로 여자는 천사들을 인하여 권세 아래 있는 표를 그 머리에 둘지니라"[45]고 말했다. 만약 당신이 '천사들을 인하여' 라는 구절을 열두 권의 주석책에서 찾아본다면 그 의미에 대해 열두 개의 다른 견해들을 발견하게 될 것이다. 이것은 아무도 바울이 왜 그것을 사용했는지를 알지 못하기 때문이다. 어떤 이들의 번역은 말도 되지 않는 반면에 다른 것들은 조금 더 합리적이다. 바울은 이 서신서의 다른 세 곳에서 천사를 언급하고 있는데 그것들은 이 이상한 구절을 이해하는 데 도움이 되는 실마리를 준다. 그렇다 하더라도 우리가 바울의 의도를 단언하기에는 충분한 정보를 갖고 있지 않다. 확실하지는 않지만 아래의 가능성들이 우리가 올바른 방향으로 생각을 펼치는 데 도움을 줄 것이다.

첫 번째 가능성

고린도전서 4:9과 13:1에서는 천사들에 대한 단어를 쓸 때 남성과 여성을 포함하는 안드로포스(anthropos)라는 단어를 사용했다. 이 두 구절에서는 바울이 하나님의 창조에 있어서 성별이 다른 인간과는 달리 성별이 없었던 듯한 천사와 같은 도덕적인 존재를 언급한다.

이것은 예수님의 가르침을 상기시킨다. 예수님은 사두개인들에게 질문을 받고 인간과 천사를 비교하셨다. 그분께서는 부활 후에 우리가 '하늘에 있는 천사들과 같아서'[46] 장가도 아니 가고 시집도 아니 간다고 가르치셨다. 우리가 더 이상 성별을 소유하지 않든지 혹은 성별이 상관없든지 할 것이다. 바울이 고린도전서 11:10 안에 그 흥미 있는 단어를 써넣었을 때 아마도 바울은 예수님의 말을 염두에 두고 있었는지 모르겠다.

아마도 그는 고린도에 있는 신자들에게 내세에서는 성별의 차이가 중요하지 않게 된다는 것을 상기시키고 있었는지 모른다. 그와 같은 이유에서 우리도 성별을 크게 문제시하지 말아야 한다.

두 번째 가능성

바울이 천사에 대하여 언급했던 또 다른 구절은 "우리가 천사를 판단할 것을 너희가 알지 못하느냐 그러하거든 하물며 세상 일이랴" 하고 그가 말했던 고린도전서 6:3이다. 아마도 이것이 바울이 고린도전서 11:10에서 염두에 두고 있었던 것인지도 모르는데, 그 이유는 13절에서 그가 고린도인들에게 "너희는 스스로 판단하라 여자가 쓰지 않고 하나님께 기도하는 것이 마땅하냐"[47] 라고 명하고 있기 때문이다. 아마도 바울은 단지 "너희가 어느 날 천사를 판단하게 될 것이다. 하물며 지금 머리에 무엇을 쓸 것인가에 대해 책임 있는 선택을 하지 못하겠는가!"[48]라고 말하고 있는지도 모르겠다.

독립 정신이 아니라 권위

바울은 10절에서 여자들이 자신의 머리에 대한 엑수시아(exousia—권리, 권위, 자유함, 선택할 수 있는 능력)를 가지고 있음을 언급한 반면에 11절에서 그는 남자와 여자에게 그들이 하나님께로부터 받은 권리와 권위는 자주적인 독립심에서가 아니라 협력 안에서 행사되어야 함을 상기시켰다. "그러나 주 안에는 남자 없이 여자만 있지 않고 여자 없이 남자만 있지 아니하니라."[49] "바울이 대중 예배를 토의하는 내용에 이것을 기록하고 있음을 기억하라. 그의 말은 이방 종교에서 예배 의식에 여자를 제외하는 것과 그리고 회당에서 여자를 옆방이나 발코니에 격리시켜서 남자들이 예배드리는 것을 참관하게 했던 것을 반대했다."[50] 성별에 따른 배척은 그리스도의 구속함을 받은 자들 사이에서 있어서는 안 되는 일이었다. 여자나 남자 중 어느 누구도 상대방이 없이는 올바른 기능을 발휘할 수 없다. 사역도 협력해야 하는 것이다.

랍비 아키바는 기원후 2C의 유대 학습서인 게네시스 랍바에서 이것과 병행하는 흥미 있는 이야기를 기록했다. 아키바는 "여자가 없는 남자가 없고 남자가 없는 여자도 없으며 쉐키나가 없이는 남자도 여자도 존재하지 않는다"[51]고 했는데 그것은 '하나님의 영광스러운 임재하심' 이다. 남자와 여자가 사역 안에서 상호 의존적으로 동역할 때 하나님의 영광이 드러난다.

주목해야 할 또 하나의 중요한 것은 11절에서 바울이 '주 안에' 라고 말했을 때 남녀 간의 평등을 교회나 예배에만 국한시킨 것이 아니라는 점이다. 성스러운 것과 속된 것을 구별하는 개념은 성경적인 개념이 아니다. 예배 장소에서 뿐만 아니라 매일매일 우리의 가정과, 직장에서 우리가 하는 모든 일은 '주

안에' 있는 것이다.

또한 바울은 여성들의 새로운 동등함을 그리스도인들에게 국한시키지 않았다. 신자들은 먼저 그것을 실천해야 하는 것뿐이다. 수세기를 걸쳐 내려오던 압박에서의 해방은 하나님의 집에서 먼저 시작되고 그 후에 사회로 번져나가야 하는 것이었다. 창세기 3장 이후에 세상에 알려져 있지 않았던 새로운 평등법은 예수님이 시작하여 바울이 그것을 추진시켰다. 그 목적은 하나님이 남자와 여자와 동역하시려는 하나님의 원래 계획을 회복하려는 것이었다.

이제 변화가 시작되었다. 폭력적인 혁명이나 혹은 분노에 찬 데모나 남녀간의 원한으로 인한 변화가 아니다. 하나님은 자신의 왕국을 이루고 변화를 가져오기 위해 폭탄을 사용하지 않으신다. 그분은 누룩을 사용하신다. 처음에는 눈에 띄지 않지만 누룩은 궁극적으로 반죽 전체를 부풀게 한다.[52] 그렇기 때문에 남녀간의 공통적인 동역에 대한 성경적인 원칙들은 기도나 예언의 문제 이상의 것이며, 머리에 무엇을 쓸 것인가 말 것인가 하는 문제 이상의 것으로 삶 전체를 변화시키기 위한 것이다.

마지막으로 바울은 다시 한번 인간이 피조물이라는 위치로 돌아가서 얼마나 서로에게 의존하고 있는지를 한번 더 언급했다. "여자가 남자에게서 난 것 같이 남자도 여자로 말미암아 났으나 모든 것이 하나님에게서 났느니라."[53] 우리가 상호 의존적인 유래를 갖고 있기 때문에 우리는 고린도 사람들이 했던 것과 같이 누가 더 중요한가에 대하여 말다툼하지 말아야 한다. 우리가 소유하고 있는 모든 것은 주님께로부터 온 선물이다.[54] 남자와 여자는 서로 동역하기 위해 지혜롭고 인자하신 하나님에 의해 지음 받았다. 우리는 서로를 헐뜯거나, 서로를 멸시하거나, 우월감을 갖거나, 서로를 배척하지 않아야 한다. 바울에 의하면 하나님의 가족 안에서 이와 같은 일은 있을 수 없다. 주 안에서 남녀간의 전쟁은 끝났다.

13
기도와 예언(고린도전서 11:2—16 제2부)

데이비드 해밀턴

지금껏 바른 태도에 대한 바울의 생각을 살펴보았으니 이제부터는 바울이 언급한 적절한 옷차림(A—B—A—B중에서 "B" 에 해당하는)에 대해 살펴보기로 하자. 이 구절들은 머리 모양이나 옷에 관해 언급할 뿐 아니라 공적인 사역에 종사하는 여자들을 가장 확실하게 지지하고 있다. 바울은 남성과 여성이 함께 교회의 사역에 참여하기를 기대했었다.

확실한 것들을 못 본체 하지 말라

> 무릇 남자로서 머리에 무엇을 쓰고 기도나 예언을 하는 자는 그 머리를 욕되게 하는 것이요 무릇 여자로서 머리에 쓴 것을 벗고 기도나 예언을 하는 자는 그 머리를 욕되게 하는 것이니 이는 머리 민 것과 다름이 없음이니라 만일 여자가 머리에 쓰지 않거든 깎을 것이요 만일 깎거나 미는 것이 여자에게 부끄러움이 되거든 쓸지니라 남자는 하나님의 형상과 영광이니 그 머리에 마땅히 쓰지 않거니와 여자는 남자의 영광이니라.[1]

바울은 공적인 사역에 종사하는 사람들에게 적절한 옷차림에 관해 언급했다. 어떤 이들은 이 구절들을 언제 어디서나 지켜야 하는 절대적인 명령으로 해석하여 머리를 기르는 청년들이나 머리를 자르는 자매들을 반대하는 설교를 해왔다. 또 어떤 사람들은 여자들이 교회 안에서 베일이나 머리 수건을 써야 한다고 강조해왔다.

1C에 고린도에서 이와 같은 머리 스타일이 무엇을 의미했는가를 살펴보기 전에 이 구절이 말하려고 하는 확실한 것들에 주목해야 한다. 바울이 사람들에게 공적으로 사역할 때 어떤 옷차림을 할 것인가에 대해 말했던 이유는 그들이 대중을 섬기는 사역자였기 때문이다.

사역의 전체적인 범주

바울은 "무릇 남자로서…기도나 예언을 하는 자는…" 그리고 "무릇 여자로서 기도나 예언을 하는 자는…"이라고 말했다. 그는 교회 주변에서 일어나는 어떤 것에 대하여 언급한 것이 아니다. "기도나 예언을 하는"이란 말은 제사장직에 대한 유대인의 개념을 요약한 것이다. 기도하는 것은 하나님의 백성을 위하여 하나님께 말씀을 드리는 것이다. 예언한다는 것은 하나님을 위하여 하나님의 백성에게 말하는 것이다. 기도는 사적일 수도 있고 공적일 수도 있지만 예언은 대부분 공적인 것이었다. 바울은 여자의 기도와 예언 사역이, 남자들의 기도나 예언 사역과 동일하게 공적인 것임을 분명히 했다.

예언은 성령의 도우심으로 미래를 예측하는 것 이상의 의미를 가진다. 구약시대의 선지자들은 예언을 하면서 또한 말씀을 전했고, 권면했고, 심판했고, 간청했으며, 지도했고, 애원했고, 격려했고, 가르쳤다. 또한 덕을 세웠고, 경고했으며, 하나님의 말씀으로 백성들을 위로했다. 바울은 예언적 사역과 사도적 사역이 모든 다른 사역들의 기반이 된다고 말했다.[2] 그는 고린도전서 14:3에서

"그러나 예언하는 자는 사람에게 말하여 덕을 세우며 권면하며 안위하는 것이요"라고 말함으로 예언이 얼마나 광범위한 것인가를 보여주었다.

우리는 예언이 광범위한 사역이라는 것과 바울이 남자뿐만 아니라 여자들의 예언함도 인정한 것을 보았다. 또한 요엘 선지자에 의하면 남자들과 함께 여자들이 예언하는 것은 교회의 미래 모습이었다. 교회가 시작되던 그 날, '열두 제자'와 다른 사람들 가운데 있던 '여자들'이 성령에 충만해져서 대중들을 섬기기 시작했을 때 바로 그 일이 일어났다.[3] 베드로는 회중에게 "말세에 내가 내 영으로 모든 육체에게 부어주리니 너희 자녀들은 예언할 것이요 너희의 젊은이들은 환상을 보고 너희의 늙은이들은 꿈을 꾸리라 그때에 내가 내 영으로 내 남종과 여종들에게 부어주리니 저희가 예언할 것이요"[4]라는 요엘서의 말씀을 인용하며 이것은 예언의 성취임을 상기시켰다.

탈무드에 등장하는 여 선지자들

신약 성경에서 남자와 여자를 공적인 사역에 포함시킨 것은 구약의 전례가 있기 때문이다. 탈무드는 "48명의 남자 선지자들과 7명의 여자 선지자들이 이스라엘에게 예언했다. 7명의 '여 선지자들'은 누구였는가? 사라, 미리암, 드보라, 한나, 아비가일, 훌다, 에스더였다"[5]고 전한다. 바울은 로마서 9:12에서 리브가를 또 한 사람의 구약 시대 여 선지자로 인정했다.[6] 하지만 탈무드는 만약 여자가 대중 앞에서 토라를 읽는다면 그것은 성전을 더럽히는 일이라고 전했다.[7]

또 바울은 여자들을 차등한 사역자라고 생각하지 않았고, 복음을 전파하는 동역자로 대했다. 고린도전서 11장을 통해 초대교회에서 여자들이 기도하고 예언했던 것은 매우 분명하다. 만약 바울이 여자들의 공적 사역을 금지하려 했다면 여자들이 사역할 때의 주의점을 말하기 위해 시간을 할애할 필요가 없었을 것이다.[8]

바울이 누구를 지적하고 있는가?

고린도전서 11:4—7에서 바울이 거의 동일하게 남자와 여자들의 부적절한 옷차림을 수정하는 데 할애했음을 주목하라. 이 네 구절에는 68개의 희랍어 단어가 사용되었는데 그 중에 37개(54%)의 단어가 여자를 향하여 사용되었고, 반면 31개(46%)가 남자를 향하여 사용되었다.

왜 이 위대한 사도는 옷차림에 대해 그토록 관심을 보이고 있는가? 하나님은 어떤 사람의 머리 길이나 여자가 교회에서 모자를 쓰는지 아닌지에 참으로 관심을 갖고 계신 것일까? 우리는 바울 쪽의 이야기만 듣고 있기 때문에 고린도 교회에서 이것과 관련된 어떤 일이 일어나고 있는지 알 수 없다. 바울이 어떤 잘못에 대하여 언급하고 있는지 확신할 수 없다. 고린도 교회는 다양한 인종적 배경, 사회적 신분, 여러 지역에서 온 개종자들로 구성되어 있었다. 그러므로 각 부류마다 남자와 여자의 머리 스타일이 다양했으며 그들이 머리에 무엇을 쓰는가도 각각 다른 의미를 갖고 있었다.

종교 예식 때의 머리 모양

대개 유대인 남자들은 머리를 길게 길렀는데 회당 안에 있을 때는 머리를 가렸다. 그리고 신앙이 깊은 대부분의 남자들은 항상 그들의 머리를 가리고 있었다. 유대인 기혼 여성들은 그들의 긴 머리를 가렸는데 이는 여자의 긴 머리가 유혹적이라는 랍비의 가르침 때문이었다.

한편 희랍 남자들은 머리를 기를 수도 있었고 짧게 할 수도 있었는데 이 편지가 쓰여질 당시에는 일반적으로 짧은 머리를 하고 있었다. 이들은 거리에 있든지 회당에 있든지 머리를 가리지 않았다. 반면, 희랍 여인들은 긴 머리를 아름다움의 표시로 여기면서도 밖에서는 늘 머리를 가렸다.

로마 남자들은 머리를 짧게 하고 가리지 않았지만 유대인들과 마찬가지로 예배시에는 머리를 가렸다. 로마 여자들은 다양한 머리 스타일과 모자를 갖고 있었다. 유행이 너무 자주 바뀌었기 때문에 로마의 동상들 중에는 동시대적인 이미지를 유지하기 위해 스타일을 변형시킬 수 있는 설비를 갖춘 것도 있었다.[9] 일반적으로 베일은 결혼한 자유인 여자의 표시로 쓰였으며 노예나 이전에 창녀였던 사람들에게는 허락되지 않았다.

성별 전환과 우상 숭배

하지만 이런 풍습들은 상을 당했거나 성적인 부도덕, 혹은 종교적 예식이 있을 때는 예외였다. 사도 시대의 매춘부들은 '정욕으로의 초대'[10] 였던 머리를 노출시킴으로 자신들을 선전했던 것으로 알려져 있다. 이것은 매춘부들이 군대처럼 많았던 것으로 알려진 고린도에서 흔히 볼 수 있는 광경이었다.

성적으로 문란했던 축제에서의 성별 전환은 많은 이방 종교의 한 부분이다.[11] 이것들 중의 하나가 디오니소스를 숭배하는 것이었다. 이것을 따르는 남자들은 여자처럼 머리를 기르고 베일을 썼으며 여자는 머리를 짧게 자르고 남자들의 옷을 입었다. 고대 고린도 시대의 한 도자기는 인조로 만든 남자의 성기가 달린 바지를 입고 춤추고 있는 디오니소스를 숭배하는 여성으로 장식되어 있었다.[12]

이러한 것들이 섞여 있는 고린도를 향해 바울은 고린도전서 11장에서 무엇을 가르치고 있는 것일까? 예수님을 경배하는 전직 매춘부들이 전에 아프로디테를 숭배하던 때처럼 머리를 노출시키고 있었던 것일까? 디오니소스를 숭배할 때 여자의 옷차림을 했던 남자들에게 머리를 기르거나 머리를 가리지 말라고 하는 것일까? 아니면 베일을 쓸 수 있는 권리가 주어지지 않았던 전직 매춘부들이나 전직 노예들을 정중하게 대우하는 한 방법으로 베일을 쓸 것을 주장한 것일까?

바울이 남자들에게 예배시 머리를 가리지 말라고 한 것은 그들이 더 이상 유대의 법 아래 있지 않다는 것을 나타내기 위한, 혹은 로마인들이 그들의 신전에서 예배드리던 것과 같지 않다는 것을 나타내기 위한 외적인 표시였을까?

고린도인의 머리 모양에 관해 역사적 문제를 정확히 재구성할 필요는 없으리라 본다. 2장에 로렌이 절대 진리와 상대적인 진리에 관하여 말했던 것을 기억하라. 바울은 머리 스타일에 관한 자신의 가르침이 어떤 특정한 문화에 달려 있음을 분명히 밝혔다. 그는 "만일 깎거나 미는 것이 여자에게 부끄러움이"[13] 되는 경우에 한하여 자신의 지시를 따르라고 말했다는 것을 주목하라. 만약 이것이 당신의 문화에서 부끄러움이 되지 않는다면 이같은 지시는 적용되지 않는다.

올바른 태도는 올바른 옷차림을 하게 한다

바울이 어떤 관례에 대하여 언급하고 있는가를 보면 해답보다도 의문점들이 더 떠오른다. 바울이 지시했던 이유는 편지를 읽는 사람들에게는 매우 분명했을 것이다. 하지만 시간이 지남에 따라 그 사람들이 당면했던 특정한 문제는 우리에게 점점 더 불분명해지고 있다. 그러나 분명한 것은 바울이 신자들에게 바른 태도와 바른 옷차림을 가질 것을 촉구했다는 것이다. 이 서신을 살펴볼 때 우리는 전체적인 주제를 찾을 수 있다.

→ 고린도전서 1—4 분열 대신 연합
→ 고린도전서 5—7 음행 대신 성적인 순결함
→ 고린도전서 8—10 우상 숭배 대신 하나님을 예배함

바울은 그들의 머리에 무엇을 쓸 것인가를 언급하면서 마음의 태도와 관련된 주제를 일부 혹은 모두 다루었을 것이다.

여자는 하나님의 영광이요 또한 남자의 영광이다!

바울은 "남자는 하나님의 형상과 영광이니…여자는 남자의 영광이니라"[14] 라고 말하며 예배 때 머리에 쓰지 않는 것이 마땅하다는 말로 이 부분을 종결짓고 있다. 이것은 무엇을 의미하는가? 여자가 아니라 단지 남자만이 하나님의 형상과 영광을 따라 창조되었다는 것일까?

이 말을 충분히 이해하기 위해서 우리는 이 구절에 있는 몇 개의 희랍어를 살펴볼 필요가 있다. 바울은 포괄적인 성별 단어인 안드로포스(anthropos—인간) 대신에 특정한 성별 단어인 아네르(aner—남자)를 사용했다. 다른 곳에서 창조를 언급할 때 그는 의도적으로 포괄적인 성별 단어를 사용했다. 그렇기 때문에 그가 여기에서 특정한 단어를 사용했다는 사실이 더욱 눈에 띈다.[15] 바울은 하나님의 형상과 영광을 남자에게만 국한시켰던 것일까? 창세기 1:26—27에 나오는 창조 사건은 남자와 여자가 하나님의 형상을 따라 지어졌다고 말하고 있다. 물론 바울이 그것을 반대하고 있을 리 없다. 바울이 정말로 말하고 있는 것은 여자는 하나님의 영광이요, 또한 남자의 영광이라는 것이다. 이 구절을 이해하는 데 열쇠가 되는 것은 '데(de)' 라는 짧은 희랍 단어다.

여자에 대한 최상의 인정

통용되는 희랍어 접속사인 '데' 를 명확하게 표현할 수 있는 영어 단어는 없다. 때로는 '그러나' 로 번역되기도 하지만 '그리고' 나 '그리고 또한' 이 좀더 적절한 번역이다. 만약 바울이 남자와 여자의 차이점을 강조하면서 그들의 본성을 대조하기 원했다면 의미가 약한 '데' 를 사용하기보다는 '그러나' 라는 강한 의미를 가진 '알라(alla)' 를 사용했을 것이다.

바울은 성별에 관한 그들의 태도를 다시 고려해 보도록 자극하기 위해 의도적으로 아네르(남자)를 사용했다. 그는 '여자는 하나님의 영광이 아닌 반면에 남자는 하나님의 영광' 이라고 주장하지 않는다. 하나님이 남자와 함께할 여자를 창조하시기 전까지는 인간이라는 자신의 피조물을 기뻐하지 않으셨기 때문에 그것은 불가능하다. 하나님은 남자가 홀로 있는 것을 보시고 '좋지 않다' 고 말씀하셨다.[17] 남녀가 동반자로 함께 서 있을 때에야 비로소 하나님은 '매우 좋다' [18]라고 환호하셨다. 두 절 뒤인 고린도전서 11장 9절에서 언급되는 것으로 보아 바울은 바로 이것을 염두에 두고 있었음이 분명하다.

접속사 '데' 를 사용했던 바울의 의도를 좀더 잘 이해하기 위해서 우리는 이 구절을 '남자는 여자와 마찬가지로 하나님의 영광인 반면에 여자는 또한 남자의 영광이다' 라고 다시 풀어 쓸 수 있다. 바울은 아담이 하와를 처음 보았을 때 노래를 부르며 그녀의 창조에 환호했던 것과 마찬가지로 고린도에 있는 남자들도 자신들 가운데서 사역하는 여자들을 환호해야 한다는 것을 보여주고 있다. 여자들은 희랍인들, 로마인들, 유대인들이 가르쳤던 것과 같이 이용하거나 회피해야 하는 불명예스러운 존재가 아니었다. 그들은 가치 있고 심지어는 환호할 만한 동료였으며 사역 가운데서 동등한 동역자로 정중한 대우를 받아야 하는 존재들이었다. 바울은 남자들에게 여자를 경멸하지 말고 귀히 여기며, 감사히 여기고, 소중하게 생각하라고, 또한 남자들과 함께 사역하는 여자들을 참으로 기뻐하라고 말하고 있다. 그러므로 "여자는 남자의 영광이니라" 라는 바울의 말은 성경에서 여자를 인정해주는 최상의 구절 중 하나다.

주목해야 하는 두 가지

> 너희는 스스로 판단하라 여자가 쓰지 않고 하나님께 기도하는 것이 마땅하냐 만일 남자가 긴 머리가 있으면 자기에게 욕되는 것을 본성이 너희에게 가르치지 아니하느냐 만일 여자가

> 긴 머리가 있으면 자기에게 영광이 되나니 긴 머리는 쓰는 것을 대신하여 주신 연고니라.[19]

이와 같은 구절들은 바울의 A—B—A—B 구조에서 마지막 "B"의 부분이다. 이곳에서 바울은 남자와 여자들이 기도하고 예언하는 동안 머리에 무엇을 써야 하는가에 관한 토의를 종결짓고 있다. 간략하게 정리하면 두 가지 주목해야 할 것들이 있다.

첫째로, 바울은 "스스로 판단하라"[20]는 명령문으로 시작했다. 이것은 전체 구절들에서 남녀의 구별 없이 모든 이에게 내린 유일한 명령이었다.[21] 그의 명령은 순수했다. 바울은 맹종을 원하지 않았다. 그는 사람들이 영적으로 성숙하여 이미 가르쳤던 원칙들을 기반으로 한 책임 있는 결정을 내리기를 원했다. 그는 13—15절에서 몇 가지 질문을 제시했지만 그것에 대한 결론적인 해답을 주지는 않았다. 그는 사람들로 하여금 이러한 질문을 숙고해 보고 나서 자신들이 기도하고 예언할 때 무엇을 쓸 것인지를 결정하도록 했다.

둘째로, 남자와 여자가 머리를 기르는 것과 관련된 "본성"[22](사물의 근원적인 본질—역주)을 거론한 것인가? 바울은 인간의 자연적인 면을 의미하지 않았을 것이다. 만일 이발소에 가지 않으면 머리가 길어질 것은 당연하다. 그것이 영광인가, 치욕인가? 거기엔 해답이 없다. 바울은 어떤 절대적이고 일반적인 머리 모양의 규칙을 제시하는 것이 아니라 어떤 다른 것을 염두에 두고 있었음이 분명하다. 그렇다면 무엇에 관한 것일까? 바울은 고린도 사회 안에서 자연적인 것이라고 간주되었던 문화에 대하여 언급하고 있다.

고린도전서 11장 6절에서 바울이 어떤 경우를 막론하고 여자들은 모두 머리를 가려야 한다고 말하지 않았음을 주목하라. 그는 "만일 깎거나 미는 것이 여자에게 부끄러움이 되거든" 그렇게 하라고 말했다. 바울의 사역 방법은 구체적이고(문화에 공감하는 것), 예언적(문화의 변모)이었다. 한편, 바울의 가르침은 복음을 통해 문화에 도전하고 그것을 변화시켰다. 바울은 문화를 무시하지 않았으며 사람들과 문화를 존중했다. 실상 그는 몇 구절 앞에서 이것을 지적했다.

> 그런즉 너희가 먹든지 마시든지 [그리고 다음의 말들을 부가시킬 수 있다—머리를 가리우든지 머리를 노출시키든지 혹은 머리를 기르든지 자르든지] 무엇을 하든지 다 하나님의 영광을 위하여 하라 유대인에게나 헬라인에게나 하나님의 교회에나 거치는 자가 되지 말고 나와 같이 모든 일에 모든 사람을 기쁘게 하여 나의 유익을 구치 아니하고 많은 사람의 유익을 구하여 저희로 구원을 받게 하라 내가 그리스도를 본받는 자 된 것같이 너희는 나를 본받는 자 되라.[24]

기도와 예언

바울은 "변론하려는 태도를 가진 자가 있을지라도 우리에게나 하나님의 모든 교회에는 이런 규례가 없느니라"[25]고 말함으로 이것을 마무리짓고 있다. '이런 규례가 없다' 는 것은 무엇을 의미하고 있는가? 머리를 기른 여자들 혹은 교회에서 머리에 무엇인가를 쓰고 있는 여자들에 대하여 언급하고 있는 것인가? 바로 전에 그가 사역에서 무엇을 쓸 것인가를 스스로 판단하라고 말한 것으로 보아 이것은 가능성이 희박하다.

바울은 대중 앞에서 기도하고 예언함으로 그리스도 안에서 동역자로 함께 사역하고 있던 남자와 여자들의 관례에 관하여 언급하고 있다. 그는 고린도 문화가 허락하지 않았던 권리를 여자들에게 부여함으로 이와 같은 관례들을 옹호하고 있다. 하나님의 교회가 지지하고 있던 관례는 남자와 여자가 하나님 앞에서 동등한 존재, 그러나 완전히 상호 의존적인 존재라는 것이었다. 예수 그리스도의 복음이 남자와 여자를 나란히 섬기도록 불렀기 때문에 우리는 이와 같은 관례를 변론 없이 받아들여야 한다.

14 여자는 잠잠해야 하는가?

(고린도전서 14:26—40 제1부)

데이비드 해밀턴

고린도전서 14장 34절은 많은 사람들이 익히 알고 있는 성경 구절들 중 하나다. 만약 당신이 여성 목사에 대한 주제를 언급한다면 많은 그리스도인들이 "여자는 교회에서 잠잠하라 저희의 말하는 것을 허락함이 없나니 율법에 이른 것같이 오직 복종할 것이요"[1] 라는 바울의 말을 인용할 것이다.

그렇다면 바울의 이 말의 의미는 무엇인가? 만약 이것이 여자가 공적으로 사역할 수 없다는 의미라면 우리가 앞 장에서 살펴본 바울의 말과는 상충되는 것이 아닌가! 이것에 대한 설명이 분명히 있을 것이다. 오히려 여자의 공적 사역을 반대하는 가르침이 아니라는 것을 알게 될 것이다. 그는 고린도 교회에서 여자들이 사역하고 있는 방법을 수정하고 있다.

만일 이 구절들이 난해하지 않다면 수세기에 걸친 논쟁이 필요 없었을 것이다. 그러나 우리가 이해하려고 노력할 때 성령님이 우리를 모든 진리 가운데로 인도하시리라 믿는다.

첫 번째 실마리-어떤 내용인가?

어떤 성경 구절에 몰두하기 전에 그 구절을 둘러싸고 있는 내용을 먼저 살펴볼 필요가 있다. 이 구절은 12장의 앞에서 요약했던 것과 마찬가지로 교회에서의 사역을 마무리짓는 구절의 한 부분임을 주목해야 한다. 바울은 생각나는 대로 아이디어를 내놓은 것이 아니다. 그는 절제력 있는 훈련된 저자인데, 그것은 이 복잡한 구절에서 가장 잘 드러난다. '여자가 잠잠해야 한다'는 이 구절의 이해는 그 앞에 무엇이 있었는지를 참작해서 보아야 한다. 이것은 우리가 앞에서 본 것과 같이 교회의 모임에서 남자와 여자가 기도하고 예언하는 것을 강력하게 인정하고 있는 고린도전서 11:2—16을 포함한다.

두 번째 실마리-중요한 것은 구두점이다

고대 희랍어에는 구두점이 없기 때문에 현대 번역자들은 어디에서 한 문장이 끝나고 다음 문장이 이어지는지를 결정해야만 했다. 구두점의 위치는 경우에 따라 매우 다른 의미를 갖게 한다. 고린도전서 14장 33절에서 문제되는 것은 구두점을 "모든 성도의 교회에서 함과 같이"의 앞에 둘 것인가 뒤에 둘 것인가 하는 것이다. NIV나 그 외 몇 가지 번역본의 번역자들은 구두점을 앞에 두어서 33절과 34절을 '하나님은 어지러움의 하나님이 아니시요 오직 화평의 하나님이시니라. 모든 성도의 교회에서 함과 같이 여자는 교회에서 잠잠하라"[2]고 번역했다. 또 다른 번역자들은 구두점을 '여자는' 앞에 두어서 "모든 성도의 교회와 마찬가지로 하나님은 어지러움의 하나님이 아니시고 화평의 하나님이시라. 여자는 교회에서 잠잠하라"고 번역했다.[3]

작은 점 하나의 위치가 얼마나 중요한가를 알 수 있는가? 그것은 바울이 "모든 성도의 교회에서 함과 같이" 여자가 잠잠해야 할 것인가 아닌가에 대한 원칙을 세우는 데 중요한 차이를 불러온다. 사역에 종사하는 여자에 대한 바울의 긍정적인 의견뿐만 아니라 고대 사본의 어떤 내용으로[4] '모든 성도의 교회에서 함과 같이' 라는 구절은 '하나님은 어지러움의 하나님이 아니시다' 라는 개념에 합쳐진다는 것이 분명하다. 그래서 이 구절에 대한 우리의 연구를 명확하게 하기 위해 '모든 성도의 교회에서와 마찬가지로 하나님은 어지러움의 하나님이 아니시고 화평의 하나님이시니라. 여자는 교회에서 잠잠할지니라'[5]고 읽을 수 있도록 구두점을 조정할 것이다. 이 구두점은 바울이 이 구절에서 자신의 글을 구성했던 모양으로 말미암아 더 확실해졌다.

세 번째 실마리-저자의 구성은 중요하다

바울이 어떻게 자신의 생각을 드러내는지 보는 것은 좀더 정확한 이해를 돕는다. 고린도전서 14:26—40에서 바울은 우리가 비록 열거법(particularization)과 교차대구법(chiasm)이라는 전문적인 용어를 모를지라도 이미 우리에게 익숙해 있는 두 가지의 문학적인 도구를 사용하고 있다.

열거법(Particularization)

열거법은 대화에서 흔히 사용되는 형태다. 열거법이란 저자가 단순하게 일반적인 서술을 한 후 몇 가지의 구체적인 실례로 그것을 설명하는 것을 말한다. 이 구절에서 바울은 열거법을 사용했는데 자신의 일반적인 생각이나 주된 사상을 맨 처음에 한 번(14:26), 중간에 다시 한 번(14:33), 마지막에 또 한 번(14:40) 반복함으로써 특별한 변화를 주었다. 그의 주된 생각은 하나님은 질서의 하나님이기 때문에 모든 사람이 질서 정연하고 덕을 끼치는 모습으로 예배에 참여해야 한다는 것이었다. 바울은 계속해서 질서 정연한 예배는 어떤 모습이어야 하는지에 관해 예를 들어 설명했다. 그가 택했던 실례는 방언을 하는 사람, 예언을 하는 사람, 교회의 여자들이었다. 그것은 27—32과 34—39에서 찾아볼 수 있는데 바울의 주된 사상이 어떻게 적용되는지를 보여주고 있다.

Chiasm(교차대구법)

이것을 더욱 흥미롭게 만들기 위하여 바울은 하나의 교차대구법 내에 이 열거법을 썼다! 좀 복잡하게 느껴질 것이다. 교차대구법이 도대체 무엇인가? 교차대구법은 저자가 요점을 말하고 난 후 한두 개의 다른 요점을 말하는 유형으로, 아이디어 A, B, C, D 그리고는 거꾸로 아이디어 D, C, B, A로 이어진다.

저자는 대구법 안에서 한두 가지 요점이나 혹은 여러 요점을 설명할 수 있다. 그러나 모든 대구법 안에서 후반부는 전반부의 반영이다. 이런 종류의 글을 살펴보는 또 다른 방법은 아래에서 보는 바와 같이 중앙에 논쟁의 주안점이 놓인 아치로 비교하는 것이다.

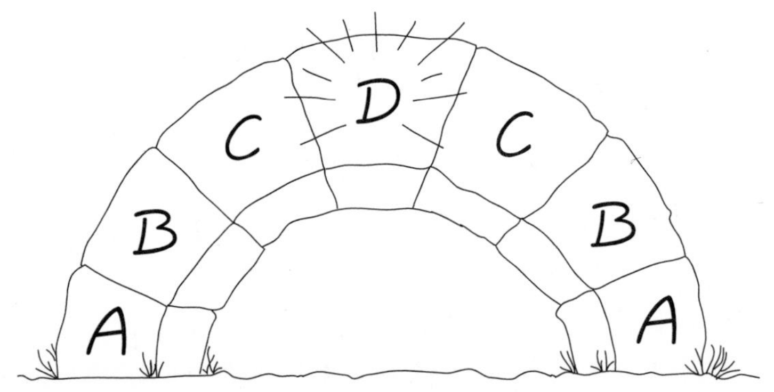

바울은 교차대구법을 즐겨 사용하였다. 희랍이나 로마, 유대의 저자들도 동일하게 즐겨 사용했다. 참으로 창조주 하나님은 이 세상을 교차대구적인 구조로 충만하게 하셨다. 예를 들어, 인간의 몸은 하나의 대구를 이룬다. 당신이 팔을 양편으로 쭉 펼쳐보면 그 사실을 확인할 수 있을 것이다.

중요한 핵심은 중앙부에 위치한다. 만약 손가락을 잘라 버린다면 매우 고통스럽긴 하겠지만 목숨을 잃지는 않는다. 그러나 목을 자른다면 인간은 죽게 된다.

교차대구법

구조와 내용

이제 다음 면에 도표로 그려져 있는 고린도전서 14:26—40을 보면서 바울이 고린도 교회의 잘못을 정정하기 위해 열거법과 교차대구법을 어떻게 사용했는지 살펴보자. 또한 그가 여자에 대한 의견을 중심부에 둠으로써 이 구절에서 그것을 가장 중요하게 여겼음을 보여주고 있음을 주목하자.

네 번째 실마리—바울은 반대되는 의사를 인용하고 있는가?

표에서 "여자가 교회에서 말하는 것은 부끄러운 것임이라"는 문장을 따옴표 안에 넣음으로 NIV의 마침표를 변경시켰다. 고대 희랍어에는 구두점이 존재하지 않았기 때문에 원본에는 따옴표가 없었다. 모든 구두점은 현대의 번역자들이 신중하게 연구한 후에 삽입한 것이다.

35절에서 바울이 자신의 견해가 아니라 고린도에 있는 어떤 신자들의 의견을 인용하고 있음을 알 수 있는 3가지의 표시가 있다.

1. 바울의 교차대구법에 부합되는 구조
2. 이 구절에서 그가 주장했던 개념
3. 고린도전서 전체에서 바울이 반복하여 사용한 인용 구절

고린도전서 14:26-40[6]

C1
[34]여자는 교회에서 잠잠하라 저희의 말하는 것을 허락 함이 없나니 율법에 이른 것같이 오직 복종할 것임이 요 [35]만일 무엇을 배우려거든 집에서 자기 남편에게 물을지니

B1
[29]예언하는 자는 둘이나 셋이나 말하고 다른 이들은 분변할 것이요 [30]만일 곁에 앉은 다른 이에게 계 시가 있거든 먼저 하던 자는 잠잠할지니 라 [31]너희는 다 모든 사람으로 배우게 하고 모든 사람으로 권면을 받게 하기 위하여 하나씩 하나씩 예 언할 수 있느니라 [32]예언하는 자들의 영이 예언하는 자들 에게 제재를 받나니

A1
[27]만일 누가 방언으 로 말하거든 두 사 람이나 다불과 세 사람이 차서를 따라 하고 한 사람이 통역할 것이요 [28]만일 통역하는 자가 없거든 교회에서 는 잠잠하고 자기와 및 하나님께 말할 것이요

C2
[35]"여자가 교회에서 말하는 것은 부끄러운 것임 이라" [36]하나님의 말씀이 너희에게로부터 난 것 이냐 또는 너희에게만 임한 것이냐 [37]만일 누구 든지 자기를 선지자나 혹 신령한 자로 생각하 거든 내가 너희에게 편지한 것이 주의 명령인 줄 알라 [38]만일 누구든지 알지 못하면 그 는 알지 못한 자니라

B2
[39]그런즉 내 형제들아 예언하기를 사모하며

A2
방언 말하기를 금 하지 말라

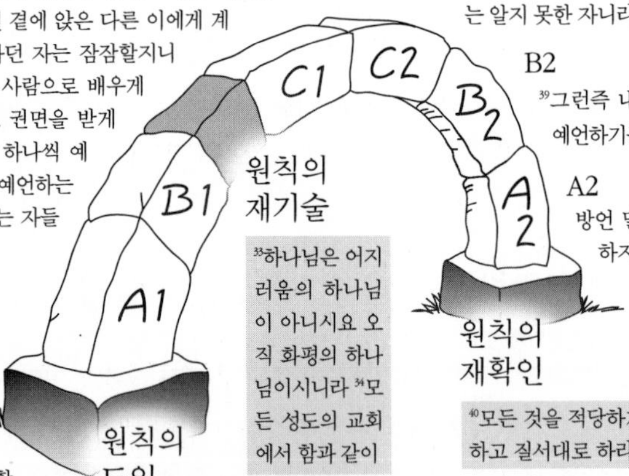

C1 C2 B1 B2 A1 A2

원칙의 재기술

[33]하나님은 어지 러움의 하나님 이 아니시요 오 직 화평의 하나 님이시니라 [34]모 든 성도의 교회 에서 함과 같이

원칙의 재확인

[40]모든 것을 적당하게 하고 질서대로 하라

원칙의 도입

[26]그런즉 형제들아 어찌할꼬 너희가 모일 때에 각각 찬송시도 있으며 가 르치는 말씀도 있으며 계시도 있으며 방언도 있으며 통역함도 있나니 모든 것을 덕을 세우기 위하여 하라

바울은 이 서신서로 고린도 교회를 지도하기 위해 많은 인용을 했다. 구약 성경[7]과 예수님의 말씀[8]과 희랍의 극작가 메난더의 글[9]과 랍비의 가르침에서 유래된 듯한 격언[10]을 인용했다. 심지어 바울은 고린도에 있던 믿지 않는 자들과[11] 믿는 자들의[12] 말까지 인용했다. NIV 번역자들은 이 모든 인용 구절을 분명히 알고 따옴표를 사용했다. 그러나 나는 그들이 한 글자로 된 희랍 단어를 바로 파악하지 못함으로 인해 중요한 것을 놓쳤다고 생각한다.

다섯 번째 실마리-작은 희랍 단어가 커다란 차이를 만든다

그리스도인 학자들은 바울이 어느 부분에서 타인들의 말을 인용하고 있는지를 분명히 밝혀보려고 노력해왔다. 그가 다른 사람의 의견을 인용할 때 사용했던 중요한 표시는 ἢ(에)라는 아주 작은 단어다. 바울은 고린도전서에서 이 작은 희랍 단어를 49번 사용했다.[13]

비록 그것이 다양하게 사용됐지만 바울은 대부분 '기존 상황에 대한 반대'[14] 라는 감정적인 반박으로 사용했다.[15] 희랍어 학자들은 그것을 '분리 조사(expletive of disassociation)' 라고 부른다. ἢ에 가장 가까운 의미는 '뭐라고?', '말도 안 돼!', '절대로 아니야!' 등이다. 바울이 질문의 서두에 ἢ를 도입했을 때 아마도 이러한 의미로 사용했을 것이다. 그는 고린도전서에서 ἢ로 시작하는 14개의 질문을 던졌다. NIV 성경은 대개 ἢ를 번역하지 않고 넘어갔다. 그 단어가 지적인 것보다는 정서적인 의미를 지니고 있기 때문이다.

그러나 바울이 던지는 질문에 사용된 각 ἢ를 '뭐라고?' 혹은 '말도 안 돼!' 혹은 '절대로 아니야!' 라는 말로 대치한다면 의미를 좀더 명확하게 이해할 수 있다. 고린도에 있는 신자들에게 던졌던 질문에 ἢ를 사용하고 있다는 것을 주목하라.

→ 고린도전서 1:13 ἢ (절대로 아니야!) 바울의 이름으로 너희가 세

례를 받았느뇨?
→ 고린도전서 6:2 ἢ (뭐라고?) 성도가 세상을 판단할 것을 너희가 알지 못하느냐?
→ 고린도전서 6:9 ἢ (말도 안 돼!) 불의한 자가 하나님의 나라를 유업으로 받지 못할 줄을 알지 못하느냐?
→ 고린도전서 6:16 ἢ (뭐라고?) 창기와 합하는 자는 저와 한 몸인 줄을 알지 못하느냐?
→ 고린도전서 6:19 ἢ (말도 안 돼!) 너희 몸은 너희가 하나님께로부터 받은 바 너희 가운데 계신 성령의 전인 줄을 알지 못하느냐?
→ 고린도전서 7:16 ἢ (뭐라고?) 남편된 자여 네가 네 아내를 구원할는지 어찌 알 수 있으리요?
→ 고린도전서 9:6 ἢ (말도 안 돼!) 어찌 나와 바나바만 일하지 아니할 권이 없겠느냐?
→ 고린도전서 9:7 ἢ (절대로 아니야!) 누가 양떼를 기르고 그 양떼의 젖을 먹지 않겠느냐?
→ 고린도전서 9:8 ἢ (말도 안 돼!) 율법도 이것을 말하지 아니하느냐?
→ 고린도전서 9:10 ἢ (절대로 아니야!) 전혀 우리를 위하여 말씀하심이 아니냐?
→ 고린도전서 10:22 ἢ (말도 안 돼!) 우리가 주를 노여워하시게 하겠느냐?
→ 고린도전서 11:22 ἢ (뭐라고?) 너희가 하나님의 교회를 업신여기고 빈궁한 자들을 부끄럽게 하느냐?
→ 고린도전서 14:36a ἢ (말도 안 돼!) 하나님의 말씀이 너희에게로부터 난 것이냐?

→ 고린도전서 14:36b ἤ (뭐라고?) 너희에게만 임한 것이냐?

고린도전서 14장 36절의 빠른 연속에서 바울이 어떻게 이와 같은 분리 조사를 사용했는가를 주목하라. 이것을 열거법과 교차대구법을 복합시킨 바울의 정교한 구조에 연결시키면 필경 바울이 고린도에 있던 신자들 중 몇 사람들의 말을 인용하고 있었음을 알 수 있다. 바울은 '여자가 교회에서 말하는 것은 부끄러운 일이다' 라고 주장했던 사람들의 말에 동의하고 있지 않았다.

하한선—덕을 세우기 위하여 질서를 지키라

고린도전서 14:26—40을 다시 한번 살펴보자. 그것이 잘 구성된 완전한 글이라는 사실을 우리는 이미 살펴보았다. 이곳의 중심적인 메시지는 무엇인가? 그것은 바로 하나님은 질서의 하나님이라는 사실이다.

질서 있는 예배에 익숙해져 온 우리에게 바울의 가르침은 너무나 당연한 것처럼 들리기 쉽다. '한 사람씩' [16] 말하고 차례대로 말하는[17] 것이 통용된 예절인 것처럼 보이지만 고린도에 있는 새신자들에게 이것은 당연한 것이 아니었다. 그들은 좋은 예배를 우상에게 드리는 제사처럼 생각했다. 디오니소스, 아프로디테, 고린도의 다른 신들을 숭배해왔던 사람들에게 '하나님은 어지러움의 하나님이 아니시다' [18]라는 바울의 가르침은 매우 혁신적인 것이었다. 많은 이방 숭배자들은 소란과 혼돈의 극치를 이루었다. 그들에게 있어 영성은 소리의 크기와 비례하는 것이었다. 소란스러우면 소란스러울수록 신들의 즐거움이 증가되고 제사가 '기름부음' 을 받는 것이었다. '덕을 끼치는 것' 이 전혀 자신들의 목적이 아니었기 때문에 이방 사교의 신봉자들은 질서나 절제를 중요하게 여기지 않았다. 바울의 의도는 그 모든 것을 변화시키는 것이었다.

하나님이 어떤 분이신가가 중요하다

바울은 고린도에 있는 신자들을 위해 가장 초보적인 기초—하나님의 성품을 중심으로 한—를 잡아야 했다. 하나님은 질서의 하나님이셨기 때문에 사람들 또한 서로에게 덕을 끼치기 위하여 사려 깊고 질서 정연하게 참여해야 하는 것이다. 회중 예배의 목적은 감정적인 폭발이 아니라 모든 사람에게 덕을 끼치는 교제다. 참여하는 사람들은 그리스도의 몸 전체의 유익을 염두에 두어야만 했다. 바울 서신의 중심적인 내용은 '이 모든 것은 교회를 힘있게 하기 위해 행해져야 한다'[19]이다.

그리고 나서 바울은 덕스럽고 질서 있는 참여를 이루기 위해 교정을 받아야 할 세 부류의 사람들에 대한 특정한 실례를 들어서 이와 같은 일반적인 원칙을 설명했다.

1. 방언을 말하는 자들[20]
2. 예언을 하는 자들[21]
3. 교회 안의 여자들[22]

바울은 참여를 금지하는 것이 아니었다. 그는 모든 사람이 참여하기를 원했다. 다만 모든 사람의 덕을 위하여 질서 있게 하기를 원했던 것이다.

고린도에 있는 교회에서 바울은 두 극단적인 부류의 사람들을 보았는데 한 부류는 '마구잡이' 경배학교였다. 이들 초신자들은 예배를 방해하고 있었는데 아마도 소란과 혼돈으로 숭배했던 이방 종교의 관습을 도입한 것 같다. 바울은 그들이 빚어내는 무질서를 수정했다. 또 다른 극단적인 부류는 '모두 금지' 사상학교였다. 이들은 참여를 제한하려고 했다. 바울은 그들에게 동조하지 않았다. 그는 26절에서 각 사람이 자신의 사역 은사에 따라 기여함으로 교회의 사역에 관여하기를 원했다.

방언을 하는 사람들, 예언을 하는 사람들, 교회 안의 여자들의 세 종류의 실례를 살펴보면서 바울이 이들 부류를 두 번씩 언급하고 있음을 주목하라. 그는 이 세 부류를 향하여 각각 그들의 무질서하고 주제 넘는 무분별한 교제를 바꾸도록 했다. 그리고 나서 그는 이 세 부류에 대해 거꾸로 거슬러 올라가며(교차대구법을 사용했기 때문에) 그들에게 절대로 침묵할 것을 명령했던 사람들을 바로 잡으면서 교회 안에서 질서 있게 교제할 수 있는 그들의 권리를 옹호했다.

그러므로 처음 등장하는 세 가지 실례는 그들이 사역할 수 있는 자유를 남용하던 사람들을 향한 지침이었다. 두 번째 등장하는 세 가지 실례는 모든 섬길 수 있는 자유를 제한하든지 혹은 전적으로 금지하려는 사람들로부터 보호하려는 것이었다. 바울은 자신의 두 가지 생각을 이렇게 펼쳤다.

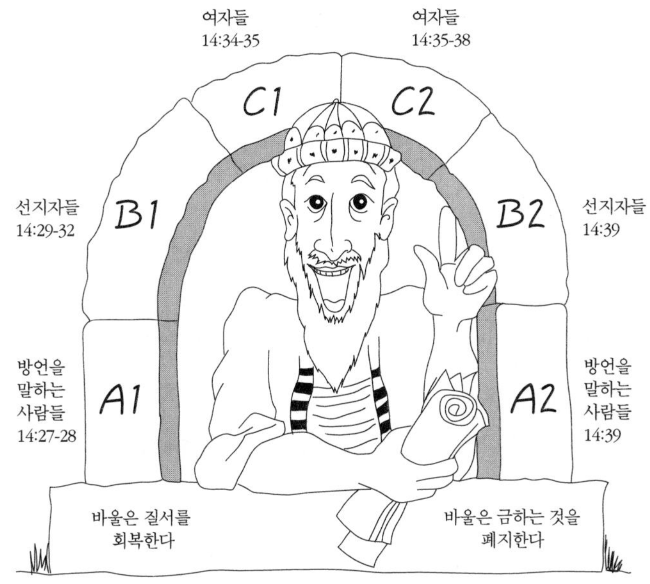

고린도전서 14:27-39

자, 이제는 고린도 교회의 예배 중에 혼잡을 초래했던 여자들을 향한 바울의 지침을 특별히 주목해 보자.

15
어떻게 섬기는가를 배운다
(고린도전서 14:26—40 제2부)

데이비드 해밀턴

이 구절에서 여자들을 향한 바울의 첫 마디는 교훈이다. 그는 "여자는 교회에서 잠잠하라 저희의 말하는 것을 허락함이 없나니 율법에 이른 것같이 오직 복종할 것이요 만일 무엇을 배우려거든 집에서 자기 남편에게 물을지니."[1]

여자들은 잠잠하라는 바울의 명령은 오랫동안 많은 토의의 주요 관점이 되어왔다. 그러나 많은 사람들이 이 명령이 별도로 존재하지 않는다는 사실에 주의를 기울이지 않는다. 바울은 바로 이 구절에서 이미 잠잠할 것을 요구하는 동일한 명령을 두 번이나 했었다. 그는 예배를 방해하는 여러 종류의 개인이나 무리들에게 잠잠하라고 말했다. 이와 같은 세 개의 명령은 각각 고린도의 예배가 '평강의 하나님' 의 성품을 반영하고 참석한 모든 이들에게 덕을 세우도록 하기 위한 것이었다.

바울은 잠잠할 것을 반복해서 명하고 있다. 그러나 NIV 번역본은 반복되고 있는 이 명령의 효과를 약화시켰다.

→ 방언을 말하는 자들 "잠잠하고"(28절)(NIV—should keep quite)
→ 예언하는 자들 "잠잠할지니라"(30절)(NIV—should stop)
→ 여자들 "잠잠하라"(34절)(NIV—should remain silent)

이것은 세 가지의 다른 명령인 것처럼 보이지만 사실은 그렇지 않다. 바울은 각 그룹에게 동일한 말을 반복하고 있다. 그는 28절, 30절, 34절의 필연적인 연결성을 우리가 깨닫도록 의도했다. 바울의 반복적인 대칭을 보기 위해서는 내용을 아래와 같이 번역해야 한다.

→ 방언을 말하는 자들 잠잠하라(28절)(be silent)
→ 예언을 하는 자들 잠잠하라(30절)(be silent)
→ 여자들 잠잠하라(34절)(be silent)

여자들을 향한 명령만을 빼내어 방언을 말하는 자들이나 예언을 하는 자들에게 주어진 명령보다 더 절대화하는 것은 옳지 않다. 처음 두 부류에게 했던 명령을 무시하고 세 번째 부류에게 주어진 명령에만 집착하는 이유는 무엇인가?

처음 두 가지의 예를 살펴보자. 방언을 말하는 자들이나 예언하는 사람들을 향한 바울의 '잠잠하라' 는 명령은 '절대적이며, 영구적이며, 상황에 상관없이 언제나 적용되는' 명령이 아니었다는 것은 확실하다. 그렇다! 동일한 구절에서 그는 '예언하기를 사모하며 방언 말하기를 금하지 말라"[2]고 말했다. 사역의 은사는 영구적으로 잠잠해야 하는 것이 아니라 "적당하게…질서대로"[3] 사용해야 하는 것이었다. 여자들에 관해서도 마찬가지다. 바울은 여자들에게 모든 공적인 사역을 삼가라고 말하고 있는 것이 아니다. 그러므로 그런 해석을 강요하는 것은 내용에 충실한 것이 아니다.

잠잠하라는 것

세 구절에서 '잠잠하라' 는 것은 "모든 사람으로 배우게 하고 권면을 받게 하기 위하여"[4] 순서를 지키는 것[5], 서로의 말을 경청하는 것, 절제하는 것과[6] 관계가 있다. 방언을 말하는 사람들과 예언하는 사람들은 모든 것이 '교회에 덕을 세우기 위하여'[7] 때로는 참여하고 때로는 잠잠할 필요가 있었다. 이와 동일한 것이 여자들에게도 적용된다.

우리가 만약 이 구절을 신중하게 살펴본다면 34절의 명령 이전까지는 여자들은 언제나 잠잠할 것을 요구받았음을 알 수 있다. 방언을 말하는 사람들[8]과 예언을 하는 사람들 중에는 분명히 여자들이 있었을 것이다.[9] 그러므로 바울이 처음 두 부류의 사람들에게 잠잠하라고 명했을 때 그는 남자들로만 구성된 사역자들을 대상으로 말하고 있었던 것이 아니다. 다시 말해서 교회 사역시 성별을 따지지 않았다는 사실이 이 구절 전체를 통하여 분명히 드러나고 있다.

바울은 "그런즉 형제들아 어찌할꼬 너희가 모일 때에 각각 찬송시도 있으며 가르치는 말씀도 있으며 계시도 있으며 방언도 있으며 통역함도 있나니"[10] 라고 강조함으로 이 부분을 시작했다. '각각' 이란 말은 성별의 제약이 없음을 말한다. 바울은 남자와 여자들이 온전하게 '계시' 와 '방언'[11]—이곳에서 다루어지는 두 가지의 주요 주제—을 포함하는 사역에 종사할 것을 기대했다.

바울이 여자들에게 사역하는 방법을 가르칠 필요가 있었다는 사실은 그들이 사역을 하고 있었다는 사실을 확인시켜 주는 것이다. 만약 바울이 여자들에게 사역할 수 있는 자유를 부여하고 있지 않았다면 그들이 잘못된 방법으로 사역을 할 수조차 없었을 것이다. 여자들은 이와 같은 자유를 어떻게 바로 사용해야 할지 몰랐기 때문에 바울의 가르침을 받고 있는 것이다.

바울은 왜 여자들을 가르치고 있었는가?

우리가 전체 그림에 대한 모든 정보를 갖고 있지 못한 상태에서 고린도 교회의 배경을 재구성하는 것은 어렵다. 하지만 바울이 '여자는 잠잠하라' 고 언급한 것에 대해 몇 가지 이유를 생각해보자. 아래에 열거된 것은 고린도의 질서 있는 예배를 방해할 소지가 있는 것들이다.

- 남자들과 마찬가지로 여자들도 다른 사람들에 대한 배려가 없이 무절제하게 섬겨왔을 수 있다.
- 여자들이 교육을 받지 못했기 때문에 부당한 질문을 던짐으로 예배를 방해했을 수 있다.
- 여자들 중 어떤 사람들은 전에 이방 종교에서 하던 대로 돌아가 큰 잡음을 냄으로 예배를 방해했을 수 있다.

이방 종교에서 여자들은 예식 중에 울부짖거나 고함을 지를 뿐이었다. 만약 당신이 중동 지역으로 여행해 보았거나 혹은 「나의 딸과 함께」나 「아라비아의 로렌스」라는 영화를 보았다면 당신은 여자들의 울부짖음을 들어 보았을 것이다. 그것은 전에 전혀 들어 본 적이 없는 아주 이상한 소리였을 것이다. 여자들은 수천 년 동안 즐거움이나 슬픔을 이렇게 소리를 질러 표현했다. 호머 시대 이후로 작가들은 울부짖음을 묘사해왔다. 이방 남자들은 여자들이 이같은 배경 음향을 제공하는 가운데 우상 숭배 예식을 진행하고 제사를 드렸다. 바울은 모든 사람들이 사역할 수는 있으나 혼잡한 이방 종교식이 아니라 질서 있게 섬겨야 한다고 생각했다.

바울은 여자들에게도 발언권을 주었다

이 구절의 목적은 사역을 제한하려는 것이 아니라 오히려 격려하려는 것이다. 바울은 이 개척 교회 안에서 어떻게 사역할 것인지를 초신자들에게 가르치기를 원했다. 그는 앞서 남자와 여자를 포함한 모든 사람들이 "찬송시, 혹은 가르치는 말씀, 계시, 방언, 통역함"[12]에 참여할 자세를 갖추기를 원했다. 참된 사역을 권장하기 위해서 바울은 '잠잠하라'[13]는 세 가지의 명령을 통해 사역의 잘못된 형태를 수정하는 것이 필요함을 깨달았다. 바울의 목표는 사람들로 하여금 섬기도록 하는 것이었다.

이 구절에서 바울이 두 번이나 사람들에게 '발언할 것'[14]을 명령했던 것도 이런 목적 때문이다. 이 명령이 남자들에게만 국한되어 있었다는 표시가 본문에는 나오지 않는다. 바울은 방언을 통해 사람들을 대표하여 하나님께 기도했던 모든 사람들 또는 예언을 통하여 사람들에게 하나님을 대변했던 모든 사람들을 대상으로 말하고 있다. 그리고 우리가 아는 대로 교회의 이 두 가지 전략적인 사역에 남자와 여자 모두가 참여했었다.[15]

누구에게 복종하는가?

다음으로 바울은 여자들에게 '복종하라'[16]고 명했다. 그러나 그는 누구에게 복종해야 할 것인지에 대해서는 밝히지 않았다. 이 동사가 사용되었던 신약성경의 38군데 중 이 부분만 복종의 대상이 명확하지 않다.[17] 이것은 유일한 경우다!

물론 어떤 사람들은 남편들이 언급되어 있는 다음 구절로 넘어가서 바울이 여자들에게 자신의 남편에게 복종할 것을 명했다고 가정할 것이다. 그러나 이 구절에서는 여태까지 남편과 아내의 관계에 대하여는 한 번도 언급된 적이 없다. 이것은 교회 내의 대중 예배에 대한 결론 부분이라는 것을 염두에 두라.[18] 물론 남편에 대한 언급이 다음 구절에 등장하지만 지금 이 구절의 주제는 결혼이 아니라 사역이다.

바울은 심중에 다른 생각을 갖고 있었던 것 같다. 바울이 새롭게 쓴 동사 '복종하다' 와 연결했던, 이전에 나온 구절들에 쓰인 명사를 살펴보자. 다시 말하면 이 여자들은 누구에게 복종해야 하는가? 가능한 대상으로 3개가 있다. 첫째는 교회, 둘째는 하나님, 마지막으로 자신들이다. 이것들을 각각 살펴보기로 하자.

첫 번째 가능성 — 교회

맨 마지막으로 언급된 명사는 '모든 성도의 교회' 혹은 그와 유사한 '회중의 교회'[19]다. 만약 이것이 바울이 의도했던 명사였다면 바울은 여자들에게 그들이 사역의 은사를 사용하는 동안 교회의 질서나 교회의 지도자들에게 복종할 것을 요구하고 있다. 이것은 그가 방언을 말하는 사람들이나 예언하는 사람들에게 요구했던 것과 동일한 것이다. 예배에 질서와 덕이 있으려면 남자든 여자든 사역을 할 때 교회 지도자들에게 복종해야 하는 것이다.

두 번째 가능성 — 하나님

조금 더 앞으로 거슬러 올라가면 "하나님은 어지러움의 하나님이 아니시요 오직 화평의 하나님이시니라"[20]에서의 '하나님' 이란 명사를 보게 된다. 성별을 막론하고 우리 모두는 그분께 무조건 복종해야 한다. 하나님께 복종하게 될 때 그분을 닮아가게 되고, 고린도의 예배 중에 일어나고 있던 모든 일들을 바로잡을 수 있는 질서와 평강을 믿게 되는 것이다.

40절에 등장하는 '질서대로' 라는 말이 '복종하다' 라는 말과 동일한 희랍어 어근에서 유래된 사실은 흥미롭다. 복종과 질서는 매우 긴밀한 관계를 가지고 있다. 바울은 각 사람이 복종하는 태도를 갖지 않는 한 교회 안에서 질서를 유지할 수 없다고 말하고 있다.

세 번째 가능성 — 자신들

본문을 더 거슬러 올라가 살펴본다면 '복종하다'와 매우 비슷한 동사가 사용되었던 구절을 발견할 수 있다. 고린도전서 14:32에서 바울은 "예언하는 자들의 영이 예언하는 자들에게 제재를 받나니"[21]라고 말했다. 영적인 은사의 사용에는 절제가 동반한다. 하나님의 영에 의한 예언의 말씀은 이교도의 제사에서 등장하는 혼잡하고 무절제한 발언과는 완전히 다른 것임을 바울은 보여주었다. 예언하는 사람은 자신의 영을 제재해야 하는 것이었다. 여기서도 복종이 여자들에게만 국한되어 있지 않음이 드러난다. 바울은 교회 안에서 섬기는 자는 누구나 그 삶 가운데서도 이런 복종이 있어야 한다고 말하고 있다.

앞에서 열거한 다른 가능성들 모두가 합리적으로 보이고 각각 구절의 내용에 부합된다. 그리고 사역하는 남녀 간의 상호 관계에 관해 우리가 알고 있는 것과 일치된다. 그렇다면 이 세 가지 중 바울이 의도했던 것이 무엇인지 어떻게 알 수 있는가? 바울은 그것을 우리의 상상에 맡기지 않았다. 그는 "율법에 이른 것같이"[22]라는 구절을 사용하여 자신이 요구했던 복종을 정의했다. 이것은 바울이 여기에서 결혼 생활에 대하여 언급하고 있다는 가능성을 완전히 배제하는데, 여기에서 구약의 어느 곳에서도 아내가 남편에게 복종해야 한다는 가르침을 찾아볼 수 없기 때문이다. 이것이 당신에게 놀랍게 들릴지는 모르겠지만 히브리 성경을 신중하게 살펴보면 아내가 남편에게 복종해야 한다는 명령을 찾아볼 수가 없다.

어떤 이들은 하나님이 하와에게 "너는 남편을 사모하고 남편은 너를 다스릴 것이니라"라고 말씀하신 창세기 3장 16절을 이야기할지 모른다. 그러나 이 구절은 남자와 여자의 관계가 어떠해야 한다는 것을 말씀하고 있는 것이 아니다. 이것은 명령이 아니다. 하나님은 단순히 죄의 결과를 언급하고 계신 것이다. 하나님은 절대로 이 구절을 인간의 삶과 대인 관계의 지침으로 주시지 않았다. 이 구절에는 하와가 아담에게 복종해야 한다는 명령이 존재하지 않는다. 다만 죄의 대가로 하와의 삶에 커다란 영향이 있게 될 것을 알리고 있을 뿐이다.

바울은 어떤 율법을 말하고 있는가?

여자가 복종해야 하는 대상으로서 가능성이 있는 세 가지 즉, 교회, 하나님, 자신들을 고려해 보는 것으로 다시 돌아가 보자. 이들 중 오직 한 가지가 구약 성경의 기반을 갖고 있다. 시편 37:7은 "여호와 앞에 잠잠하고 참아 기다리라" 라고 명한다. 이 구절이 70인역에 어떻게 번역되었는가를 보는 것은 매우 흥미롭다.[23]

히브리어 성경(70인역)의 희랍 번역본을 준비했던 희랍어권 유대인들은 '잠잠함' 과 '복종' 사이의 놀라운 관계를 인식했다. 시편의 히브리어 내용에 하나님 앞에 잠잠하라는 언급이 세 군데 등장한다. 번역자들은 이것들을 각각 '자신을 복종시킨다' 라는 의미를 가진 희랍 단어로 표현했다. 원래의 의미는 하나님을 향한 정중함과 감수성이다.[24]

아마도 바울이 복종에 대해서 언급했을 때 그는 단순하게 '하나님을 기다림, 혹은 하나님을 향한 겸손한 마음'[25]에 대한 구약 사상을 염두에 두고 있었는지도 모른다. 만약 그랬다면 바울은 자신이 남자들에게 요구했던 것과 동일한 것을 여자들에게 요구하고 있는 것이다. 그는 여자들에게, '당신들은 복음에 있어서 동등한 일꾼으로 받아들여졌다. 당신들은 기도와 예언을 통하여 섬길 수 있는 특권을 부여받았다. 과거에 회당이나 희랍과 로마의 성전에서는 당신들이 참여하는 것이 허용되지 않았었다. 그러나 이제는 이중적인 기준이 더 이상 존재하지 않는다. 당신들에게 그리스도 안에서의 자유함이 있다. 그러나 우리가 남자들로부터 기대하는 것을 당신들에게서도 기대한다. 당신들은 사역에 종사할 권리가 있지만 책임 있게 하지 않으면 안 된다. 무질서하고,

혼잡하며, 무례하고, 불순종한 방법으로 사역하는 것을 중단하라. 그리스도의 몸 전체에 덕을 세우기 위하여 질서 있고 하나님께 순종하는 방법으로 행해야 한다.'

바울은 멋진 일을 해낸다

그 다음에 바울은 기상천외의 발언을 했다. "만일 (여자가) 무엇을 배우려거든 집에서 자기 남편에게 물을지니"라는 말은 종종 참여를 금지하는 말로 해석되기도 하나 실제로는 정반대다! 바울은 여자들의 배우려는 갈망을 격려하고 있었다. 그는 여자들에게 방관자로 머무르지 말고 그리스도의 몸 안에서 온전한 참여를 위해 자신들을 준비시킬 것을 촉구했다. 이런 발언은 그 당시 주변의 모든 문화에 비하면 파격적인 것이었다. 희랍인이나 로마인 가운데 여자들은 교육의 기회가 아주 적었거나 전무했다. 유대인들 또한 여자들이 정규 종교 훈련을 포함하여 공부하는 것을 허락하지 않았다.

바울은 이것에 동의하지 않았다. 그는 여자들에게 배움의 기회가 주어지길 바랐다. 그래서 그는 남편들에게 자신들을 가르쳐 줄 것을 청하라고 여자들에게 명령했다. 그는 여자들의 교육받을 권리를 옹호했다. 그는 여자들이 수세기 동안 꿈꾸어 왔던 문을 개방했다. 그러나 여자들은 다른 사람이 기도하거나 예언하는 중이나 혹은 공적인 사역이 진행되는 예배 중이 아니라 적합한 환경에서 이와 같은 질문을 해야 했다.

바울의 말은 남자들에게도 지진과 같은 충격을 주었다. 여자들을 향한 가르침은 남편들로 하여금 아내들이 교육받을 수 있는 기회를 제공해야 한다는 것을 암시했기 때문이었다. 태초 이후에 남자들에게 그런 의무가 부여된 적은 없었다! 여자들이 교육을 받을 수 있는 여자 훈련원이나 여자 대학교 같은 기관은 존재하지 않았다. 아내들을 속히 가르치기 위해 자신의 가치관을 재정비하여 아내를 교육시키기 위해 시간을 할애하는 것은 고린도에 있던 교회의 남편들에게 달려있는 것이었다. 남자들이 이에 대한 개인적인 책임이 있음을 바울은 분명하게 밝혔다. 만약 그들의 아내가 배우고자 한다면 남편은 그들을 돕는 데 최선을 다해야 하는 것이었다.

이것은 교회 생활에 대한 바울의 가르침의 자연스러운 해석이다. 바울은 덕을 세우고, 배우고, 성숙해야 하는 초신자들의 필요를 반복해서 언급했다. 그는 그들이 무지한 채로 남아있기를 원하지 않았다.[26] 그들이(물론 여자들을 포함해서) 서로를 세워주고 교회를 든든히 하기 위해[27] 영적인 은사들을 사용하기를 바울은 원했다. 그는 "남을 가르치기 위하여"[28] 대중 앞에서 은사들을 사용하는 것을 선호한다고 말했다. 그는 남자와 여자를 포함한 모두에게 영적으로 성장하고, 지혜에 있어서는 어린아이가 되지 말고[29] 장성한 사람이 될 것[30]을 촉구했다. 그가 언급한 목표는 '성별을 막론한 모든 사람으로 배우게 하고 권면을 받는 것'[31]이었다.

바울은 여자들이 이와 같은 과정에서 소외되지 않도록 배려했다. 그는 여자들이 불리한 위치에 있었음을 알고 있었다. 그들의 문화 때문에 여자들은 하나님 나라에 들어오는 데 교육적인 제재를 받고 있었다. 바울의 가르침은 그런 것을 폐지시키려는 것이었다. 남편의 도움을 받아 여자들이 남자들과 동등한 동역자로서의 기능을 발휘할 수 있게 하려는 것이었다.

이것이 오늘을 사는 우리에게는 사소한 일로 보일지 모르지만 바울의 시대에는 엄청난 것이었다. 바울이 여자도 공부할 수 있는 길을 열어 주었을 때 그는 그 문화라는 빵 반죽 안에 수세기에 걸쳐 확장되어갈 누룩을 섞었던 것이다. 그는 여자들로 하여금 하나님이 그들을 향해 가지고 계신 목적을 달성할 수 있도록 해준 것이었다. 그가 예배를 방해하는 여자들을 가르치고 있지만 그는 여자들의 생활의 질을 향상시켜 주었다. 그의 말은 여자들을 어떤 편협적인 역할 안에 제약시키는 권위주의적인 책망이 아니었다. 그 반대로 그가 언급한 것은 사회가 소외시키고 등한시했던 사람들을 위한 새로운 기회를 열어 주는 바울의 인자한 지도력을 보여주는 것이다.

바울은 사역하는 여자들을 옹호했다

다음으로 바울은 혼잡을 빚어내는 사람들을 훈계하는 것(교차대구법의 전반부)으로부터 각 사람의 사역할 수 있는 권한을 옹호하는 것(후반부)으로 초점을 이전시켰다. 그는 사람들의 참여 권한을 고집스럽게 부인하는 사람들을 훈계했다.

앞장에서 살펴본 것에 의하면 고린도 교회 안에 두 가지의 사상이 지배적이었음을 기억할 것이다. '마구잡이' 경배학교에 대하여 언급한 후에 바울은 '모두 금지' 사상학교에 관해 언급했다. 전자는 개인이 예배 중에 참여하는 것에 대해 전혀 개의치 않았으며 후자는 개인적인 참여를 절대로 허락하지 않았다. 바울은 '여자가 교회에서 말하는 것은 부끄러운 것이다' 라는 언급을 하기에 이르렀다.

'부끄러운' 이라고 번역되었던 희랍 단어는 신약 성경에서 단지 세 군데에 등장한다.[32] 바울이 이곳에서, 그리고 우리가 살펴보았던 첫 번째 난해한 구절에서 이 단어를 사용했다는 사실은 우리가 그것을 해석하는 데 도움이 된다. 고린도전서 11:7b에서—여자가 기도하고 예언한다는 배경하에—바울이 여자가 남자의 영광이며, 수치의 근원이 아니라 기쁨의 근원이며, 불명예의 근원이 아니라 긍지의 근원 됨을 설명하며 여자들을 인정해준 것을 보았다. 그러므로 여자가 교회에서 말하는 것은 부끄러운 일이라는 이 진술은 바울이 지지했던 발언이 아님이 분명하다.

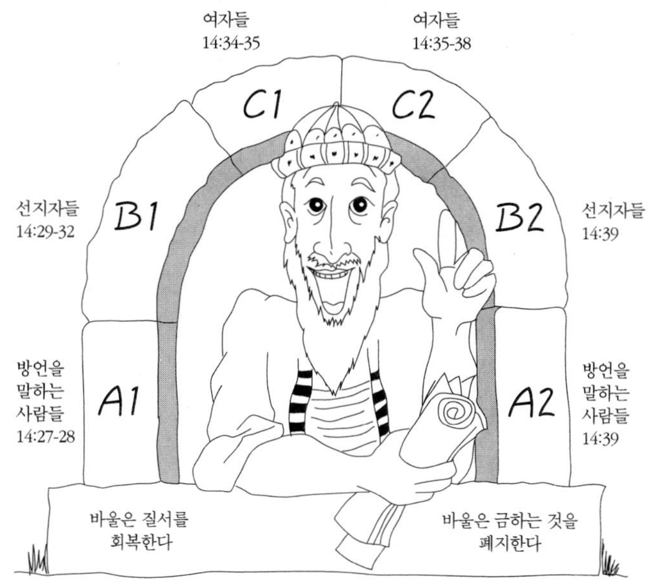

고린도전서 14:27-39

바로 앞에서 바울은 여자들에게 잠잠하라고 말했는데 그것은 그들이 말하는 것이 부끄러운 일이었기 때문이 아니라, 그들의 발언이 교회 안에 무질서를 야기시켰고 그리고 사람들에게 덕을 세우는 데 방해가 되었기 때문이었다. 바울은 여자들을 금기시 한 것이 아니라 무질서가 금기라고 말하고 있는 것이다.

고린도 교회에서 여자들의 참여를 비난하는 사람들은 바울의 요지를 전혀 파악하지 못했다. 그들은 예수님이 의도하셨던 것들이 아닌 희랍, 로마, 유대 문화의 고루한 개념을 고집하고 있었다. 바울에 의해 인용되었던 말들이 어떻게 왜곡된 고대 사상을 깊이 반영하고 있는지 살펴보라.

→ 희랍인들은 '여자들은 잠잠히 복종하라'[33]고 말했다.

→ 아리스토텔레스는 '침묵은 여자에게 덕이다'[34]라고 말했던

소크라테스의 말을 반복했다.

여자에 대한 이와 같은 태도는 로마 시대에도 계속되었다.

⇀ 플루타크는 '집안에 남아서 잠잠히 있는 것이'[35] 여자가 마땅히 해야 할 역할이라고 말했다.

⇀ 로마의 한 극작가는 '결혼한 여자는 말없이 바라보고 소리 없이 웃을 것이며 목소리를 낮추고 말소리가 집에서 새어나가지 않게 해야한다'[36]라고 말했으며 또한 '여자의 말은 들을 가치가 없다'[37] 고 했다.

이와 같은 사고는 유대 랍비들에 의해서도 반복되었는데 그들은 여자들을 향해 이렇게 말했다.

⇀ '그대의 침묵은 그대의 발언보다 낫다.'[38]

⇀ '조용한 아내는 주님께서 주신 선물이다.'[39]

⇀ '여자의 음성은 선정적이다.'[40] 그러므로 '여자의 음성을 듣는 것은 음탕한 것이다.'[41]

바울은 '절대로 그렇지 않다!' 고 말한다

그렇다면 여자가 말하는 것은 부끄러운 일이라는 구식 아이디어를 다시 캐어내는 것에 대한 바울의 반응은 무엇인가? 바울은 '[ἢ (말도 안 돼!)]' 하나님의 말씀이 너희에게로부터 난 것이냐 [ἢ (뭐라고?)] 너희에게만 임한 것이냐?[42]라고 대응했다.

바울은 섬길 수 있는 권리가 자신들에게만 국한되어 있다고 생각하던 사람들의 주장을 반박했다. 하나님의 말씀은 편협적이고 남녀를 차별하는 어떤 계획에 의해 제약을 받지 않는다. 바울은 공적인 사역에 있어서 여자의 참여권에 대해 이미 분명하게 자신의 의견을 밝혔기 때문에 다른 사람들이 자신의 의견에 반대하는 것을 허락하지 않았다. "만일 누구든지 자기를 선지자나 혹 신령한 자로 생각하거든 내가 너희에게 편지한 것이 주의 명령인 줄 알라 만일 누구든지 알지 못하면 그는 알지 못한 자니라."[43]

그리고 나서 바울은 방언을 말하는 자들과 예언하는 자의 섬길 권리를 옹호해준다.[44] 이렇게 하여 그는 교차 대구를 완성시켰다. 그리고 나서 그는 40절에 나오는 자신의 주제 "모든 것을 적당하게 하고 질서대로 하라"로 돌아감으로 마무리지었다.

자, 여자들이 '잠잠해야' 하는가? 남자들과 마찬가지로 그들은 잠잠해야 한다. 여자들은 '찬송, 가르치는 말씀, 계시, 방언, 통역함'으로 섬기도록 준비해야 하는가? 남자들과 마찬가지로 여자들도 준비해야 한다. 여자들이 섬기는 동안 절제해야 하는가? 남자들과 마찬가지로 여자들도 절제해야 한다. 여자들이 섬길 때 다른 이들에게 덕을 세우기 위하여 자신들을 교육시켜야 하는가? 남자들과 마찬가지로 여자들도 자신들을 교육시켜야 한다. 왜냐하면 "하나님은 어지러움의 하나님이 아니시요 오직 화평의 하나님"이시기 때문이다.

16
여자가 가르치는 것을 허용하지 말라
(디모데전서 2:1—15 제1부)

데이비드 해밀턴

이제 사역과 여자에 관하여 세 번째로 난해한 구절을 살펴보기로 하자. 다시 한번 우리는 배경을 살펴보아야 한다. 만일 바울이 그의 수제자 디모데에게 무엇을 말하고 있는지를 알려면 바울이 어떤 상황에 대하여 언급하고 있는지를 먼저 이해해야 한다. 바울은 첫 번째 투옥과 두 번째 투옥 사이에 이 편지를 쓰고 있다. 디모데가 시무하고 있는 에베소 교회는 개척한 지 거의 십 년이 되어가고 있었다.[1]

음산하고 소름끼치는 매춘 지대

디모데가 에베소에서 당면하고 있었던 상황을 이해하기 위해서 그 도시 자체에 대해 아는 것이 필요하다. 디모데가 처음으로 에베소에 도착했을 때 그 도시는 위협감을 느끼기에 충분했다. 거대한 아데미(로마인들은 다이애나라고 불렀다)의 금 신상은 바다에서도 쉽게 볼 수 있게 하기 위해 신전의 기둥들 안에 위치해 있었다. 디모데가 항구에 도착해서 대리석 거리를 걸어 시 중심

가로 들어갈 때 아데미 신전은 모든 것 위에 군림하고 있었다. 그것은 고대 세계의 7가지 신비 중 가장 위대한 것이었다.[2]

신전을 건축하는 데만 120년이 걸렸다. 기초를 놓기 위해 산 하나를 전체 다 채석해야 했다. 그 신전은 올림픽 경기장보다 컸다. 신전에는 백 개의 대리석 기둥이 있었는데 그 기둥 하나는 5층짜리 건물 높이만큼 거대한 것이었다. 모든 것은 찬란한 색과 금으로 온통 장식되어 있었다.

디모데가 받은 그 다음 인상은 도덕적인 문란함이었다. 그 도시는 젖가슴을 드러내고 있는 24개의 풍요의 여신이 있었으며 또한 아시아의 위대한 어머니라고 알려졌던 아데미를 숭상하기 위한 세계적인 집결지였다. 신전에서 행해졌던 주신제와 여성들에게는 얼굴 붉히게 하고 남성들에겐 색정을 일으켰던 종교적인 매춘부들에 대한 이야기를 오비드는 기록으로 남겨놓았다.[3] 여기에 다른 신비적 종교들의 방탕한 의식, 마술, 로마의 황제 숭배가 더해졌다. 에베소가 정치와 교육의 중심지라고 알려져 있었지만 그 도시 경제의 대부분은 마술 활동에 기반을 두고 있었다. 세계 곳곳에서 순례자들이 수많은 신전들과 마술 활동에 참여하려고 몰려들었다.

바울과 그의 동료들은 에베소의 경제가 위협당할 정도로 매우 많은 사람들을 개종시켰다. 그들의 전도 사역은 아데미 숭배와 밀접한 관계를 가지며 금전적 풍요함을 누리던 사람들을 자극했다.[4] 바울과 그의 동료들이 떠나고 한참이 지나서도 에베소는 젊은 목사 디모데에게 커다란 영적 전쟁터로 남아 있었다.

외부로부터의 핍박, 내부의 이단

바울이 디모데에게 첫 번째 서신을 썼을 때 에베소에 있었던 교회는 큰 난관을 통과하고 있었다. 유대인들과 이방 종교 지도자들은 계속해서 초대교회를 핍박했다. 설상가상으로 교회 내의 거짓 교사들이 이단을 퍼뜨리는 등 디모데는 여러 가지 난관에 봉착해 있었다.

자, 바울이 보낸 편지의 큰 그림을 보자.

디모데전서의 개요

바울이 '믿음 안에서 참 아들된' 디모데에게 보냈던 이 편지를 읽으면 두 가지를 알 수 있다.

→ 디모데에 관한 바울의 관심

→ 에베소 교회에 대한 바울의 관심

이 두 가지는 바울이 그 서신을 쓰는 데 사용한 방법에서 드러난다. 바울은 디모데 개인에게 주는 가르침과 교회의 사역에게 주는 가르침의 두 주제를 계속적으로 번갈아가며 다루고 있다. 우리가 앞에서 살펴본 바와 같이 이같은 저술 방법은 문학적 교환, 또는 A—B—A—B 구조라고 불린다.

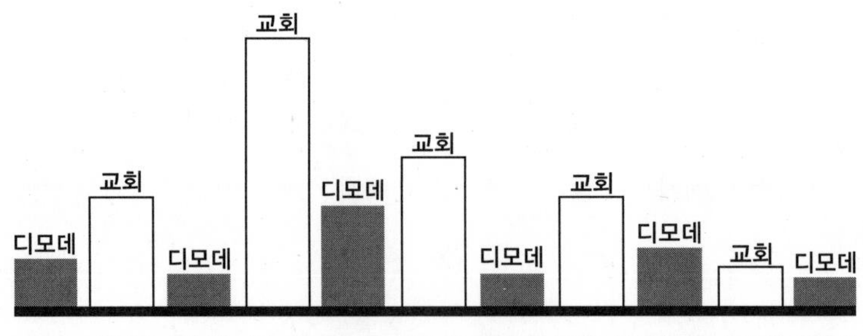

디모데전서 개요

바울이 디모데에게 주는 개인적인 가르침과
교회에게 주는 일반적인 가르침의 상호 교환

바울이 가장 중요하게 생각했던 것

디모데에게 보낸 첫 번째 서신은 디모데를 향한 관심과 교회를 향한 관심이 교대로 쓰여진 형태를 가졌다. 우리가 이들 열한 부분을 살펴보면 바울이 특정한 한 부분을 다른 어떤 부분보다 강조했음을 명확하게 볼 수 있다. A—B—A—B 구조 가운데서 가장 긴 부분은 디모데전서 2장 1절부터 디모데전서 4장 5절까지인데 바울은 여기에서 에베소 교회에 대한 우려를 표명하고 있다. 우리가 난해하게 여기는 구절인 디모데전서 2장 1절부터 15절은 이 부분에 포함되어 있다.

다른 두 곳의 난해한 구절과 마찬가지로 구조를 먼저 살펴보는 것이 도움이 된다. 바울은 A—B—A—B 구조 안에서 또다시 열거법과 교차대구법을 사용했다. 전반적인 원리는 하나님은 모든 사람을 구원하기 원하신다는 것이며 특정한 실례는 하나님이 남자와 여자들을 어떻게 다루기를 원하시는가다. 마지막 실례로 바울은 여자의 범주 안에서 작은 교차대구법을 사용했다. 그는 일반적인 여자에 대해 언급하기 시작하여 한 특정한 여자에 대해 언급하고 그리고 나서는 다시 일반적인 여자에 대한 언급으로 전환했다. 다음의 도표가 그것을 시각적으로 이해하는 데 도움을 줄 것이다.

여기서 바울은 무엇을 말하려고 하는가? 참으로 그는 브리스길라가 창립 지도자였던 이 교회에서 여자가 가르치는 것을 금해야 한다고 주장하고 있는 것인가? 이 교회는 그녀가 남편 아굴라와 함께 아볼로의 초기의 실수를 교정해 주고, 그를 지도자로 훈련시키는 일에 많은 시간을 투자했던 교회가 아닌가![5] 로마에 있는 교회에게 여자 목사인 뵈뵈를 아주 귀하게 접대할 것을[6] 요구했던 바울은 여자들을 절대로 교회의 지도자로 세워서는 안 된다고 디모데에게 말함으로 자신의 의견과 모순된 주장을 하고 있는 것인가?

질문에 대답하기 전에 디모데전서 2장의 처음 일곱 개의 구절들 가운데서 바울이 정립해 놓은 매우 중요한 기반을 살펴보기로 하자.

거울 구조
디모데전서 2:1—15

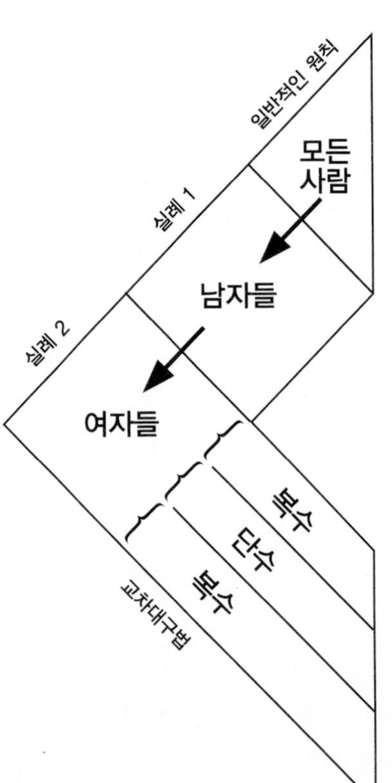

모든 사람

1그러므로 내가 첫째로 권하노니 모든 사람을 위하
여 간구와 기도와 도고와 감사를 하되 2임금들과 높
은 지위에 있는 모든 사람을 위하여 하라 이는 우리
가 모든 경건과 단정한 중에 고요하고 평안한 생활
을 하려 함이니라 3이것이 우리 구주 하나님 앞에
선하고 받으실 만한 것이니 4하나님은 모든 사람이
구원을 받으며 진리를 아는 데 이르기를 원하시느
니라 5하나님은 한 분이시요 또 하나님과 사람 사이
에 중보도 한 분이시니 곧 사람이신 그리스도 예수
라 6그가 모든 사람을 위하여 자기를 속전으로 주셨
으니 기약이 이르면 증거할 것이라 7이를 위하여 내
가 전파하는 자와 사도로 세움을 입은 것은 참말이
요 거짓말이 아니니 믿음과 진리 안에서 내가 이방
인의 스승이 되었노라

남자들

8그러므로 각처에서 남자들이 분노와 다툼이 없이
거룩한 손을 들어 기도하기를 원하노라

여자들

9또 이와 같이 여자들도 아담한 옷을 입으며 염치와
정절로 자기를 단장하고 땋은 머리와 금이나 진주
나 값진 옷으로 하지 말고 10오직 선행으로 하기를
원하라 이것이 하나님을 공경한다 하는 자들에게
마땅한 것이니라

한 여자

11여자는 일절 순종함으로 종용히 배우라 12여자의
가르치는 것과 남자를 주관하는 것을 허락지 아니
하노니 오직 종용할지니라 13이는 아담이 먼저 지음
을 받고 이와가 그 후며 14아담이 꾀임을 보지 아니
하고 여자가 꾀임을 보아 죄에 빠졌음이니라 15a그
러나 그 해산함으로 구원을 얻으리라

여자들

15b만일 정절로써 믿음과 사랑과 거룩함에 거하면[7]

하나님의 영원한 꿈

바울은 "그러므로 내가 첫째로 권하노니…"[8]라고 말하면서 구절을 시작했다. '그러므로' 라는 단어는 바울이 바로 전에 언급했던 말과 이제 하려는 말을 연결지어 주는 말로 '그렇다면' 이라고 번역될 수도 있다.

디모데전서 1장을 살펴보라. 여기 깊은 문제를 안고 있는 교회가 있다. 교회를 핍박하는 사람들은 외부적으로 소동을 벌이고 교회 내부에서는 거짓 교사들이 문제를 일으키고 있었다. 이런 상황에서는 자기 방어를 위해 뒤로 물러나는 것이 일반적인 것이다. 그러나 바울은 이때야말로 준비하며 대처해야 할 때라고 말했다. 오히려 기회를 이용하고 기도하라고 했다.

반대가 있다고 후퇴해서는 안 된다. 바울은 에베소에서 겪었던 자신의 경험을 "내게 광대하고 공효를 이루는 문이 열리고 대적하는 자가 많음이니라"[9]고 저술하며 이와 같은 태도를 보여주었다. 그것은 당신이 열렬한 영적 전쟁의 한가운데서 압도당하는 자신을 발견할 때 취해야 할 태도다. 하나님이 당신을 위하여 위대한 기회의 문을 열고 계시는 것을 깨닫고 기도하라.

바울은 에베소에 있는 신자들에게 기도하기 위해 네 단어를 제시했다. 그들은 가능한 모든 방법으로 기도해야 했고 모든 것을 위해서 기도해야 했다. 기도에서 제외될 수 있는 사람은 아무도 없었다. 이러한 기도에는 제약이 없다. 자신이 드린 기도의 능력보다 더 능력 있게 살 수 있는 사람은 없다.

왜 그렇게 열심히 기도해야 하는가? 바울은 "우리가 모든 경건과 단정한 중에 고요하고 평안한 생활을 하려 함이니라"[10]고 말했다. 핍박 아래서 사는 것이 어떤 것인지를 아는 사람은 참으로 이것을 감사하게 여길 것이다. 분쟁과 거짓된 교훈으로 인하여 교회가 분열되는 아픔을 겪어 본 사람 역시 바울의 심중에서 우러나는 탄식에 공감할 것이다. 이것은 생존을 위한 긴박한 절규였다. 이것은 평안하고 조용한 삶을 열망하고 있었지만 고통스러운 시간을 보내고 있는 신자들의 소망이었다.

바울이 이곳에서 사용한 '고요한' 의 희랍어 단어는 이 장 뒷 부분의 구절들을 이해하는 데 주요한 열쇠가 될 것이다.[11] 여기서는 모든 신자들이 염원하는 목적을 요약했다는 것에 주목하자. 그러나 바울은 단지 신자들이 평안한 삶을 즐기기 위한 것이 아니라 그들이 하나님이 느끼시는 대로 느끼고 하나님이 원하시는 대로 원해야 하기 때문에 기도해야 한다고 종용했다.

핵심이 되는 것

"이것이 우리 구주 하나님 앞에 선하고 받으실 만한 것이니 하나님은 모든 사람이 구원을 받으며 진리를 아는 데 이르기를 원하시느니라."[12] 이것은 이 구절의 중심이자 이 서신서 전체의 중심이며 신약 전체의 중심이다. 이것은 하나님의 마음 중심을 보게 해준다. 이것들은 성경에 나오는 가장 친밀하고 가장 다정한 말들 중 하나다. 당신은 가장 절친한 사람들에게만 자신의 꿈과 깊은 열망을 드러낸다. 다른 사람들에게는 자신의 연약함을 그렇게 드러내지 않을 것이다. 하나님은 이러한 말들을 우리와 나누심으로써 가장 절친한 친구들, 가장 신뢰하는 벗으로 우리를 가까이 인도하셔서 자신의 심정을 드러내신다. 얼마나 놀라운 일인가!

희랍 원어의 뜻을 더 잘 드러내기 위해 NIV 번역본에서 한 단어를 바꾼 것을 주목하기 바란다. 디모데전서 2장의 처음 일곱 절에서 바울은 '남자들' 을 의미하는 희랍어인 아네르(aner)를 사용하지 않았다. 그 대신에 그는 '사람' 혹은 '인간' 으로 번역되기에 적합한, 성별을 초월한 희랍 단어 안드로포스(anthropos)를 사용했다. "하나님은 한 분이시요 또 하나님과 사람 사이에 중보도 한 분이시니 곧 [사람]이신 그리스도 예수라 그가 모든 [사람]을 위하여 자기를 속전으로 주셨으니"[13]

이것이 왜 중요한가? 바울은 하나님의 사랑은 모든 인간을 향한 것이라는 것을 분명하게 하기 위해 전심을 다했다. 심지어 그가 예수님을 칭했을 때에도 남자인 aner 대신에 사람인 anthropos를 사용했다. 예수님은 모든 남자와 여자를 위한 중보자가 되기 위하여 인간이 되셨다.

이 한 마디 말로 인해 고대의 교사들이 말했던 많은 거짓 교훈들이 일소되었다. 여자는 별개의 피조물이 아니었다. 여자는 인간 이하거나 혹은 단지 유혹만을 하는 걸림돌이 아니었다. 여자는 하나님의 사랑과 예수님의 엄청난 희생을 동일하게 받는 존재였다.

만약 당신이 이것을 서둘러 지나간다면 전체적인 의미를 깨닫지 못한다.

하나님의 가장 강한 열망, 그분의 영원한 꿈, 그분의 마음에 넘치는 사랑과 같은 하나님의 모든 뜻은 이들 구절에 요약되어 있다. 에덴 동산에서부터 현재에 이르기까지 하나님이 하신 모든 일은 이 꿈에 의한 것이었다. 이것이 하나님이 아브라함을 선택하신 이유며, 아브라함의 자손에게 법도와 약속의 땅을 주신 이유였다. 이것이 세대를 거쳐가며 그들이 방황할 때 바로잡으시고, 그들이 하나님께로 돌아왔을 때 그들을 구원하시며 사랑으로 그들을 끝까지 버리지 않으신 이유였다. 이것이 하나님이 사사들과 선지자들과 같은 전달자들을 계속해서 보내신 이유였다. 이것이 인류의 죄의 대속물로 자신의 외아들을 보내신 이유였다. 그분의 행동의 모든 근거는 각 인격체, 각 사람, 모든 인류를 구속하시려는 소망이었다. 즉, 한 영혼, 한 영혼을 구하시기 위해!

많은 사람들이 다음에 등장하는 난해한 부분을 다루려고 서둘러 이 부분을 건너뛰는 것은 매우 유감스럽다. 그들은 하나님 사랑의 핵심적인 부분을 놓친다. 그래서 다음에 등장하는 말들을 오해하게 된다. 왜냐하면 우리를 향하신 하나님의 영원한 꿈에 대한 시각이 없으면 그것을 전혀 포착할 수 없기 때문이다.

바울은 남자들에게 말했다

바울은 전 교회에게 모든 사람이 구원을 얻기 바라는 하나님의 꿈을 추구할 것을 종용했다. 그리고 나서 그는 교회의 남자들에게 그들의 역할에 대해 언급했다. "그러므로 각처에서 남자들이 분노와 다툼이 없이 거룩한 손을 들어 기도하기를 원하노라."[14] 이 구절에서 그는 '남자들' 이라는 의미의 희랍어 단어인 aner를 처음으로 사용했다. 그는 자신이 남자들의 삶에서 보기 원하는 것이 무엇인지를 언급했다.

바울이 희망하는 바는 모든 사람이 구원을 얻기 원하는 하나님의 뜻에 근거한 것이다. 그러한 하나님의 뜻이 바울에게 전달되었고[15] 바울은 에베소에 있는 모든 남자들이 하나님의 뜻을 헤아리도록 권면하고 있다. 그들은 분노와 다툼이 없이 거룩한 손을 들고 기도해야 하는 것이었다. 그들은 외부에서, 또 내부에서 교회를 공격하는 사람들에 대하여 정반대의 정신으로 기도해야 하는 것이었다. 교회의 남자들은 자신들을 핍박하는 이교도들이나 이단을 가르치며 회개치 않는 교사들과는 다른 삶을 살아야 하는 것이다.

다음으로 바울은 모든 여자들, 그리고 '어느 특정한 여인', 그 후에 모든 여자들에게 말했다

바울이 여자들에게 교회에서 그들의 책임에 관하여 언급하려고 하면서 작은 교차대구법을 시작했다. 첫째로 그는 일반적인 여자들을 향해 언급하고 나서 한 여인에게 특정한 지시를 내린 후 또다시 일반적인 여자들을 대상으로 말했다. 그는 "또 이와 같이 여자들도 아담한 옷을 입으며 염치와 정절로 자기를 단장하고 땋은 머리와 금이나 진주나 값진 옷으로 하지 말고 오직 선행으로 하기를 원하라 이것이 하나님을 공경한다 하는 자들에게 마땅한 것이니라"

[16] 라는 말로 시작했다.

NIV 번역본은 이 구절을 '또 이와 같이' 라는 말로 시작한다. '또' 라는 말이 '이와 같이' 혹은 '동일하게' [17]라고 번역되었더라면 바울이 의도한 바가 더욱 명확하게 표현됐을 것이다. 희랍어에서 이 단어는 수학의 '=' 에 해당하는 것이다. 어떤 이들은 교회 안에서 남자와 여자의 역할이 다르다는 것을 주장하기 위해 이 구절을 사용해왔다. 그러나 바울은 남자와 여자의 역할의 차이가 아닌 유사함을 강조하기 위해서 의도적으로 이 단어를 선택했다. 본문은 여자들에게 기도할 것을 구체적으로 권장하고 있지는 않지만 바울이 이 문장을 시작하기 위해 선택한 방법을 볼 때 그는 그것을 암시하거나 제안하고 있다. 이것은 바울이 생략법을 사용한 또 하나의 예가 아닌가 싶다.[18] 바울은 남자들과 여자들 모두가 기도하며 하나님의 뜻을 실현하는 생활 방식을 갖기를 원했다.

이 구절을 통해 모든 사람들이 기도하기를 원했다는 것을 알 수 있다.[19] 바울은 남자들이 기도하기를 원했고 또 여자들이 기도하기를 원했다. 이 글에 분명히 드러나 있듯 남자들은 거룩함으로, 여자들은 염치와 정절로, 즉 남녀 모두 경건한 방법으로 기도할 것을 지시하고 있는 것이다.

크리소스톰은 이것을 이해했던 초대교회 주석가들 중 한 사람으로, 이 구절의 의미를 명확하게 하기 위해 '기도하라' 는 말을 추가했었다.[20] 만약 이것이 정확하다면 디모데전서 2장 9절의 번역은, '이와 같이 여자들도 단정한 옷차림으로 기도하기를 원한다' [21]가 될 것이다.

금, 진주, 땋은 머리가 왜 문제가 되는가?

이 구절에서 우리는 바울이 이상하게, 심지어는 율법적인 것처럼 보인다. 자유의 사도 바울이 사소한 금기 사항에 집착하게 된 것일까? 땋은 머리, 금, 진주가 무엇이 잘못되었다는 말인가?

남자들에게 다른 기준을 갖고 살아갈 것을 촉구했던 것처럼 바울은 여자들에게 다른 사람들의 본이 되라고 경고했다. 우리는 에베소가 선정적이고 풍기문란한 도시라는 사실을 앞에서 살펴보았다. 더구나 신약 시대에는 과시하는 옷차림 그 자체가 정숙하지 못한 것으로 간주되었다.[22] 고대의 한 저자는 "장신구를 좋아하는 아내는 정절을 지키지 않는다"고 말했다.[23] 그뿐만 아니라 로마인들은 다른 어떤 보석보다도 진주를 귀하게 여겼다.[24] 또한 진주를 사용하는 것은 가장 심한 겉치레로 간주되었다.[25] 바울은 여자 그리스도인들이 내적인 미덕에 초점을 맞추고 "하나님을 공경한다 하는 자들에게 마땅한"[26] 삶을 살기를 원했다.

"(공경)한다"라는 말이 열쇠다. 원본에서 그것은 공언, 고백, 의견이란 느낌을 주는 말이다.[27] 그것은 신약 성경에 나오는 8개의 희랍 단어 중 하나로서 메신저라는 단어에 접두사를 부가함으로 형성된 것이다. 이 모든 단어들은 의사소통과 관련이 있다. 바울은 그의 서신서에서 이 여덟 개 중 일곱 개의 단어를 사용했다.[28]

- 말하다[29]
- 발표하다[30]
- 전하다[31]
- 고백하다[32]
- 전도하다[33]
- 공포하다[34]
- 선언하다[35]

이 단어와 언어학적으로 유사한 단어들은 그리스도인 사역의 핵심부와 연관되어 있음을 알 수 있다. 우리는 침묵하면서 어떤 것을 고백할 수 없을 뿐더러 또한 혼자서 어떤 것을 고백할 수도 없다. 하나님을 공경한다고 했기 때문에 여자들이 교회에서 단정한 옷차림을 해야 한다는 바울의 말로 여자들이 복음을 다른 사람에게 전하는 공적인 사역에 관여하고 있었음을 알 수 있다.

거짓 교사에게 잠잠할 것을 명하다

이제 바울은 그의 어조와 주의를 바꾸었다. 그는 어떤 특정한 여인에게 '여자는 일절 순종함으로 종용히 배우라 여자의 가르치는 것과 남자를 주관하는 것을 허락지 아니하나니 오직 종용할지니라 이는 아담이 먼저 지음을 받고 이와가 그 후며 아담이 꾀임을 보지 아니하고 여자가 꾀임을 보아 죄에 빠졌음이니라 그러나 [여자는](저자가 변경함—역주)…그 해산함으로 구원을 얻으리라'[36]고 말했다.

구조는 실마리를 제공한다

바울이 지금까지 사용한 전달의 구조는 매우 명확했다. 바울은 모든 인류를 향하신 하나님의 구속의 사랑, 기도해야 하는 우리의 필요라는 일반적인 원칙을 제시했다.[37] 그리고 나서 그는 구속적인 사랑이 삶에서 실천되었을 때 어떤 모양이 되는가에 대한 두 가지 예로서 첫째로 교회의 남자들[38], 교회의 여자들의 예를 들었다.[39] 10절에서 바울은 복음 전파에 관여하고 있는 여자들을 향하여 말했다. 그 말을 하는 동안 그는 에베소 교회 안에서 유력한 역할을 담당하고 있었던 한 여인을 기억했음이 분명하다. 그래서 11절에서 그는 '모든 사람', '남자들', '여자들' 과 같이 광범위하고 일반적인 용어를 사용하여 말하던 것을 중단하고 이 한 여인을 향하여 말했다. 과연 그렇다고 말할 수 있는가? 이것은 명확하게 드러나는 희랍어의 문법적인 전환에 근거하고 있다. 11절부터 15절 중반에 이르기까지는 복수 명사가 사용되지 않았다. 모든 명사는 '여자는', '여자…종용할지니라' ' [여자는](개역한글본에는 생략되었으며, 영어 성경에는 복수로 나왔지만 저자는 NIV 번역본이 변경된 것이라고 함, 색인 참조[36]—역주) 그 해산함으로 구원을 얻으리라' 와 같이 단수 명사였다. 그러다가 15절 후반부에서부터 바울은 다시 복수 명사를 사용해서 "여자들이 만일 정절로써 믿음과 사랑과 거룩함에 거하면" 이라고 말했다. 그래서 바울이 여자들을 향해서 다시 언급하게 되었을 때 그의 문법은 작은 교차대구법을 형성했다.

⇀ 9절부터 10절: '여자들' (복수)
⇀ 11절부터 15절 상반부: '한 여자' (단수)
⇀ 15절 하반부: '여자들' (복수)

한 특정한 여인

바울은 왜 복수에서 단수로, 그리고 다시 복수로 극적인 전환을 했을까? 디모데에게 편지를 썼을 때 그는 에베소의 한 특정한 여인을 염두에 두고 있었다고 말하고 싶다. 본문은 그 여인이 에베소 교회를 혼란하게 만드는 거짓 교훈을 공공연하게 권장했다는 것을 암시해 준다. 아마도 그녀는 이런 이단적인 무리의 지도자 중 하나인 듯하다. 단수로의 문법적인 변화뿐만 아니라 여러 다른 실마리가 이와 같은 시나리오를 강하게 뒷받침한다.

첫 번째 실마리—바울이 사용했던 대명사

바울이 디모데에게 거짓 교사들을 다스리라고 말했던 여러 곳에서 바울은 남녀의 성별을 초월하는 대명사를 사용했다. 이와 같은 단어들은 여자들도 또한 관여되어 있었음을 보여준다.

⇀ '누구든지 다른 교훈을 하며'[40]
⇀ 남녀 모든 '사람들이' '믿음' 에서 '벗어났으며' '미혹게 하는 영과 귀신의 가르침을 좇아' 믿음에서 떠났기 때문에 '그 믿음에 관하여는 파선하였느니라.'[41]
⇀ '어떤 사람들(NIV 번역본에는 'men' 으로 나와 있지만, 본래 남녀를 포함한 사람들이다)을 명하여 다른 교훈을 가르치지 말며"[42]

바울은 남자와 여자를 포함한 거짓 교사들을 잠잠하게 하라고 디모데에게 말했다.

두 번째 실마리—여자들도 이단에 관여되어 있었다

바울은 디모데에게 "망령되고 허탄한 (늙은 여인들의) 신화를 버리고"[43]라고 말했는데 이것은 나이든 여자들이 거짓 교사들 중에 포함되어 있었음을 암시한다. 바울이 "마땅히 아니할 말을 하나니"[44]라고 젊은 과부들에 대한 언급을 한 것으로 미루어 보아 젊은 여자들도 이 일에 말려들게 되었음이 분명하다. 바울은 거짓된 교훈에 미혹된 여자들에 대해 "어리석은 여자…그 여자는 죄를 중히 지고 여러 가지 욕심에 끌린 바 되어 항상 배우나 마침내 진리의 지식에 이를 수 없느니라"[45]고 말했다.

바울은 이단이 한 특정한 성별에만 국한된 것으로 보지 않았음이 분명하다. 남자들과 여자들 모두 에베소 교회를 분열시키는 이단에 참여하고 있었다. 바울은 "악한 사람들과 속이는 자들은 더욱 악하여져서 속이기도 하고 속기도 하나니"[46]라고 말했다. 그의 편지는 이와 같은 상황을 수정하기 위한 목적으로 쓰여졌다.

세 번째 실마리—유명, 무명의 거짓 교사들

바울은 이단으로 벗어나는 무리에 대하여 언급할 뿐 아니라 이와 같은 미혹에 가장 큰 책임을 져야 할 개인들에 대해서도 언급하고 있다.

→ 후메내오[47]

→ 알렉산더[48]

→ 빌레도[49]

그는 또한 디모데에게 부겔로, 허모게네, 데마가 자신을 버리고 떠났다고 말했다.[50] 디모데전서 2:11—15에서 바울이 거짓된 교훈을 선전하는 무리에게 합세한 한 여인을 어떻게 할 것인가에 대해 디모데에게 충고하는 것은 당연한 것이다. 바울은 왜 그녀의 이름을 밝히지 않았을까? 바울이 개인의 이름을 밝히지 않고서도 누구에 대해 언급하고 있는 것인지를 분명히 했던 또 다른 경우들이 있다. 고린도 교회 안에서 근친상간을 범하고 있는 어떤 남자에 관해 편지를 쓸 때에도 이름을 밝히지 않았으며[51] 디도에게 보내는 편지에서도 이름은 밝히지 않았지만 한 특정한 사람에 관해 "이단에 속한 사람을 한두 번 훈계한 후에 멀리하라 이러한 사람은 네가 아는 바와 같이 부패하여서 스스로 정죄한 자로서 죄를 짓느니라"[52]고 말했다.

본문은 바울이 한 특정한 사람을 염두에 두고 있었음을 암시한다. 그레데에 있던 디도에게 보낸 바울의 편지에서 언급된 에베소 교회의 어떤 여인을 고려해보면 도움이 될 것이다. 에베소에 있었던 디모데와 마찬가지로 디도는 그레데에 남아 "부족한 일을 바로잡고"[53] 바울이 "입을 막을 것이라"[54]고 한 거짓 교사들을 책망해야 했다. "이단에 속한"[55] 사람은 "마땅치 아니한 것을 가르쳐"[56] 왔던 주모자였음이 분명하다. 바울이나 디도, 두 사람은 모두 그레데에서 당면한 문제의 핵심 인물이 누구였다는 것을 정확하게 알고 있었기 때문에 그의 이름을 언급할 필요가 없었다. 바울은 그레데에서 분쟁을 일으키던 사람, 고린도에서 근친 상간을 범하던 남자, 에베소에서 거짓 교훈을 가르치던 여인이 다시 회복되기를 원했기 때문에 그들의 이름을 밝히지 않았는지도 모른다. 목자로서 그는 그 사람들이 교회와 다시 화목하게 되기를 열망했다. 아마도 그는 그들이 회개한 후에 겪을 수 있는 어려움을 덜어주기 위해 그들의 이름을 밝히기를 회피했는지도 모른다. 이것은 죄를 범하는 믿는 자들을 위해 예수님이 우리에게 베푸시는 과정과 같다.[57]

바울이 이 여인의 이름을 밝히지 않은 채 디모데에게 그 여인을 종용하게 하라고 당부한 것은 당연하다. 그런데 놀랍고 충격적인 것은 그가 이단에 관여했던 후메내오와 알렉산더, 그리고 빌레도와 같은 남자들의 이름은 밝혔다는 것이다. 아마 바울은 그들에 대해 단념했었는지도 모르겠다.

네 번째 실마리—하와에게로 돌아가자

에베소 교회 안에 이단을 권장하는 여인이 존재했었다는 사실을 뒷받침해 주는 또 하나의 실마리가 있다. 바울은 또 다른 미혹된 여인인 하와에게로 주의를 돌려 이 여인이 잠잠해야 하는 이유를 설명했다.

바울은 디모데가 이 미혹시키는 여자에게 무엇을 해야 하는지를 설명했다. 그리고 디모데가 분명히 이해할 수 있도록 하기 위해 바울은 그녀의 상황을 에덴 동산에 있었던 하와의 상황과 비교했다. 그는 아담은 정상적인 상태에서 죄를 지었으나 하와는 속았기 때문에 죄를 지었다는 사실을 디모데에게 상기시켰다. 아담은 속아서 하나님께 불순종하기로 작정한 것이 아니었기 때문에 바울은 아담이 원죄에 대해 더 큰 책임이 있다고 여겼다.[59] 그러나 하와의 죄는 불순종의 결과가 아니라 미혹의 결과였다.[60] 이 구절 전체의 주요 주제 중 하나는 에베소 교회 내의 미혹을 중지시키는 것이었다. 하와는 미혹되었으며 종용해야 할 이 여인도 또한 미혹되었다. 이 둘은 모두 잘못된 믿음으로 비롯된 행동을 하고 있었다.

이 두 여자들의 공통점은 거짓말을 믿었다는 것이다. 그 결과 모두 죄를 범했다. 이 두 사람의 죄는 많은 사람들의 삶에 매우 부정적인 영향을 끼쳤다.

바울은 죄를 종식시키고, 미혹을 종식시키고, 미혹을 가능하게 만들었던 상황을 종식시킴으로 이것을 마무리지으려고 했다. 미혹은 죄가 쉽사리 자랄 수 있는 땅임을 바울은 깨달았다. 그 당시 여자들에게는 교육적인 기회가 주어지지 않았기 때문에 여자들이 더 쉽게 미혹될 수 있었다. 바울은 이와 같은 미혹을 종식시키려고 했다. 이것은 미혹되었던 여자를 회복시키는 것뿐만 아니라 에베소 교회 전체를 회복시키는 첫 단계가 될 수도 있었다.

17
바울의 은혜로운 해결책
(디모데전서 2:1—15 제2부)

데이비드 해밀턴

자, 이제 뒤로 돌아가서 에베소에 있던 이 여인을 어떻게 다루어야 할지에 대하여 바울이 디모데에게 한 말을 살펴보기로 하자. 이 여인이 미혹을 당하고 또한 많은 사람들을 미혹시킨 것이 사실이지만 바울은 그녀를 다루는 방법에 대해 놀라운 지시를 내렸다.

바울의 첫 마디는 "여자는…배우라"[1]는 것이었다. 이 구절이 만약 "배워야만 한다"라고 번역되었더라면 희랍 원본의 뜻을 더 잘 반영시켰을 것이다. 이것은 어떤 제의가 아니라 하나의 명령이다. 이것은 바울이 이 모든 장에서 했던 유일한 단도직입적인 명령이라는 사실은 매우 중요하다. "바울은 단지 여자에게 '배울 수도 있겠다' 라든가 '배워보라' 혹은 '배움을 허락한다' 고 말하지 않았다. 여자는 반드시 배워야 한다. 암시적으로 [이 여자는] 반드시 배워야 한다."[2] 여자를 교육시켜야 할 임무가 디모데에게 주어졌다.

그렇게 많은 피해를 끼친 사람에게 이같이 인자하게 대하다니! 바울은 당시의 모든 여자들과 마찬가지로 이 여인도 배움의 기회를 얻지 못했다는 사실이 문제의 주된 요인이라는 것을 깨달았다.[3] 이 여인이 이방인이든지 유대인이든지에 관계 없이 교육면에 있어서 그녀는 불리함을 안고 있었다. 이것은 그녀로 하여금 거짓 교훈에 더 미혹될 수 있도록 만들었다. 바울은 이것을 이해했기 때문에 후메내오, 알렉산더, 빌레도에게보다 그녀에게 더욱 관대함을 베풀었다. 이 세 남자들은 알면서도 죄를 범했다. 그래서 바울은 "[그들을] 사탄에게 내어"[4]주었다. 그러나 그 여자는 교사에게 붙여주었다. 당신은 어떤 방법이 좋다고 여기는가?

미혹을 대항하는 길은 진리를 배우는 것이다. 그러므로 바울은 사회가 거부했던 기회의 문을 이 여인에게 열어 주어 배울 수 있게 해주어야 한다고 주장했다. 이것은 우리가 이미 살펴본 대로 희랍인, 로마인, 유대인들의 이중적인 가치 기준을 완전히 깨뜨린 바울의 혁신적인 입장이었다. 복음은 여자들에게 동등한 교육의 기회를 겨우 허락만 한 것이 아니라 그런 기회가 주어지도록 요구했다.

바울은 계속해서 이 여자가 '일절 순종함으로 종용히'[5] 배워야 함을 말했다. 여자의 배움에 대한 조건 역시 꾸짖음이나 입을 다문 채 앉아 있어야 함도 아니었다. 11절과 12절에 사용된 명사는, 2절의 "고요하고 평안한 생활" 에 나온 단어와 관련이 있다. " '조용함' 이란 법에 대한 반항보다는 준수, 이웃과의 갈등보다는 조화, 논쟁보다는 평안을 의미한다."[6]

바울은 에베소의 모든 교인들에게 요구했던 것 이상의 어떤 것을 이 여인에게 요구하고 있지 않았다. 남자들이 "분노와 다툼이 없이"[7] 기도해야 하는 것과 여자들이 "염치와 정절로"[8] 행동해야 하는 것은 동일한 성품이었다.

랍비의 문하생처럼 배우기 위하여

사실 '종용함과 순종함' 은 근동 지방 안의 모범 학생에게 흔하게 요구되는 것이었다. "바울 시대 이전, 바울 시대, 그 이후에 랍비들은 '종용함은 진지한 학자가 소유해야 하는 바람직한 성품' 이라는 데 의견을 모았다."[9] "가말리엘의 아들이었던 시몬은 '나는 평생을 현인들 틈에서 성장했는데 한 개인에게 침묵보다 더 좋은 것을 발견하지 못했다' 고 설명했다."[10]

모든 학생은 배우려는 태도를 가져야 한다. 이것은 모든 제자들에게 있어 정상적인 것이다. 바울의 말은 배우려고 하는 남자나 여자 사이에 아무런 차이가 없음을 분명하게 밝히고 있다. "[한 남자와 마찬가지로] 한 여자가 교사의 말을 청종하지 않거나 순종하지 않고서는 배울 수 없다."[11] 이것은 야고보가 "사람마다 듣기는 속히 하고 말하기는 더디 하며"[12]라고 묘사했던 것과 동일한 태도다. 이 태도는 가장 탁월한 학생들을 만들어 낸다. 11절에서 종용함과 순종함으로 배우라고 명했던 이 여자에 대해 바울이 기대하는 바는 그녀가 가장 탁월한 학생이 될 것이라는 최상의 기대였다. 종용함이 "랍비의 문하생들에게 긍정적인 성품으로" 간주되었기 때문에 그녀도 "랍비의 문하생들과 마찬가지의 방법으로 배워야" 하는 것이었다.[13]

또 하나 주목해야 할 것은 유대인 랍비들이 배움과 가르침을 분리시킬 수 없는 것으로 연결한다는 점이다. 한 학생은 다른 사람들을 교육시키기 위하여 교육을 받았다.[14] 랍비들은 "배우고, 가르치고, 관찰하고, 행하라" 고 말했다.[15] 각 유대인 남자들은 이 모든 것을 지키도록 요구되었다. 그러나 여자들은 대부분 이같은 책임과 특권으로부터 제외되었다.[16]

랍비들이 여자들을 배움과 가르침에서 제외시킨 것은 구약에서 유래한 것이 아니었다. 그러나 그들은 배움과 실천과 가르침이 연결되어 있다는 것을 성경에서부터 배웠다. "에스라가 여호와의 율법을 연구하여 준행하며 율례와 규례를 이스라엘에게 가르치기로 결심하였더라."[17] 에스라는 가르치는 것을 배움의 정상적인 과정으로 보여주었다.

그러나 바울은 이 여자에게 배우기는 하지만 가르치지는 말라고 명령했다. 그 이유는 무엇인가? 그녀가 거짓된 교리를 가르쳐 왔기 때문이다. 그러므로 바울은 그녀의 경우에 있어 배움과 가르침이라는 정상적인 과정의 예외를 인정했다. 한동안 그녀는 가르침을 받고 오류를 수정해야 했다. 그녀가 더 이상 거짓된 교리를 전파하도록 방치할 수는 없었다. 지금은 그녀가 가르치는 일을 금하고 배우는 일에 자신을 헌신할 시기였다.

금지 당한 다른 사람들

바울은 여자라는 이유 때문에 금한 것이 아니라 그녀가 다른 사람들에게 거짓된 교훈을 가르쳤기 때문에 금한 것이었다. 디모데전서 2장 12절은 그녀가 "교회에 심각한 문제를 야기시킨, 이단을 가르치는 것을 금했다. 그러나 가르치는 것을 금지해야 할 사람은 물론 그녀 혼자만이 아니었다."[18] 디모데에게 보낸 편지 전반에 걸쳐서 나타난 것과 같이 그것은 성별의 문제가 아니었고 미혹의 문제였다. 바울은…

- "속이기도 하고 속기도 하는" "악한 사람들" 인 남자들과 여자들에 관해 썼다.[19]
- 디모데에게 "어떤 사람들[남자들과 여자들]을 명하여 다른 교훈을 가르치지 말며"[20]라고 일렀다.
- 디모데에게 "사람들[남자들과 여자들]이 이에서 벗어나 헛된 말에 빠져 율법의 선생이 되려 하나 자기의 말하는 것을 깨닫지 못하는도다"[21]라고 경고했다.
- "저희 말은 독한 창질의 썩어져감과"[22] 같으므로 조용히 시켜야 한다고 말했다.

왜 그녀가 이목의 집중을 받는가?

바울은 디모데에게 거짓 교사들을 금하라고 말했다. 후메내오, 알렉산더,

빌레도, 익명의 여자 등 남자나 여자에 관계없이 거짓 교사들은 금해야 하는 것이었다.

이것이 놀랍지 않은가? 비록 바울이 여러 남자들을 동일한 방법으로 다루었지만 유독 이 여자만이 집중적인 시선을 받고 있다. 왜 그녀가 이목의 집중을 받는 것일까? 바울은 후메내오와 알렉산더를 "사탄에게 내어 준 것은 저희로 징계를 받아 훼방하지 말게"[23] 하려 했다. 다시 말해서 그들로 하여금 더 이상 하나님에 대한 거짓을 말하지 못하게 하려는 것이었다. 바울은 그들을 금했다. 거짓 교훈은 그것을 가르치는 사람이 남자냐 여자냐에 관계없이 거짓된 것이며 그것은 반드시 금해야 하는 것이다.

경건한 여자들이 잠잠하길 원한 것이 아니다

"경건한 여인들을 금한다든가, 교회 내에서 그들의 가르침을 금한다든가, 그리스도인 사역에 대한 어떤 형태의 부르심을 금한다든가 혹은 삼위일체의 하나님이 그들에게 허락하신 모든 은사의 사용을 금지하고 있다는 것을 뒷받침해 주는 것은 아무것도 없다."[24] 11절과 12절의 말씀이 여자들이 가르치는 일을 전반적으로 금지하는 것이 아니라는 사실을 어떻게 알 수 있는가? 디모데전서 2장 10절에서 바울은 "하나님을 공경한다 하는 자들에게 마땅한" 것들에 대해 언급했다. 바울은 믿는 여자들이 행동과 말로 그들의 믿음을 다른 사람들에게 전하기를 원했다.

바울이 "믿음의 말씀과 네가 좇은 선한 교훈"[25]을 언급하며 디모데의 영적인 유산을 상기시킬 때 우리는 여자 교사들을 향한 바울의 태도를 볼 수 있다. 디모데가 어디서 이와 같은 '선한 교훈'을 받았는가? 두 사람의 경건한 여인으로부터였다. 바울은 "네 속에 거짓이 없는 믿음을 생각함이라 이 믿음은 먼저 네 외조모 로이스와 네 어머니 유니게 속에 있더니 네 속에도 있는 줄을 확신하노라"[26]고 말했다. 바울은 디모데에게 "배우고 확신한 일에 거하라 네가 뉘게서 배운 것을 알며 또 네가 어려서부터 성경을 알았나니 성경은 능히 너로 하여금 그리스도 예수 안에 있는 믿음으로 말미암아 구원에 이르는 지혜가 있게 하느니라"[27]고 강조했다. 만약 바울이 여자가 성경을 가르치는 것을 인정하지 않았다면 여기서 그는 디모데를 교훈할 수 있는 이런 확실한 기회를 놓친 셈이다. 그러나 오히려 그는 미래의 지도자를 가르쳤던 중요한 역할을 담당했던 것에 대해 이들 두 여인을 칭송했다.

어떤 이들은 디모데의 어머니와 외조모가 그를 가르쳤을 때는 디모데가 매우 어렸기 때문에 이것은 다르다고 말할지도 모른다. 사실 주일학교에서 여자들이 어린 소년들을 가르치는 것을 금하는 교회를 본 적이 없다. 그러나 만약 디모데전서 2:11, 12에 있는 이 말이 모든 여자 교사들에 대한 절대적인 금지를 의미한다면 연령을 근거로 한 어떤 예외가 존재해야 하는데 그런 언급이 전혀 없다. 어떤 주제를 가르쳐야 하는지에 대해서도 언급되어 있지 않다. 바울은 '여자가 신학을 가르치는 것을 금하라. 그러나 다른 주제는 가르칠 수 있다' 고 말하지 않았다. 만약 이것이 여자가 남자를 가르치는 것을 절대적으로 금하는 것이라면 여자 교사들은 남자 아이들에게 읽기나 쓰기, 또는 산수를 가르쳐서는 안 된다. 집에서 아들들에게 학교 교과 과정을 가르치는 어머니들 역시 중단해야 한다!

어리석지 않은가? 그렇다. 앞서 2장에서, 한 상황에 대한 상대적인 성경의 진리를 절대적인 진리로 변화시킬 때 그것이 얼마나 어리석은 것이냐는 로렌의 말을 기억하라.

바울은 신실한 여인들이 가르치길 원했다

여자 교사들을 향한 바울의 태도는 디모데후서 2장 2절에서도 볼 수 있다.

바울은 디모데에게 "또 네가 많은 증인들 앞에서 내게 들은 바를 충성된 사람들[남자들과 여자들]에게 부탁하라 저희가 또 다른 사람들을 가르칠 수 있으리라"[28]고 말했다.

만약 바울이 여자들이 가르치는 사역에 종사하는 것을 금하려고 했다면 여기서 그는 다시 한번 기회를 놓쳤다. 이 문제를 단번에 정리하기 위해서 이 구절은 '사람'을 의미하는 안드로포스(anthropos) 대신에 '남자'를 의미하는 희랍 단어 아네르(aner)를 사용하기에 가장 적소였기 때문이다. 그러나 바울은 "사람을…가르칠"이라는, 성별에 국한되지 않는 단어를 사용했다. 이것은 우연한 일이 아니다. 그것은 의도적이고 하나님의 영감을 받은 말씀이었다. "그들이 가르치지 못하도록 금지하기는커녕 신실한 여자들은 무엇보다 우선적으로 진리를 선포하기를 바라고 권했다. 따라서 가르칠 수 있는 사람들은 남녀를 막론하고 예수 그리스도의 측량할 수 없는 풍성함을 전파하라는 부르심을 받고 있다."[29]

주관에 대한 의미

이제 디모데전서 2장 12절의 후반부를 살펴보자. NIV 번역본에서 "주관하는 것"으로 번역되었던 희랍 단어의 의미는[30] 모호하다. 왜인가? 한 가지 이유는 그것이 신약에서 단 한번 등장하는 단어이기 때문이다. 또한 그 단어는 다른 고대 문학에서도 별로 등장하지 않는다. 이것은 전문가들이 그 의미에 대해 의견의 일치를 보기 어려운 것이다.[31] 학자들은 이 희랍 단어가 긍정적인 의미(다른 사람들을 섬기기 위해 권위를 바로 사용하는 사람)를 갖는지 혹은 부정적인 의미(다른 사람들을 주관하거나, 조종하고 심지어는 살해하는 사람)를 갖는지에 대해 계속 토론하고 있다.

우리가 주목해야 할 중요한 것은 이 단어가 권위를 의미하는 일반적인 신약 단어가 아니라는 점이다.[32] 이것은 희귀한 상황에 대한 희귀한 단어였다.

어쨌거나 우리는 바울이 말하려고 하는 본문으로 돌아가야 한다. 한 경건치 못한 여자가 거짓 교리를 가르치고 있었고 해로운 상황으로 인도하고 있었다. 따라서 그녀가 교회 안에서 권위적인 지위를 갖는 것을 금해야 했다. 그녀는 바울이 디모데에게 명했던 영적인 지도자의 자질을 갖고 있지 못했다.[33] 그녀의 말이나 행동이 꾸짖음을 받아 마땅했기 때문에 그녀는 징계를 받게 되었다.

하나님의 방법이 아니다

디모데에게 보낸 편지에서 바울이 남자가 여자보다 권위를 가져야 한다는 내용을 언급한 적이 한 번도 없었다는 사실을 분명히 해 둘 필요가 있다. 구속을 받은 자들은 성별을 막론하고 그 어느 누구도 다른 사람에게 독재적인 권위를 행사해서는 안 된다. 바울은 거짓 교사들이 사람들을 조종하려고 하는 자들이라는 것을 명백히 밝혔다. 예수님은 자신을 따르는 자들은 세상의 주관자들과는 현격하게 차이가 있어야 한다고 말씀하셨다.

> 예수께서 불러다가 이르시되 이방인의 소위 집권자들이 저희를 임의로 주관하고 그 대인들이 저희에게 권세를 부리는 줄을 너희가 알거니와 너희 중에는 그렇지 아니하니 너희 중에 누구든지 크고자 하는 자는 너희를 섬기는 자가 되고 너희 중에 누구든지 으뜸이 되고자 하는 자는 모든 사람의 종이 되어야 하리라 인자의 온 것은 섬김을 받으려 함이 아니라 도리어 섬기려 하고 자기 목숨을 많은 사람의 대속물로 주려 함이니라[34]

하와에 관하여

우리는 앞서 이 여자와 하와가 모두 미혹을 받았기 때문에 바울이 어떻게 이 여자와 하와를 비교했는지 살펴보았다. 그러나 우리가 "이는 아담이 먼저 지음을 받고 이와가 그 후며 아담이 꾀임을 보지 아니하고 여자가 꾀임을 보아 죄에 빠졌음이니라"는 디모데전서 2장 13절, 14절을 살펴볼 때 숙고해야 할 다른 것들이 있다. 이 말은 다음의 두 가지 중 하나를 가리킨다.

1. 한편으로 바울은 거짓 교훈의 내용을 반박하고 있는지도 모른다. 거짓 교사들은 하나님이 어떻게 세상을 창조하셨는지에 관한 진리를 왜곡시키고 있었다.[35] 아마도 아데미 여신을 숭상하던 사람들이 성경적인 창조론을 부인하고 여자들이 근원 혹은 남자의 머리였다고 주장했을지도 모른다.[36]
2. 바울은 단지 어떻게 하와가 미혹되었는가를 설명하고 있었는지도 모른다. 에덴 동산에서 일어난 일들의 순서를 살펴보면 하나님이 남자를 창조하시고 선악과를 먹지 말라고 말씀하셨다.[37] 그 후에야 하나님이 여자를 창조하셨다.[38] 그래서 뱀이 하와에게 "하나님이 참으로"[39]라고 물었을 때 하와는 아담으로부터 전해 들은 정보에 의존할 수밖에 없었다.

하와는 여자들 안에 있었던 타고난 약점 때문에 미혹받았던 것이 아니다. 하나님은 첫 번째 여자를 포함하여 자신이 창조한 모든 것이 좋았다고 말씀하셨다. 만약 하와가 미혹을 받았다면 그것은 아담이 그녀를 제대로 가르치지 않았기 때문이다. 만약 그가 교사로서의 역할을 잘 감당했었더라면 하와는 하나님이 아담에게 말씀하신 것과 말씀하지 않으신 것을 정확하게 알 수 있었을 것이다. 아담이 잠잠히 '이 유감스러운 일이 진행되는 동안 그녀의 옆에 서 있었다'[40]는 사실은 주님의 말씀을 신실하게 전하지 않았던 책임이 전적으로 그에게 있음을 드러낸다. 그들의 죄가 드러났을 때 하나님이 아담에게 먼저 말씀하셨던 것도 무리가 아니다.[41]

당신이 어떤 견해를 갖는가를 막론하고 이것은 좋은 가르침이 필요함을 절감하게 한다. 좋은 가르침은 이단의 왜곡에 대한 해결책을 마련한다. 아담과 하와의 이야기는 다른 사람들을 충실하게 가르쳐서 아무도 미혹에 빠지지 않도록 하는 것이 얼마나 중요한가를 보여준다. 이것이 바울이 이 장에서 그 여자는 반드시 배워야 한다고 명령하는 이유다.

해산함으로 구원을 얻는다

어떤 사람들은 바울이 디모데에게 주는 교훈이 여자들은 남자들보다 더 쉽게 미혹을 받기 때문에 성경 교사로서 믿을 만하지 않다는 것을 의미한다고 주장한다. 그러나 바울은 절대로 그런 말을 하지 않았다. 그는 여기에서 성별의 특징을 정의하고 있는 것이 아니다. 그는 단지 미혹을 받고 나서 그 후에 죄를 범했던 두 여인에 관한 언급만을 하고 있을 뿐이다. 이것을 억지로 남자들과 여자들의 타고난 강점과 약점에 관한 언급으로 만들려고 한다면 그것은 본문을 왜곡시키는 것이다.

14절에 의하면 하와의 미혹은 죄를 가져왔고 동일하게 에베소에 있던 이 여자의 미혹도 죄를 불러왔다. 그래서 바울은 (아직도 단수를 사용하여) '그녀는 그 해산함으로 구원을 얻으리라' 고 말했다. 이것은 무엇을 의미하는가? 바울은 미혹당한 이 여인이 만약 아기를 낳는다면 주님과, 교회와 화목하게 될 것이라고 말하고 있는 것일까? 만약 해산을 하는 것이 여자들이 구원을 얻는 요구 조건이라면 독신 여자들 혹은 아이가 없는 아내들은 어떻게 되는가?

'그 해산함' 이라는 구절은 특이하다. 신약 성경 어디에서도 그것을 찾아볼 수 없다. 다양한 해석이 제시되고 있는데 주목해야 할 중요한 한 가지는 이 단어가 동사가 아니라는 점이다. 그것은 정관사가 앞에 붙어 있어서 어떤 특정한 해산을 의미하는 명사다.

나는 바울이 구원을 필요로 하던 미혹된 여인 하와를 이야기하고 있는 것이라고 믿는다. 에덴 동산에서 하나님이 '내가 [뱀]을 여자와 원수가 되게 하고 [뱀의 후손]도 여자의 후손과 원수가 되게 하리니 여자의 후손은 [뱀의] 머리를 상하게 할 것이요 [뱀]은 그의 발꿈치를 상하게 할 것이라' [42] 고 말씀했을 때 그분은 '그 해산함' 을 예언하고 계셨다. 메시아의 약속이 주어진 복음은 이렇게 최초로 선포되었다. 그리고 바울은 익명의 에베소 여자는 모든 사람을 구속하기 위하여 태어날 약속의 자손을 통하여 구원을 얻을 수 있다고 말하며 이 약속을 다시 반복했다.

바울은 잃어버린 영혼을 향한 하나님의 사랑의 마음을 가장 영화롭게 인정함으로 이 구절을 시작했다. '그 해산함' 은 여자의 후손이며 한 여자로 말미암아 태어난 자손이며 하나님과 사람들 사이의 한 중보자이신 인격적인 그리스도 예수를 의미한다.[43] 여기에서 문제가 되는 요소는 모성이 아니라 구원이다. 여자들은 임신하여 아기를 낳음으로써 구원을 얻는 것이 아니다. 그들은 이미 태어난 자손 예수님을 통하여 구원을 받는 것이다! 이 구절 전반을 통하여 바울은 남자와 여자가 어떻게 구원을 받는가를 말하고 있지, 그들이 어떻게 아이를 낳는가에 대해 말하고 있지 않다. 이 전체 구절의 중심적인 진리는 약속된 해산함을 통하여 모든 사람이 구원을 얻기 원하시는 예수님과 하나님의 열망이다.

디모데에게 보내는 바울의 편지 전반에 걸친 초점은 예수님이다. 바울은 "미쁘다 모든 사람이 받을 만한 이 말이여 그리스도 예수께서 죄인을 구원하시려고 세상에 임하셨다"[44]라고 말함으로 글을 시작했다. 예수님께 초점을 맞춤으로 바울은 믿지 않던 핍박자들의 마음을 돌이키고 거짓 교사들을 바로잡기를 소망했다. 예수님은 이 난해한 구절의 핵심에 자리하고 계시는데 그것은 그분의 죽음과 부활하심을 통해서만 하나님의 영원한 꿈이 실현될 수 있고 오직 그분을 통해서만 믿는 자들이 "고요하고 평안한 생활을"[45] 할 수 있기 때문이었다. 그것은 온전히 예수님에 관한 것이었다.

바울이 가지고 있던 목자의 마음은 매우 커다란 문제를 일으키고 있던 에베소의 익명의 여인에게 쏠렸다. 바울은 그녀가 그 해산함 즉, 예수님을 통해서 구원을 얻을 수 있다고 말하고 있다. 그녀는 반드시 배워야 한다. 무엇을 배워야 하는가? 온전히 하나님 앞에서 회복되기 위해서 그녀는 예수님에 관해 배우지 않으면 안되는 것이다.

복수형 문장

그리고 나서 바울은 목자로서의 염려를 여성 전반에 확장시켰다. 문장의 중간에서 그는 복수형으로 되돌아가 모든 여인에게 필요한 것은 예수님이라고 말하고 있다. "만일 정절로써 믿음과 사랑과 거룩함에 거하면"[46] 구원을 얻게 될 것이었다. 이것은 바울의 작은 교차대구법의 한 바퀴였다. 그는 '한 여자'가 구원을 얻기를 바라면서 또한 그는 모든 여자들이 구원에 이르기를 원했다. 하나님의 아들 예수님을 통해 모든 사람이 구원에 이르기를 원한다고 한 초반의 구절에 어울리는 결론이다!

네 가지 영적인 특성인 정절, 믿음, 사랑, 거룩은 바울이 디모데에게 보낸 편지의 맨 첫 부분에 열거했던 네 가지와 놀라우리만큼 유사하다. "경계의 목적은 청결한 마음과 선한 양심과 거짓이 없는 믿음으로 나는 사랑이거늘"[47] 왜 이것이 중요한가? 그 이유는 당시의 사람들이 배워왔던 모든 것과는 현저하게 다르기 때문이다. 유대인들이나 이방인들은 여자들을 위한 미덕을 전혀 다른 기준에서 정의했다. 그러나 바울은 그렇지 않았다. 그는 복음에 대한 동일한 대답과 남자와 여자를 향한 동일한 도덕적인 기준을 기대했다. 그는 예수님이 이미 보여주셨던 것을 실천에 옮겼다. 법과 행동의 이중적인 기준은 더 이상 존재하지 않았다. 하나님의 나라는 여자에게는 배타적인, 남자만의 소유가 아니라 남녀 함께 분배받은 기업이었다.

18
여성 지도자들도 등장한다
(디모데전서 3:1—13)

데이비드 해밀턴

앞의 몇 장에서 바울이 분명히 여성 설교자들이나 여 교사들 또는 교회의 여성 지도자들에 대해 반대하고 있지 않았음을 살펴보았다. 사실, 바울은 공적인 사역에 종사하는 여자들을 위한 문을 활짝 열었다. 우리가 지도자의 자질에 관한 그의 가르침을 살펴볼 때 다시 한 번 이것을 깨닫게 될 것이다.

16장의 '디모데전서 개관' 을 참조하라. 이제 살펴볼 구절은 디모데에게 보내는 바울의 메시지의 핵심이다. 바울은 경건하지 못한 여성 지도자들을 다루는 것에서부터, 남녀를 막론하고 경건한 지도자가 된다는 것은 무엇을 의미하는지를 언급하기 위해 주의를 환기시켰다. 그는 "사람이 감독의 직분을 얻으려 하면 선한 일을 사모한다"[1]라고 말했다. 디모데전서 2:1—15처럼 깊게는 아니지만 디모데전서 3:1—13의 중요한 몇 가지를 살펴보자.

첫째, 바울은 지도자가 되기 원하는 사람들에 대해 언급할 때 또다시 어떤 사람이라는 단어를 사용했음을 주목하라. 바울이 사용했던 문법에 정확을 기하기 위해 괄호 안에 '남자 혹은 여자' 를 부가했다.[2]

둘째로, 디모데전서 3:1—13의 구조를 살펴보라. 이것은 우리가 방금 살펴보았던 구절의 구조와 똑같다. 두 구절 다 일반적인 원칙으로 시작해서 두 가지 특정한 예를 들고 난 후 두 번째의 예에서 작은 교차대구법을 제시한다.

디모데전서 2:1—15에서 일반적인 원칙은 하나님은 모두가 기도하고 고요한 중에 평안한 생활을 하기 원하신다는 것이었다. 그리고 첫 번째 예는 남자들은 어떻게 행동해야 하는 것인가였고 두 번째 예는 여자들은 어떻게 행동해야 하는 것인가이었다. 두 번째 예에서 작은 교차대구법은 '복수—단수—복수' 였다. 즉, '모든 여자, 한 여자, 모든 여자' 였다.

대칭 구조

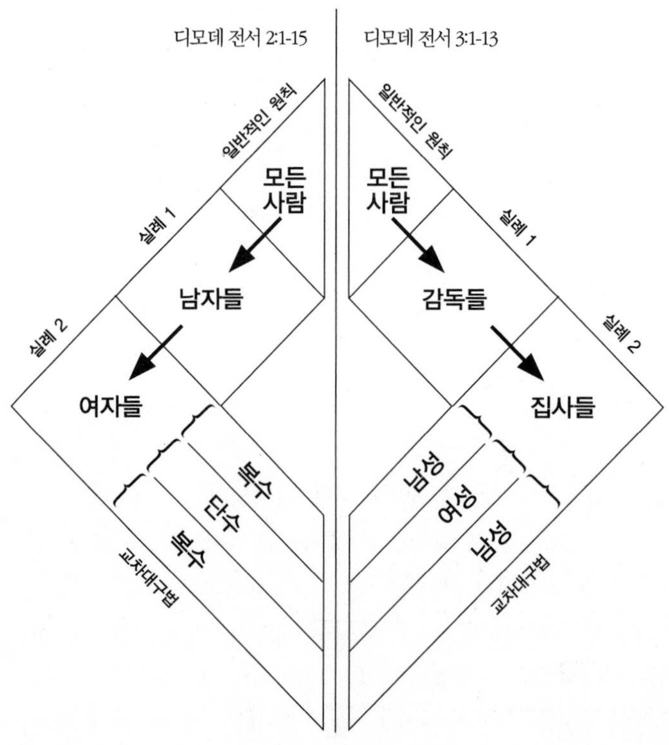

다음 구절인 디모데전서 3:1—13에서 바울은 지도자가 되려고 하는 사람은 선한 것을 사모해야 한다는 일반적인 원칙을 제시했다. 지도자들의 첫 번째 실례는 감독들이었고(2—7절) 두 번째 실례는 집사들이었다(8—13절). 그리고 두 번째 실례 안에서 바울은 남성, 여성, 남성의 작은 교차대구법을 제시했다. 이 두 구절이 구조면에 있어서 어떻게 대칭이 되는가 살펴보라.

"여자들도 이와 같이"

"여자들도 이와 같이 단정하고 참소하지 말며 절제하며 모든 일에 충성된 자라야 할지니라."[3] 바울이 여자들을 향하여 지도자의 책임에 대해 언급할 때 그는 또다시 '이와 같이' 라는 단어를 사용했다. 디모데전서 2장 9절에서 그가 동일한 말을 했던 것을 기억하라. 두 경우 모두 이 단어는 바울이 남자에 대한 언급에서부터 여자에 대한 언급으로 진입하는 교량의 역할을 하고 있다. 예외 없이 바울은 남자와 여자를 동등하게 복음의 동역자로 취급했다. 그는 남녀를 절대적으로 동등하게 여겼다. '이와 같이' 는 같다는 의미로써 그것은 '동일한 방법으로' 라는 것을 의미한다는 사실을 기억하라. 그 직전에 바울은 무엇을 말하고 있었는가? 집사로 섬기는 남자들에 대해 말하고 있었다. 그리고 나서 그는 "여자들도 이와 같이" 라고 말했다.

집사들인가 또는 아내들인가?

여기에서 바울이 사용했던 희랍 단어 귀네(gune)[4]는 aner가 '남자들' 또는 '남편들' 로 번역될 수 있었던 것과 마찬가지로 '여자들' 또는 '아내들' 로 번역될 수 있다. 어떤 의미가 더 적합한가를 이해하기 위해서는 본문을 연구하지 않으면 안 된다. NIV 번역본은 이 구절을 제대로 번역하지 못했다. "여자들도 이와 같이 단정하고 참소하지 말며 절제하며 모든 일에 충성된 자라야 할지니라"(한글 성경은 '여자들도' 라고 번역되었지만, NIV 번역본은 'their wives are to be women' 임—역주). 귀네(gune)를 '아내들' (wives)이라고 번역하기 위해서 그 안에 '그들의' (their)라는 대명사와 '여자들이라야 한다' (are to be women)라는, 희랍 원본에는 존재하지도 않았던 구절을 삽입하였다. 이렇게 NIV 번역자들은 독자들을 위해 본문을 왜곡함으로 한 가지의 가능성만을 허용했다. 이와 같은 단어 선택은 바울의 말 가운데는 존재하지 않았던 교회 내 여자 지도자들에 대한 편견을 드러낸다. 희랍어를 직역하면 '이와 같이/동일한 방법으로, 여자들/아내들도 단정하고 참소하지 말며 절제하며 모든 일에 충성된 자라야 할지니라' 다.

그렇다면 바울이 의미하는 바는 무엇이었는가? 아내들이었는가 아니면 여자들이었는가? 그가 무엇에 대해 말하고 있었는지 살펴보라. 그는 결혼 생활에 대하여 언급하고 있었는가, 지도력에 대하여 언급하고 있었는가? 디모데전서 3장 11절에 나오는 여자들과 디모데전서 3장 8절부터 11절에 나오는 남자들과는 어떤 관계가 있는가? 이 여자들은 그들의 아내들이었는가 아니면 사역의 동역자들이었는가?

디모데전서 2:1—15과 디모데전서 3:1—13의 구조를 다시 한번 비교해 보라. 3:11이 어떻게 2:11—15과 병행되는지 주목하라. 이것은 제각기 작은 교차대구법의 핵심을 형성한다. 그것은 마치 바울이 경건하지 않은 여성 지도자들에 대한 궁극적인 대응책으로 교회 내의 경건한 여자 지도자들의 역할을 묘사하려고 하는 듯하다. 바울은 한 여자의 실수 때문에 모든 여자들에 대해 반감을 가지지 않았다. 그는 많은 여자들이 지도자가 될 수 있는 길을 닦는 한편 그 여자를 훈계하였다. 디모데전서 3장 11절에서 바울이 열거하는 자질은 비양심적인 지도자들이 가르치는 헛된 교리의 문제에 관해 그가 디모데전서 앞부분에서 다루고 있었던 또 하나의 비극을 방지할 수 있는 자질이었다.

그와 같은 유감스러운 상황(디모데전서 2:11−15에 등장하는 익명의 여자)의 궁극적인 회복은 모든 여자들을 공적인 사역으로부터 금지시키는 것이 아니다. 오히려 바울은 경건한 여자들이 공적인 사역을 하는 데 필요한 평등함에 대해 언급하고 있다.

이것은 바울이 이단을 선동하던 후메내오나 알렉산더와 같은 남자들의 악한 영향에 대해 취했던 것과 동일한 것이다.[5] 바울은 이 두 남자가 가르치는 은사를 오용했다는 이유로 모든 남자들을 지도자에서 제외시키지는 않았다. 그렇다. 미래의 문제를 예방하기 위해 그는 남자 지도자들을 위한 지침을 제시했다.[6] 즉, 바울은 이단에 빠진 남녀를 교훈하며 영적인 지도자의 길로 인도하여 그들로 하여금 "비방과 마귀의 올무에 빠질까 염려"[7] 하는 등 남자와 여자를 평등하게 대했던 것이다.

11절에 등장하는 여자들은 집사들인가, 집사의 아내들인가? 편지의 구조와 내용으로 보아 바울은 여자들이 교회의 지도자들로 섬기는 것을 전적으로 제안했다. 바울은 브리스길라와 그녀의 남편 아굴라와 함께 이 도시에서 사역을 시작하지 않았는가? 그의 글 어느 곳에서도 바울이 경건한 여자들의 지도자적 책임을 제한했던 것을 찾아볼 수 없다. 오히려 로마서 16:1−2에서 바울은 뵈뵈를 주님의 동역자로 보았고 집사로 인정했으며 교회의 모범이 되는 지도자로 칭찬했음을 볼 수 있다.

그러므로 바울이 언급한 것들은 구원을 받거나 사역하는 데 있어서 남자와 여자를 갈라 놓으려는 것이 아니다. 십자가 앞에서 모든 사람은 평등하다. 모든 사람에게 하나님과 화목할 수 있는 기회를 제공하려는 하나님의 영원한 꿈을 성취하려 한다면 우리 각자는 기도하고, 믿음을 고백하고, 평안하고, 조용한 삶을 살지 않으면 안 된다. 각 사람들은 어떤 사역을 주시든지 하나님의 인도를 따라야 한다. 이것은 남자들에게 적용될 뿐 아니라 여자들에게도 동일하게 적용된다.

마치는 글

데이비드 해밀턴

나는 선교사다. 나는 또한 남미의 선교사 가정에서, 강인하고 인자한 선교사팀을 이루셨던 부모님, 키스와 매릴린 해밀턴에 의해 양육을 받으며 자라났다. 부모님은 하나님과 그분의 말씀이 모든 삶의 기반이 된다는 것을 나에게 가르쳐준 분들이었다. 그들은 이 세상에서 가장 중요한 과업은 잃어버린 영혼들에게 복음을 들고 가는 일이라는 것을 몸소 보여주셨다.

이 세상에서 가장 중요한 과업을 어떻게 수행해 나가는가에 대한 하나님의 계시를 이해하는 것보다 더 중요한 것이 있을까? 우리는 여자들과 사역이라는 주제에 대한 하나님의 음성을 분명히 듣고 그분께 협력해야 한다. 우리는 그분의 목적에 대항하거나 그분의 나라를 확장시키라고 부르신 사람들 안에서 역사하시는 성령님을 소멸시키는 사람이 되어서는 안 된다.

우리는 또한 하나님이 자신의 말씀을 시간과 공간 안에서 드러내신다는 것을 깨달아야 한다. 그분의 말씀을 진정으로 이해하기 위해서는 그러한 계시가 나타나는 세계에 대한 어떤 사실들을 알 필요가 있다.

인간의 생각은 자신의 시간과 문화라는 흙에서 솟아나오지만 하나님의 생각은 그렇지 않다. 하나님의 계시는 대부분의 사람들이 믿는 것과는 정반대인 경우가 많다. 여자에 관한 주제—성경이 쓰여질 당시 여자들의 역할과 그들의 기본적인 가치—가 가장 좋은 예다. 여자들이 당면했던 장애물과 수치를 이해하기 위하여 우리가 이 책에서 역사의 발자취를 거슬러 올라갔던 이유가 바로 그것이다.

우리는 지금까지 희랍인, 로마인 심지어 유대인들까지도 '여자들은 저주받은 존재며, 남자보다 가치가 낮으며, 피하거나 조심스럽게 격리시켜야 되는 존재' 라고 여겨 수천 년 동안 거짓된 쇠사슬을 씌워 왔다는 것을 보았다.

여자들의 깊은 절망, 그리고 예수님이 그 어두움을 뚫었을 때의 그 찬란함을 보았으리라 믿는다.

회당에서 불구된 여인을 대하실 때나, 마르다와 우물가의 사마리아 여인과 같은 한 개인에게 기독교의 가장 중요한 메시지를 전하실 때나 예수님은 여자에 관한 하나님의 원래의 견해를 회복시키고 계셨다. 주님께서는 여자들에게 그들이 수치스러운 존재가 아니며, 정욕의 대상도 아니고, 또한 멸시의 대상도 아니라는 것을 보여주시고 계셨다. 그분은 여자들을 하나님의 형상을 따라 지음받은 존재, 그들의 시대에 예외로 간주되었던 일들을 할 수 있는 능력을 소유한 존재로 대해 주셨다. 주님은 우물가의 여인이 마을의 전 주민들에게 복음을 전하도록 하셨다. 심지어 여자들에게 자신과 열두 제자와 함께 여행하며 섬기도록 하셨다.

우리는 또한 사도 바울이 어떻게 예수님의 발자취를 따랐는지를 살펴보았다. 여자들을 동료이자 동역자로서 대한 바울의 처사는, 그가 여자들을 증오했던 사람이라는 판에 박힌 인상과는 전혀 반대되는 것이다. 오히려 바울은 고린도전서 11:2—16에서 여자들이 공적인 사역에 관여하는 것을 칭찬했다. 그는 여자들이 회중을 대신하여 하나님께 기도하는 것과 또한 하나님을 대신하여 사람들에게 예언하는 것을 인정해 주었다.

고린도전서 14:26—40에서 바울은 남자와 여자를 막론한 모든 사람들에게 교회의 회중 예배에 능동적으로 참여하여 모두가 상호 유익을 얻도록 촉구했다. 바울은 질서의 하나님에 대해 강조했으며 그들의 모임에서 무질서를 자아내던 세 부류의 사람들 즉, 방언을 하는 사람들, 예언을 하는 사람들, 여자들의 잘못을 지적했다. 그러면서도 그는 그 세 부류의 사람들을 영구적으로 금하지 않았을 뿐더러 사역할 수 있는 자유를 박탈하지도 않았다. 사실 신약 시대의 모든 문화와 비교해 볼 때 바울은 여자들의 교육을 위한 파격적인 배려를 했다.

디모데전서 2:1—15에서 바울은 에베소에 있던 외부로부터의 박해와 교회 내의 이단과 어떻게 싸울 것인지를 디모데에게 가르쳤다. 이와 같은 어려운 상황 가운데서 바울은 하나님의 마음을 가장 영화롭게 드러내었다. 모든 사람이 구원에 이르고 진리를 아는 데 이르기를 원하신다는 하나님의 영원한 꿈을 보여주었다. 그리고 나서 바울은 교회 내에서 권위를 가지고 있었으나 거짓된 가르침에 의해 미혹되었던 '한 여자' 에 대해 디모데에게 지시했다. 그는 디모데에게 더 이상 이 여자가 가르치거나 남자들을 주관하는 것을 허락해서는 안 된다고 말했다. 그러나 그런 여자를 향해서도 바울은 목자로서의 마음을 보여주었다. 그는 디모데에게 그녀가 진리를 알도록 회복시키기 위해 그녀를 가르칠 것을 권했다. 그리고 나서 남녀를 막론하고 비난의 대상이 되지 않았던 모든 사람들에게 교회 내에서 지도자의 책임을 감당할 것을 권면함으로 마무리 지었다.

흔히 여자들의 사역을 제한하는 데 사용되고 있는 이 세 구절에서 바울은, 복음이 공적으로 선포되는 일에 여자들이 온전히 관여하기를 기대했다. 그는 훈계를 통하여 여자가(그리고 남자가) 사역하는 방법을 수정해 주었다. 여자들이 지도자의 역할에 동참하는 것을 금지한 곳은 아무 데서도 찾아볼 수 없고 오히려 바울은 적극적으로 권장했다. 여자들의 가치에 대한 개념을 재고할 것을 남자들에게 촉구했으며 여자들의 권위를 인정해 주었다. 그는 여자들을 위한 교육의 기회를 개방했다. 그는 남자들뿐만 아니라 여자들도 사역에 관여하고 교회의 지도자가 되라고 초청하고 촉구했다.

자, 이제는 우리가 자신의 마음을 감찰하고 성경에서 살펴보았던 진리를 적용하여 우리의 삶에서, 우리의 직장에서, 우리의 교회와 소그룹에서, 우리의 가정에서 어떤 발걸음을 내딛을 것인지를 결정할 때다. 야고보서 1:23–24에는 하나님의 말씀을 읽고 그것을 행하지 않는 사람은 거울을 보고 가서는 거울에 비친 자신의 모습을 잊어버리는 사람과 같다고 말한다. 그것보다 더 쓸모 없는 일이 어디 있는가? 성경을 공부하고 난 후에는 우리의 태도를 변화시키고 성경의 말씀에 일치되도록 적용해야 한다.

예수님과 바울의 시대 이후로 교회는 종종 성경에서 제시하는 높은 표준치에 맞는 삶을 살지 못했다. 수세기 동안 하나님은 성경을 통하여 자신의 백성들을 새롭게 하고 수정하려고 노력해 오셨다. 그러나 우리는 거듭하여 주님과 그분의 종 바울이 우리를 위해 제시한 모델에 이르지 못했다. 옛 랍비들이 구약을 통하여 하나님께로부터 받았던 교훈에서 떠났던 것과 마찬가지로 우리는 신약 성경의 진리를 떠나는 죄를 범했다.

랍비들과 마찬가지로 우리는 종종 강한 종교적인 확신과 독단적인 열정을 가지고 죄를 범해 왔다. 배우는 것과 여자들에 대한 대우는 이중적인 기준으로 "여자들, 있어도 어렵고 없어도 어려운 존재"[1]라는 말을 처음으로 만들어 내었던 고대 희랍과 로마의 철학자들과 더 많은 공통점을 가지고 있다. 성경에 의거해서 우리의 문화를 형성하는 대신에 문화가 우리를 형성하도록 허용해 왔고 심지어는 어떻게 성경을 읽는가에도 영향을 미치게 했다. 우리는 실수를 범했고 우리의 실패는 증인으로의 역할을 약화시켜서 수세대 동안 성경의 하나님은 마치 여자들을 대적하시는 분이라고 믿도록 만들었다.

여성에 대한 지속된 증오를 드러내는 수많은 인용구들이 교회 역사 안에 존재한다. 초대교회의 사상가들은 신약 성경에 나타난 여자들의 고귀한 가치를 재빨리 외면해 버렸다. 터툴리안의 언급은 하나의 전형적인 예다.

> 당신들[여자들]은 마귀의 출입문이다. 당신들은 금단의 나무

> 를 여는 사람들이다. 당신들은 신의 법을 최초로 저버린 사람들이다. 당신들은 마귀가 공격할 엄두를 내지 못했던 남자를 설득했던 여자다. 당신들은 하나님의 형상을 닮았던 남자를 너무나 쉽게 파괴했다. 당신들이 저질렀던 일의 결과인 죄로 말미암아 결국 하나님의 아들이 죽을 수밖에 없었다.[2]

하나님의 형상을 따라 지으심을 받은 피조물에 대하여 참으로 가혹한 언급이 아닌가! 그러나 그와 같은 태도는 중세기와 그 이후에 끈질기게 지속되어 왔다. 때로 교회 안에서 영향력이 있는 남자들은 '여자들은 선천적으로 더 연약하고, 더 미혹되기 쉬우며, 남자들을 함정에 빠뜨리는 존재들' 이라는 자신들의 견해를 뒷받침하기 위해 희랍 철학자들의 말을 인용했다. 중세기의 성인이었던 보나벤처는 "여자는 남자에게 창피스러운 존재며, 남자의 침실에 있는 짐승이며, 걱정거리며, 끊임없는 문제며, 매일 짜증나게 하는 존재며, 가정을 파괴하는 존재며, 혼자 있는 시간의 방해꾼이며, 덕 있는 남자를 타락시키는 존재며, 억누르는 짐이며, 만족하지 못하는 꿀벌이며, 남자의 소유물이자 소지품이다"[3] 라고 말하며 아리스토텔레스를 모방했다.

근세대의 사람들에 의해 언급되었던 꽤 많은 말들을 인용할 수도 있지만 더는 필요하지 않다고 생각한다. 과거를 돌아보고 하나님의 원래의 목적으로부터 얼마나 멀어졌는지를 안타까워해야 한다. 과거의 역사적 실수를 인식하고 슬퍼해야 한다. 여자들과 남자들을 자유롭게 하기 위해서 오셨던 주님의 이름으로 그와 같은 말들이 쓰여졌다는 사실은 인간의 수치다.

단체로, 그리고 한 개인으로서 지나간 아픈 과거를 인식하면서 그리스도의 가치관 위에 세워진 기준이 세상에 명확하게 드러나기 위해서 우리는 회개해야 한다. 회개는 언제나 하나님의 말씀을 적용하는 시작점이다.

자기 허물을 능히 깨달을 자 누구리요
나를 숨은 허물에서 벗어나게 하소서
또 주의 종으로 고범죄를 짓지 말게 하사
그 죄가 나를 주장치 못하게 하소서
그리하시면 내가 정직하여
큰 죄과에서 벗어나겠나이다
나의 반석이시요 나의 구속자이신 여호와여
내 입의 말과 마음의 묵상이 주의 앞에 열납되기를 원하나이다.[4]

다윗의 이 고백처럼 우리가 겸손히 회개할 수 있도록 하나님이 도우신다.

이제는 우리가 가지고 있던 해묵은 신념과 전통들을 다시 생각해 볼 때다. 이제는 우리가 어떤 방식으로든 하나님의 역사를 방해하고 그분의 말씀을 오해했던 것을 회개할 때다. 이제는 여자들을 향한 하나님의 부르심이 온전히 성취되도록 그들을 세울 때다.

지금이 바로 그 때다!

마치는 글

로렌 커닝햄

자카르타 행 비행기에 앉아서 노트북으로 이 책의 초고를 편집하고 있었다. 내 옆자리에는 머리에서부터 발끝까지 베일로 가린 모슬렘 여인이 한 명 앉아 있었다. 내가 컴퓨터를 치는 동안 그녀는 내용을 읽어 보려고 계속해서 내 어깨 너머로 컴퓨터 화면을 넘겨다 보았다. 어쩌면 바로 그 장면이 생생한 현실을 보여준다고 할 수 있다. 세계 전역의 수 많은 여자들이 예수님이 갈보리 산 위에서 자신들을 위해 값을 치르셨던 자유함을 누리기를 열망하며 교회를 어깨 너머로 넘겨다 보고 있다.

여자들은 세상적인 방법으로 해방을 이루려고 시도했지만, 반발과 원한으로 했었기 때문에 더 깊은 상처만 남겼을 뿐이었다. 교회들이 겸손한 마음으로 앞장 설 때에야 비로소 갇힌 자들이 자유롭게 될 것이다.

또한 여자들이 자신들의 재능과 부르심 안에서 하나님께 순종할 수 있는 자유를 누리도록 해야 한다. 지난 40년 동안 타문화권 선교 사역을 이끌며 역사상 가장 강력한 선교 사역자들이 배출되는 것을 보고픈 열정과 소망이 생겼다.

당신이 이 책을 읽는 동안 우리의 심중을 헤아렸으리라 믿는다. 내 생각에는 이것이 오늘날 그리스도의 몸과 사회에서 으뜸가는 주제라고 생각한다. 그것은 가정, 교회, 지역 사회, 크게는 사회가 연합하거나 반목하게 되는 요인이다. 주님을 경외함으로 우리는 이 중요한 분야를 연구했다. 모든 사람이 우리의 결론에 동의하리라고는 기대하지 않는다. 다만 우리의 생각이 분명하게 전달되었기를 바란다.

이 책이 완성되기까지 30여 년의 시간이 걸렸다. 오래 전, 나는 주변에서 보았던 실례들에 마음이 움직여서 복음을 가르칠 여자들의 권리에 대한 강의를 시작했었다. 지금 90대이신 나의 어머니 쥬얼 커닝햄은 안수받은 목사로서 70년 이상 사역해 오셨다. 어린 시절 기억 중의 하나는 어머니의 설교를 듣는 것이었다. 어머니는 아버지 T. C. 커닝햄 곁에서 함께 동역하며 여러 교회에서 협동목사로 섬기셨다. 그 후 사역이 확장되어서 두분은 선교 사절로 백여 개의 나라를 방문하게 되었다.

하나님께 부르심을 받아 섬긴 여자의 훌륭한 실례는 나의 어머니만이 아니다. 나의 아내 달린 커닝햄은 탁월한 지도자며 지도자들을 훈련하는 사람이다. 내가 아는 한 달린은 가장 많은 국제적인 선교사들을 훈련한 사람이다. 나의 동료인 달린이 없이 국제 예수전도단(YWAM)을 창설한다는 것은 상상조차 할 수 없었다. 또한 많은 강인한 여자들이 없는 YWAM도 상상할 수 없다. 우리가 1960년에 창설했던 선교 단체는 선교 사역에 청년들, 평신도들, 단기 사역자들을 파송하고 개척했다. 우리는 비서구 국가 출신의 선교사들을 많이 파송했던 최초의 단체들 중 하나였다. 그러나 나는 모든 것 중에 가장 커다란 부류가 아직 세워지지 않았다고 믿는다.

YWAM은 네팔에서 사역을 시작했고 그 나라에 복음이 들어가는 것을 돕기 위해 투옥을 견디었던 엘리자베스 바우만 코크레과 같은 '여장군들' 을 얻는 축복을 받았다. 또 다른 사람은 디욘 스티븐스로 그녀는 자신의 남편 단을 도와 구제선 사역(Mercy Ships)을 창설했고 많은 나라에 도움을 주었다. 낸시 네빌은 작은 거인으로 남미의 남부 지역에 선교 운동이 시작되도록 도왔다. 이들은 내가 이름을 열거할 수 있는 많은 여성 중 극히 소수에 불과하다. YWAM

의 가장 높은 지도층에서 섬기는 여자들이 있는 것처럼 각 계층에서 하나님의 왕국 안에 영향을 주고 있는 셀 수 없이 많은 여자들이 있다. 그들은 나로 하여금 더 위대한 것을 믿을 수 있는 믿음을 갖게 한다.

우리는 이 책에서 결혼이나 가정을 깊이 있게 다루지 않았다. 그 주제는 다음에 발간될 책에서 좀더 논의하기를 원한다. 그러나 우리는 결혼 생활이 하나님이 에덴 동산에서 고안하셨던 것처럼 동등한 동역의 관계라고 믿는다.

이미 자신의 가치와 역할을 발견하고 행복을 누리는 여성들이 아니라 억눌리고 무시당하는 수 많은 여인들을 위해 이 책을 쓰게 되었다. 우리가 이 책을 저술한 것은 그들을 위해서, 또한 그들에게 복음을 온전히 전하기 위해서다.

약 백여 년 전에 프레데릭 프랜슨은 다음과 같이 저술했다.

> 잃어버린 세상을 구하기 위하여 하나님의 자녀가 동등하게 모든 능력을 사용할 수 없다는 거짓말을 믿었다. 예를 들어, 많은 사람이 물에 빠져 죽어가고 있다고 하자. 몇 사람이 그들을 구하려고 애쓰고 있다. 좋은 일이다. 그런데 저쪽에서 몇 명의 여자들이 구조 작업을 도우려고 배를 내리고 있다. 그러자 한가롭게 서서 구경하던 남자들이 고함을 지른다. "하지 말아요. 여자들은 도울 수 없어요. 그저 사람들이 물에 빠져 죽게 내버려둬요."[5]

여자들을 세우면 지상 대명령을 완수하기 위해 나아가는 데 필요한 수십만 명의 사람들을 얻게 된다. 연합과 섬기는 지도자에게 부으시는 하나님의 축복을 경험하게 될 것이다. 성령의 더 많은 기름 부으심을 경험하게 될 것이다. 분별력 없이 연약해지지 않고 강한 그리스도의 몸을 목격하게 될 것이다.

이 일에 있어 하나님의 지혜를 구하지 않으면 안 된다. 예수님은 인간의 문화를 변화시키고자 각 문화권 안에서 역사하셨다. 우리도 동일한 일을 해야 한다. 가장 위대한 변화가 우리 세대에서는 일어나지 않겠지만 이제 다가오는 세대에서는 일어날 것이다. 하나님은 지금 준비 작업을 하고 계시다. 바야흐로 역사의 마지막 장이 펼쳐지고 있다. 주님이 오시면 모든 것이 회복될 것이다. 그때까지 우리는 성령님께 민감하고 우리 시대에 그분이 하시는 일에 민감해야 한다.

만일 당신이 지도자라면…

당신과 함께 섬기고 있는 사람들, 여자들과 남자들, 청년들과 노인들, 그리고 당신과 다른 배경을 가지고 있는 사람들의 은사들을 사용하도록 권면함으로써 선한 청지기가 되라. 당신이 더 많은 사람들을 세울수록 하나님은 당신과 당신의 사역을 더 축복하실 것이다. 주면, 하나님이 부어주실 것이다. 하나님께 은사를 받은 사람들과 함께 기뻐하라. 그들을 높여주라. 그들이 목적지에 도달할 수 있도록 도우라.

만일 당신의 견해가 다르다면…

이 책에서 전하고자 하는 의도를 헤아려 주기를 바란다. 우리는 교회 안에 있는 다른 사람들과 함께 하나님의 지혜를 구하고 싶다. 우리는 그리스도의 몸의 귀에 대고 나팔을 부는 것을 원하지 않는다. 다만 지구상에 하나님의 뜻이 이루어지는 것을 보기 위해 함께 일하는 것을 원한다.

만일 당신이 여자들을 견제했다면…

남에게 상처를 주었던 태도를 회개하라. 어떤 모양으로 하나님의 역사를 방해했든지 주님께 용서를 구하자. 하나님의 왕국 안에서 여자들을 열등한 존재로 취급했던 것에 대하여 겸손하게 하나님의 용서를 구하자. 화해와 치유를 향한 길로 인도하자.

만일 당신이 하나님께 부르심을 받은 여자라면…

당신이 주님께 순종할 것을 결단하라. 이 책의 서두에서 나는 소녀들과 젊은 여자들과 나이든 여자들이 하나님의 부르심에 자유롭게 순종하는 비전에 대해 언급했다. 순종이 기본이다. 스스로에게 물어보라. 나는 나의 삶을 향하신 하나님의 부르심을 성취하고 있는가? 나는 이 세대에서 주님께 순종하고 있는가? 나는 주님이 나에게 하도록 부르신 그 일을 하고 있는가?

만일 하나님을 순종하는 것에 헌신되어 있다면 장애가 되는 것은 아무것도 없다. 그러나 마음에 쓴 뿌리가 내리지 않도록 주의하지 않으면 안 된다. 마귀의 방법으로는 하나님의 뜻을 이룰 수 없다. 비판에 대하여 용서와 사랑과 겸손의 정신으로 맞서고 섬기는 자의 마음을 유지하지 않으면 안 된다. 어떤 사람이 잘못된 태도로 당신의 소명에 반대한다면, 분노로 반응하는 것을 피해야 한다. 오히려 부당함이나 죄로 인해 느끼는 분노를 올바로 처리하는 법을 배워야 한다. 만일 직접 나서서 싸운다면 결국 패배할 뿐이다. 그러나 하나님이 우리와 우리의 사역을 방어하시도록 내어 드린다면 그분께서는 길이 없는 곳에 길을 만드실 것이다.

포기하지 마라. 당신이 하나님의 뜻을 순종하는 것을 아무도 막을 수 없다. 선교 단체가 당신이 여자라는 이유로 가입이나 귀중한 사역이나 지도력을 받아들이지 않았는가? 다른 단체에 가입하라. 아니면 당신 스스로 단체를 시작하라. 당신은 말씀을 전파하는 부르심을 받은 여자인가? 만약 다른 사람들이 당신이 강단에서 말씀을 전하는 것을 허락하지 않는다면 요한 웨슬리나 존 윗필드가 했던 것처럼 바깥 길거리에서 말씀을 전파하라. 아니면 교회를 개척하라. 만일 당신이 마음과 태도를 바로 지킨다면 하나님은 당신의 사역을 축복하실 것이다.

모든 사람들의 생각을 바꾸는 것은 당신의 임무가 아니다. 주님께 순종하고 그분이 당신에게 요구하시는 것을 하는 것이 당신의 임무다. 계속 헌신의 자세를 잃지 말고 당신의 마음속에 거절감이나 원망을 품지 말고 다른 사람들을 향해 마음을 열라. 하나님께 순종하고 그분께 결과를 맡기라. 하나님의 손이 당신과 함께한다는 사실이 결국에는 모든 사람에게 분명히 드러날 것이다.

당신은 마지막 때에 예언을 하는 딸들 중의 한 사람이 될 것이다. 당신은 복음을 전파하는 큰 무리의 여자들 중의 한 사람이 될 것이다. 하나님은 당신에게 무슨 일을 하라고 부르고 계시는가?

추천 자료

지도력과 사역에서의 여자들에 관한 연구를 계속하기 원하는 이들을 위하여 아래의 자료들을 권한다. 좋은 믿음의 사람들과 신념의 사람들 사이에는 의견의 차이가 있다. 많은 문제에 대한 다른 관점을 보겠지만, 당신은 읽을 가치가 있다는 것을 발견할 것이다.

Are Women Human? Dorothy L. Sayers 지음, William B. Eermans Publishing Company, Grand Rapids, 1971.

Beyond Sex Roles: What the Bible Says About a Woman's Place in Church and Family, Gilbert Bilezikian 지음, Baker Book House, Grand Rapids, 개정판, 1993.

Beyond the Curse: Women Called to Ministry, Aida Dina Besançon Spencer 지음, Thomas Nelson, Nashville, 1985.

Equal to Serve: Women and Men Working Together Revealing the Gospel, Gretchen Gaebelein Hull 지음, Fleming H. Revell Company, Tarrytown, 1991.

Fashioned for Intimacy: Reconciling Men and Women to God's Original Design, Jane Hansen 지음, Regal Books, Ventura, 1997.

Female Ministry: Woman's Right to Preach the Gospel, Catherine Booth 지음, 구세군 출판부, 뉴욕, 1859, 1975 재판.

From Jerusalem to Irian Jaya, Ruth A. Tucker 지음, Zondervan, 1983,(특히 9장 '독신 여 선교사들: 이등 국민' 을 주목).

God and Women: A Fresh Look at What the New Testament Says About Women, Dorothy Pape 지음, Mowbrays, London, 1977.

Guardians of the Great Commission: The Story of Women in Modern Missions, Ruth A. Tucker 지음, Academie Books, Zondervan Publishing House, Grand Rapids, 1988.

I Suffer Not a Woman: Rethinking I Timothy 2:11—15 in Light of Ancient Evidence, Richard와 Catherine Clark Kroeger 부부 공저, Baker Book House, Grand Rapids, 1992.

In the Spirit We' re Equal, Susan C. Hyatt 지음, Hyatt Press, 1998. 주소: P.O. Box 764463, Dallas, Texas 75376.

Paul, Women and Wives: Marriage and Women' s Ministry in the Letters of Paul, Craig S. Keener 지음, Hendrickson Publishers, Peabody, 1992.

Paul, Women, Teachers, and the Mother Goddess at Ephesus: a Study of I Timothy 2:9—15 in Light of the Religious and Cultural Milieu of the First Century, Sharon Hodgin Gritz 지음, University Press of America, Lanham, 1991.

The Bible Status of Woman, Lee Anna Starr 지음, New York Lithographing Corporation, New York, 1955.

What Paul Really Said About Women: An Apostle' s Liberating Views on Equality in Marriage, Leadership, and Love, John Temple Bristow 지음, Harper and Row, San Francisco, 1988.

Who Said Women Can' t Teach? Charles Trombley 지음, Bridge Publishing, Inc., South Plainfield, 1985.

Women as Risk Takers for God, Lorry Lutz 지음, Baker Book House, Grand Rapids, 1999.

Women, Authority and the Bible, Alvera Mickelsen 지음, Inter Varsity Press, Downers Grove, 1986.

Women in the Maze: Questions & Answers on Biblical Equality, Ruth A. Tucker 지음, Inter Varsity Press, Downers Grove, 1992.

I Commend to You Our Sister: An Inductive Study of the Difficult Passages Related to the Ministry of Women: I Corinthians 11:2—16, I Corinthians 14:26—40, and I Timothy 2:1—5, David J. Hamilton의 석사 학위 논문, 기독교 사역대학, 열방대학교, 1996.

색인

CHAPTER 1

[1] 사도행전 2:17—21.

[2] 요엘 2:28—29.

[3] "소식을 공포하는 여자가 큰 무리라"(시 68:11)라고 번역한 NASB의 번역은 정확하여 히브리어 원본을 가장 정확하게 반영하고 있다.

[4] Jewell Cunningham, *Women Called to Preach*(Lindale: C & R Publications, 1989), 42.

[5] 마태복음 9:37, 요한복음 4:35.

[6] 현재 인구 보고서, 미국 인구 조사국, 상공부, 1996.

[7] 1997년 미국 통계 발췌(워싱턴: 국립 통계 자료, 미국 상공부, 경제 통계 행정처, 인구 조사국, 1997년 10월), 79, 도표 97.

[8] 형사법 통계 자료집, 1995.

[9] Gavin de Becker, *Protecting the Gift*(뉴욕: 다이알 출판사, 랜덤 하우스, 1999), 15.

[10] 사법국 통계, 자료집 98—100, 1996. http://www.ojp.usdoj.gov/bjs 참조.

[11] Sheryl Watkins, "Women: Five Barriers Facing Women in the Developing World," *Today*(Federal Way: World Vision, 1997년 4월 · 5월 호), 4—7.

[12] Barbara Ehrenreich, "For Women, China is All Too Typical," *Time*,(1995년 9월 18일), 130.

[13] Geraldine Brooks, *Nine Parts of Desire: The Hidden World of Islamic Women*(뉴욕: Anchor Books—Doubleday, 1995), 50.

[14] Jean P. Sasson, *Princess*(뉴욕: William Morrow, 1992).

[15] Ibid., 101—102.

[16] Ibid., 181—185.

[17] Ibid., 208—209.

[18] Ehrenreich, "For Women," *Time*, 130.

[19] ABC 뉴스의 나이트라인(*Nightline*), 1999년 2월 16일과 17일의 TV 방영 사본.

[20] Nicholas D. Kristof, "Stark Data on Women: 100 Million Are Missing," 뉴욕 타임스(1999년 11월 5일), C—1, C—12.

[21] Ibid.

[22] Ibid.

[23] Ibid.

[24] "25 Years of Thumps," *New Woman*(1995년 10월 호), 234.

[25] Ruth A. Tucker의 *From Jerusalem to Irian Jaya: A Biographical History of Christian Missions*(Grand Rapids: Academy Books, The Zondervan Corporation, 1983), 233에서 색인과 함께 인용.

[26] 베드로전서 4:17.

[27] 창세기 1:27.

[28] "Women in the Church I and II," seminar by Pastor David Johnson on cassettes 1527 and 1528 from Growing in Grace, a ministry of Church of the Open Door, 6421— 45th Avenue North, Crystal, MN 55428.

[29] 요한일서 3:8.

[30] 요한복음 12:1—8.

[31] 마태복음 26:6—13.

[32] 마태복음 28:10, 요한복음 20:17.

[33] "The Role of Women in Ministry as Described in Holy Scripture," 하나님의 성회의 총 장로회의 토의 자료, 위원회 회장 Zenas J. Bicket 박사, Pentecostal Evangel 잡지에 실렸다(1990년 10월 28일), 12—17.

[34] Vinson Synan, "Women in Ministry," *Ministries Today*(1993년 1월 · 2월호), 46.

[35] Ibid.

[36] Jon Trott, Cornerstone Magazine(25권, 108호), 23. 이것은 Baker Books에서 출간했던 Rebecca Merrill Groothuis의 Women Caught in the Conflict: The Culture War Between Traditionalism and Feminism에 대한 재검토였다. 복음적인 개척자들에 의해 여성들의 사역 참여가 인정되었음에도 불구하고 후기 저자들은 여성 참여의 입장을 철회하도록 영향을 받았다. 아마도 여성 운동을 반대하는 저자로서 대표적인 사람은 1909년에 Scofield Reference Bible의 저자 C.I. Scofield였을 것이다. Scofield는 여자들이 지도력을 발휘하기에 부적합하다고 믿었다. 곧이어 그의 견해는 복음주의자들 사이에 보급되었다.

[37] Trott, *Women Caught in the Conflict* in *Cornerstone Magazine*의 재검토, 23.

[38] "Women in the Church I and II"를 옮김(색인 28 참조).

[39] Synan, "Women in Ministry," *Ministries Today*, 46.

[40] Ibid.

[41] Ralph D. Winter, "Women in Missions," *Mission Frontiers*(1999년 8월).

[42] Ibid.

[43] Ruth A. Tucker(일리노이주 디어필드에 소재하고 있는 트리니티 이반젤리컬 신학교의 교수이자 저자), *Charisma*(1994년 11월)에 Julia Duin이 기고한

"Women in the Pulpit," 에서 인용, 26.

[44] Tucker, *From Jerusalem to Irian Jaya*, 233.

[45] J. Herbert Kane, *Life and Work on the Mission Field*(Grand Rapids: Baker Books, 1980), 143.

[46] Winter, "Women in Missions."

[47] Melody와 Keith Green 부부 공저, *Women's Right to Preach the Gospel*(Lindale: Pretty Good Printing, 1980).

[48] Kane, *Life and Work*, 143.

CHAPTER 2

[1] 고린도전서 13:9—12.

[2] 로마서 12:2, 에베소서 5:26.

[3] 로마서 2:28—29.

[4] 고린도후서 3:18.

[5] 사도행전 17:30.

[6] 마태복음 22:34—40.

[7] 레위기 19:18.

[8] 에베소서 6:9.

[9] 빌레몬서 1:16—17.

[10] 마태복음 28:19.

[11] 노예 제도가 불법화되었음에도 불구하고 교육을 받지 못한 사람들이 자신의 노예 생활이 불법이라는 사실을 깨닫지 못하기 때문에 모리타니아에는 아직도 노예 제도가 존재하고 있다.

[12] 요한복음 8:32.

[13] 마태복음 28:19—20.

[14] 마태복음 13:33.

[15] 로마서 1:17.

[16] Richard N. Ostling, "기독교에 있어서의 칼빈의 역할을 수정하기 위해 신학자들이 압력을 가하고 있다," 워싱턴 타임즈(1999년 8월 14일자), C—10.

[17] "William Carey' s Amazing Mission: No Obstacle Too Great," *Glimpses*(Christian History Institute, 45호, 1993).

[18] 19C 미국의 부흥 운동이 어떻게 여성 참정권 운동이 시작되게 했는가의 정보를 제공하는 훌륭한 자원은 Susan C. Hyatt의 책 *In the Spirit We' re Equal* (Dallas: Hyatt International Ministries, 1998)이다. 특히 172—180면을 주목.

[19] 사사기 13:5, 민수기 6:1—21.

[20] 고린도전서 11:14.

[21] 고린도후서 3:6.

[22] 고린도전서 1:17 NKJV.

[23] 요한계시록 22:18—19.

[24] 요한복음 16:13.

[25] 요한복음 7:17, 요한복음 8:47.

[26] 베드로전서 1:16.

[27] 시편 145:17 NASB.

[28] 역대하 19:6.

[29] 디모데후서 2:15.

[30] 요엘 2:28—29.

[31] 사도행전 2:17—18.

[32] Angus Kinnear, *Against the Tide*(Fort Washington: Christian Literature

Crusade, 1997), 44, 48, 50, 56, 59, 62, 104, 138, 156.

[33] Ibid., 179.

[34] 빌립보서 2:6.

CHAPTER 3

[1] 그 장로는 하나님이 당나귀를 통하여 발람에게 말씀하셨던 민수기 22:21—31의 이야기를 암시했다.

[2] 역대상 16:22.

[3] 데살로니가전서 5:19.

[4] 시편 139:15 NKJV, 창세기 1:27.

[5] 로마서 11:29.

[6] 이사야 49:1—2 강조 부가됨.

[7] 예레미야 1:5.

[8] 에스더 4:14.

[9] 갈라디아서 1:1, 15.

[10] 요한복음 1:6.

[11] 빌립보서 3:12.

[12] 사도행전 4:19.

[13] 로마서 12:6—8, 고린도전서 12:8—10, 고린도전서 12:28, 에베소서 4:11.

[14] 고린도전서 12:8.

[15] 고린도전서 12:8.

[16] 고린도전서 12:9.

[17] 고린도전서 12:9, 28.

[18] 고린도전서 12:10, 28.

[19] 로마서 12:6, 고린도전서 12:10, 28, 에베소서 4:11.

[20] 고린도전서 12:10.

[21] 고린도전서 12:10, 28—30.

[22] 고린도전서 12:10, 28—30.

[23] 사도행전 19:11.

[24] 사무엘상 19:23—24.

[25] 요한복음 11:49—51.

[26] 마태복음 7:22—23.

[27] 로마서 12:4—8, 고린도전서 12:27—31, 에베소서 4:11.

[28] 고린도전서 12:27—31, 에베소서 4:11.

[29] 로마서 12:6, 고린도전서 12:10, 28—29, 에베소서 4:11.

[30] 에베소서 4:11.

[31] 에베소서 4:11.

[32] 로마서 12:7, 고린도전서 12:27—31, 에베소서 4:11.

[33] 로마서 12:7.

[34] 로마서 12:8.

[35] 로마서 12:8.

[36] 로마서 12:8.

[37] 로마서 12:8.

[38] 고린도전서 12:28.

[39] 고린도전서 12:28.

[40] 로마서 10:14.

[41] 베드로전서 4:9—11, 출애굽기 35:30—35, 스가랴 14:20—21.

[42] 에베소서 4:4—6.

[43] 갈라디아서 3:28.

[44] 사도행전 11:17.

[45] 사사기 4—5.

[46] 사사기 5:7, 바락과 함께 부른 노래지만 1인칭을 사용한 것이 드보라가 저자임을 확증한다.

[47] 베드로후서 1:20—21 NRSV.

[48] 미가 6:4.

[49] 출애굽기 15:20.

[50] 고린도후서 8:23.

[51] 마태복음 20:25—28, 마가복음 10:42—45.

[52] 로마서 16:2 NASB.

[53] 데이비드 요엘 해밀턴, *I Commend to You Our Sister*(석사학위 논문, 열방대학교, 1996), 부록 O, 736—739.

[54] 고든 피, *The New International Commentary on the New Testament: The First Epistle to the Corinthians*(Grand Rapids: William B. Eerdmans Publishing Company, 1991).

[55] 창세기 1:26.

[56] 누가복음 8:1—3.

[57] 요한복음 16:12.

CHAPTER 4

[1] 누가복음 2:36. 다수의 영어 번역본들이 '여 선지자' 라고 말하고 있으나 히브리어에는 이 단어의 여성형은 존재하지 않는다. 여성들은 단순히 '선지자들' 로 불리워졌다.

[2] 열왕기하 22:14, 역대하 34:22.

[3] 이사야 8:3.

[4] 사도행전 1장과 2장, 특히 1:14—15, 2:11, 2:18을 주목.

[5] 요엘 2:28—29.

[6] 디모데전서 2:12.

[7] 데이비드 요엘 해밀턴, *I Commend to You Our Sister*(석사학위 논문, 열방대학교, 1995), 부록 T.

[8] 디모데후서 3:16.

[9] 사도행전 18:26.

[10] 해밀턴, *I Commend to You Our Sister*(색인 7번 참조), 부록 X.

[11] 로마서 5:14—17, 고린도전서 15:22.

[12] 세계적인 회원 수: 몰몬교도(말일 성도 예수 그리스도 교회—천만 명, 여호와의 증인—4백만 명 이상, 사이언톨로지—8백만 명 이상, 통일교—숫자가 알려지지 않음, 크리스천 사이언스—50여 개국에 3,000여 개의 지교회가 있으나 회원수에 관한 집계는 불분명.

[13] 디모데후서 1:5—6.

[14] Jack Hayford, "What on Earth Is Happening in Heaven' s Name?" The Church on the Way의 Sound Word 테이프 사역이 제작한 #03928에 실린 메시지를 옮겼음. First Foursquare Church, 14300 Sherman Way, Van Nuys, CA 91405—2499.

[15] 이 주제를 더 다루기 원한다면 Loren Cunningham과 Janis Rogers 공저 「하나님, 정말 당신이십니까?」(예수전도단 역간)를 보라.

[16] 요한복음 4장.

[17] 고린도전서 15:13—14.

[18] 열왕기상 17:7—23, 열왕기하 4:8—37.

[19] "The Preacher' s Daughter" *Time*(2000년 5월 1일), 56—57.

[20] Ibid.

[21] Ralph D. Winter, "Women in Missions," *Mission Frontiers*(1999년 8월).

[22] 시편 68:11 NASB.

CHAPTER 5

[1] "플라톤," 마이크로 소프트 Encarta 백과사전, 1993.

[2] Eva Cantarella, *Pandora' s Daughters: The Role and Status of Women in Greek and Roman Antiquity*, Maureen B. Fant 옮김(Baltimore: John Hopkins University Press, 1981), 33.

[3] 호머, 일리아드, 제1권: 책 1—12, A.T. Murray 옮김(Cambridge: Loeb Classical Library, Harvard University Press, 1965), 8.161—166.

[4] 호머, 일리아드, 제2권: 책 13—24, A.T. Murray 옮김(Cambridge: Loeb Classical Library, Harvard University Press, 1968), 15.1—33.

[5] "Wives of Zeus," 마이크로 소프트 Encarta 백과사전, 1993.

[6] Hesiod, *The Theogony in Hesiod, the Homeric Hymns and Homerica*, Hugh H. Evelyn—White 옮김(Cambridge: Loeb Classical Library, Harvard University Press, 1936), 507—616.

[7] Semonides, "Fragment 7." Sarah B. Pomeroy의 *Goddesses, Whores, Wives and Slaves*에서(뉴욕: Schocken Books, 1975), 49—52에서 인용.

[8] Ibid.

[9] Ibid.

[10] 소크라테스는 서기전 469—399; 플라톤은 서기전 428—348/79; 아리스토텔레스는 서기전 384—322; 알렉산더 대제는 서기전 356—323에 각각 생존했다.

[11] "여자들은 빛으로 인도받지 않으려고 강력히 저항하며 입법자들에게 완강히 반발하는 존재임이 입증될 것이다. 그래서 다른 곳에서는, 내가 언급했던 바와 같이, 여자들은 올바른 법규를 지키지 않으려고 분노에 찬 비명을 지르겠지만 우리 나라에서는 혹시 말을 들을지도 모른다." 플라톤, *Laws*, R.G. Bury 옮김(Cambridge: Loeb Classical Library, Harvard University Press, 1926), 780e—781d.

[12] 플라톤, *Laws*, 804d—805a. 또한 플라톤, *The Republic*, Paul Shorey 옮김(Cambridge: Loeb Classical Library, Harvard University Press, 1953), 5.3(451d—452b) 그리고 5.4—6(454b—456c).

[13] 플라톤, *The Republic*, 5.3(451d—452b).

[14] Ibid., 5.6—7(456e—457d).

[15] Ibid., 5.3(451d—452b). 강조 추가됨.

[16] 플라톤, *Laws*, 780e—781d 그리고 790a.

[17] 플라톤, *Timaeus in Plato, 제7권: Timaeus, Critias, Cleitophon, Menexenus, Epistles*, R.G. Bury 옮김(Cambridge: Loeb Classical Library, Harvard University Press, 1941), 91a—d.

[18] 플라톤, *The Republic*, 5.4—6(454b—456c).

[19] 아리스토텔레스, *Aristotle, 제13권: The Generation of Animals*, A.L. Peck

옮김(Cambridge: Loeb Classical Library, Harvard University Press, 1963), 4.3(767b 4—8).

[20] Ibid., 2.3(737a 25—30).

[21] Ibid., 4.6(775a 12—16).

[22] 아리스토텔레스, *Physiognomics in Aristotle, 제14권: Minor Works*, W. S. Hett 옮김(Cambridge: Loeb Classical Library, Harvard University Press, 1963), 809b.

[23] 아리스토텔레스, *Aristotle, 제21권: Politics*, H. Rackham 옮김(Cambridge: Loeb Classical Library, Harvard University Press, 1972), 1.2.12(1254b).

[24] 아리스토텔레스, *The Generation of Animals*, 1.20(728a 18—21).

[25] 아이스킬로스는 서기전 525—456; 소포클레스는 서기전 496—406년; 유리피데스는 서기전 485—406년; 아리스토파네스는 서기전 450—380; 메난더는 서기전 342—292년에 생존했다.

[26] Pomeroy, *Goddesses and Slaves*, 240. 그녀는 *Andromache, Orestes, Troades, Iphigeneia at Aulis, Alcestis, Hippolytus* 등 유리피데스의 여섯 연극으로부터 구체적인 실례들을 인용.

[27] 아리스토파네스, *The Lysistrata in Aristophanes, 제3권: The Lysistrata, The Themophorizusae, The Ecclesiazusae,* The Plutus, Benjamin Bickley Rogers 옮김(Cambridge: Loeb Classical Library, Harvard University Press, 1963), 367—368. 원문 강조.

[28] Aeschylus, *Seven Against Thebes*, 181—202. Mary R. Lefkowitz와 Maureen B. Fant의 "*Women's Life in Greece and Rome: A Source Book in Translation*(Baltimore: John Hopkins Unversity Press, 1992), 28에서 인용.

[29] 유리피데스, *Medea*, 285, 319—320. Pomeroy의 *Goddesses and Slaves*에서 인용, 106.

[30] 유리피데스, *Ion*, 1025, 1330; Alcestis, 304—319, 463—465. Pomeroy의 *Goddesses and Slaves*에서 인용, 106.

[31] 메난더, *Menander: The Principle Fragments*, Francis G. Allinson 옮김(Cambridge: Loeb Classical Library, Harvard University Press, 1944), 535K, 703K, 702K.

[32] 유리피데스, *Hippolytus* in *Euripides, 제4권: Ion; Hippolytus; Medea; Alcestis*, Arthur S. Way 옮김(Cambridge: Loeb Classical Library, Harvard University Press, 1935), 664—668.

[33] 유리피데스, *Orestes* in *Euripides, 제2권: Electra; Orestes; Iphigeneia in Taurica; Andromache; Cyclops*, Arthur S. Way 옮김(Cambridge: Loeb Classical Library, Harvard University Press, 1978), 605—606.

[34] 소포클레스, *Tereus*, 583. Lefkowitz와 Fant의 *Women' s Life*, 12—13에서 인용.

[35] 유리피데스, *Iphigeneia at Aulis in Euripides, 제1권: Iphegenia at Aulis; Rhesus; Hecuba; The Daughters of Troy; Helen*, Arthur S. Way 옮김(Cambridge: Loeb Classical Library, Harvard University Press, 1912), 1374—1394.

[36] 히포크라테스, *On Virgins*, 8.466. Lefkowitz와 Fant의 *Women' s Life*, 242에서 인용.

[37] Pliny the Elder, *Pliny, 제8권: Natural History, 제28권—제32권*, W.H.S. Jones 옮김(Cambridge: Loeb Classical Library, Harvard University Press, 1958), 28.23.77—85.

[38] 아리스토텔레스, *The Generation of Animals*, 1.20(728a 18—21).

[39] 플라톤, *Timaeus*, 91a—d.

[40] 유리피데스, *Medea*, 569—75. Lefkowitz와 Fant의 *Women' s Life*, 28에서

인용.

[41] 유리피데스, *Hippolytus*, 616—652.

[42] Pomeroy, *Goddesses and Slaves*, 57.

[43] Athenaeus of Naucratis, *The Deipnosophists, 제13권 Concerning Women* in *The Deipnosophists, 제6권*, Charles Burton Gulick 옮김(Cambridge: Loeb Classical Library, Harvard University Press, 1959), 13.910—911. 또한 13.568d—569f를 보라.

[44] "이들 매춘부들은 어떤 의미에서는 '윤락 행위를 하는 공무원들' 이었고 그들을 보호하는 법은 국가의 모든 노예들의 삶을 보호하고 관장하는 법과 유사했다. 사창가와 같은 매춘업은 합법적이었기 때문에 국가의 유익을 위해 매춘을 하던 노예들 외에도 독자적인 매춘부들도 있었다. 그들의 사업은 pornikon이라는 특수 세금의 대상이 되었으며 그것은 마을의 재정에 보탬이 되었다." Ginette Paris, *Pagan Meditations: Aphrodite, Hestia, Artemis*(Dallas: Spring Publications, 1986), 52—53.

[45] Lee Anna Starr, *The Bible Status of Women*(뉴욕; New York Lithographing Corp., 1955), 163.

[46] 플루타크, "The Dialogue on Love" in *Plutarch's Moralia, 제9권*, W.C. Helmbold 옮김(Cambridge: Loeb Classical Library, Harvard University Press, 1969), 768d—769e.

[47] 플루타크, "Advice to the Bride and Groom" in *Plutarch's Moralia, 제2권*, Frank Cole Babbit 옮김(Cambridge: Loeb Classical Library, Harvard University Press, 1928), 145c.

[48] Pomeroy, *Goddesses and Slaves*, 79—80.

[49] Ross Shepherd Kraemer, *Her Share of the Blessing: Women's Religions among Pagans, Jews, and Christians in the Greco—Roman World*(뉴욕:

Oxford University Press, 1992), 28.

[50] Michael Grant, *Readings in the Classical Historians*(뉴욕: Charles Scribner's Sons, 1992), 194.

[51] Isaeus, *Against the Estate of Aristarchus*, 10.10G. Lefkowitz와 Fant의 *Women's Life*, 64에서 인용.

[52] Ross Shepherd Kraemer, "Women's Authorship of Jewish and Christian Literature in the Greco—Roman World" in *Women Like This: 희랍—로마 세계 안에서의 유대계 여성들에 대한 새로운 관점*, Amy—Jill Levine 편집(아틀란타: 성서 문학회, 스칼라 출판사, 1991), 221—242.

[53] Lefkowitz와 Fant의 *Women's Life*, 163—164.

[54] Alvin John Schmidt, *Veiled and Silenced: How Culture Shaped Sexist Theory*(Macon: Mercer Press, 1990), 141.

[55] Perictione, *Fragments*, 4.28.70. Pomeroy의 *Goddesses and Slaves*, 134—136에서 인용.

[56] Demosthenes, "Theomnestus and Apollodorus Against Neaera" in *Demosthenes: Private Orations, 제4권*, A.T. Murray 옮김(Cambridge: Loeb Classical Library, Harvard University Press, 1939), 122. 또한 Athenaeus of Naucratis에 "Concerning Women" 13.572d—574c에서 찾아보았다.

CHAPTER 6

[1] Dio Cassius, *Dio's Roman History, 제7권: 책 56—60*, Earnest Cary 옮김(Cambridge: Loeb Classical Library, Harvard University Press, 1924), 332.

[2] Aulus Gellius, *Attic Nights*, 1.6. Lefkowitz와 Fant의 *Women's Life*, 103에

서 인용.

[3] Terence, *The Mother—in—Law* in *Terence, 제2권: Phormio; The Mother—in—Law; The Brothers*, John Sarguent(Cambridge: Loeb Classical Library, Harvard University Press, 1912), 1.114—133.

[4] Cantarella, *Pandora's Daughters*, 143.

[5] Ovid, *The Art of Love, 제1—3권* in *The Art of Love and Other Poems*, J.H. Mosley 옮김(Cambridge: Loeb Classical Library, Harvard University Press, 1969), 1.643—646.

[6] Cantarella, *Pandora's Daughters*, 124. 또한 파머로이의 *Goddesses and Slaves*, 165를 보라.

[7] Leanna Goodwater, *Women in Antiquity: An Annotated Bibliography* (Metuchen: Scarecrow Press, 1975), 10—11.

[8] Titus, Livy, *Livy, 제1권: From the Founding of the City, 책 1—2*, B.O. Foster 옮김(Cambridge: Loeb Classical Library, Harvard University Press, 1939), 1.4.1—9.

[9] Numa Denis Fustel De Coulanges, *The Ancient City*(Garden City: Doubleday Anchor Books, 1882), 42—43.

[10] Ibid., 87.

[11] Gaius, *Institutes*, 1.144. Lefkowitz와 Fant의 *Women's Life*, 98—99에서 인용.

[12] Fustel De Coulanges, *The Ancient City*, 97—98.

[13] "로물루스는 간음이 무모한 어리석음의 근원이고 술취함은 간음의 근원이라고 간주했기 때문에 여자가 범할 수 있는 가장 중대한 죄악인 이같은 행위는 사형에 처할 수 있도록 허락했다"고 디오니시오스는 우리에게 말했다. Dionysius of Halicarnassus, *The Roman Antiquities in Dionysius of*

Halicarnassus, 제7권: The Roman Antiquities, 제11—20권, Earnest Cary 옮김(Cambridge: Loeb Classical Library, Harvard University Press, 1950), 2.25.4—7. Valerius Maximus는 어떤 "Egnatius Metellus가 방망이를 가지고 자기 아내를 때려 죽였는데 그 이유는 그녀가 포도주를 마셨다는 것이었다. 그 범죄에 대하여 그를 고발하지 않았을 뿐만 아니라 아무도 그를 탓하지 않았다. 모든 사람은 이것이 금주의 법을 범한 타당한 대가를 지불한 사람의 훌륭한 실례라고 간주했다. 참으로 부당하게 포도주를 사용하려는 여자는 누구든지 미덕을 거부하고 사악함을 불러들이는 것이다"라고 말했다. Valerius Maximus, *Memorable Deeds and Sayings* 6.3.9—12, Lefkowitz와 Fant의 *Women's Life*, 96에서 인용.

[14] 플루타크, *Bravery of Women in Plutarch's Moralia, 제3권*, Frank Cole Babbit 옮김(Cambridge: Loeb Classical Library, Harvard University Press, 1931), 243E—244A.

[15] Cato the Elder, *On the Dowry*. Aulus Gellius의 *Attic Nights*, 10.23.에 인용된 것을 Lefkowitz와 Fant의 *Women's Life*, 97에서 다시 인용.

[16] Livy, *From the Founding*, 1.4.1—9.

[17] 로물루스, *The Laws of Kings*, 4. Lefkowitz와 Fant의 *Women's Life*, 94에서 인용.

[18] 파머로이, *Goddesses and Slaves*, 46

[19] Ibid., 228.

[20] 플라톤, *The Republic*, 5.7—10(458c—461e).

[21] Hilarion, *Oxyrhynchus Papyrus*, 744. Lefkowitz와 Fant의 *Women's Life*, 187에서 인용.

[22] Cato the Elder. Livy의 *From the Founding*, 34.1.1—8.3에서 인용.

[23] Cicero, *The Republic* in *Cicero, 제16권: De Re Publica: De Legibus*,

Clinton Walker Keyes 옮김(Cambridge: Loeb Classical Library, Harvard University Press, 1943), 1.43.67.

[24] Cantarella, *Pandora' s Daughters*, 114.

CHAPTER 7

[1] 창세기 1:27.

[2] 히브리 단어 adam 앞에는 인류를 나타내는 정관사가 붙었다: 그것은 남녀를 포괄한 모든 인간을 포함하는 희랍어 단어 Anthropos와 동일한 히브리 단어다. "'아담' 은 누구인가?' '아담' 은 '그들' 이다. '하나님이 사람을 창조하시되' 라는 구절은 '하나님이 그들을 창조하시되' 라는 구절과 유사하다. '아담' 은 '남자와 여자' 다. 그러므로 '아담' 은 '인간' 혹은 '인류' 로 번역될 수 있다. Aida Dina Spencer, *Beyond the Curse: Women Called to Ministry*(Nashville: Thomas Nelson, 1985), 21.

[3] 창세기 2:7.

[4] 창세기 2:19.

[5] 창세기 1:4, 10, 12, 18, 21, 25.

[6] 창세기 2:18.

[7] 창세기 1:31.

[8] 5장을 의미한다.

[9] 창세기 2:22.

[10] B. Sanhedrin 38a.

[11] 창세기 2:18.

[12] 해밀턴, *I Commend to You Our Sister*, 부록 S. 'Ezer는 히브리 성경에서

21회 사용되었다. 이중 16회는 하나님과 연관되었다. 이들은 출애굽기 18:4; 신명기 33:7, 26, 29; 시편 20:2, 33:20, 70:5, 89:19, 115:9, 115:10, 115:11, 121:1, 121:2, 124:8, 146:5; 호세아 13:9이다.

[13] 시편 121:1—2.

[14] Ruth A. Tucker, *Women in the Maze: Questions & Answers on Biblical Equality*(Downers Grove: InterVarsity Press, 1992), 37—38.

[15] Spencer, *Beyond the Curse*, 25.

[16] Ibid., 27—28. 원문 강조.

[17] 창세기 2:23.

[18] 창세기 2:24.

[19] 창세기 1:26 강조 추가.

[20] 창세기 1:28 강조 추가.

[21] 창세기 3:12 KJV.

[22] Starr, *The Bible Status of Women*, 21—22.

[23] 창세기 3:5.

[24] 창세기 3:1.

[25] 창세기 3:2.

[26] 창세기 3:4.

[27] Spencer, *Beyond the Curse*, 31. 유사한 관점을 위하여는 Katherine M. Haubert의 *Women as Leaders: Accepting the Challenge of Scripture*(몬로비아, MARC, 1993), 18과 Richard Kroeger와 Catherine Clark Kroeger 공저인 *I Suffer Not a Woman: Rethinking 디모데전서 2:11—15 in Light of Ancient Evidence*(Grand Rapids, Mich.: Baker Book House, 1992), 20—21과, Charles Trombley의 *Who Said Women Can't Teach?*(South Plainfield, Bridge Publishing, 1985), 100을 보라.

[28] 창세기 3:6 강조 추가.

[29] 창세기 3:16—19.

[30] 창세기 3:7, 12, 16.

[31] 창세기 3:15.

[32] 해밀턴의 *I Commend to You Our Sister*, 48—49.

[33] Starr, *The Bible Status of Woman*, 55.

CHAPTER 8

[1] 사사기 4:1—5:31, 열왕기하 22:11—20, 역대하 34:19—28을 보라.

[2] 창세기 38:6—30, 사사기 19:1—30을 보라.

[3] Lewis Browne, 편집, *The Wisdom of Israel*(New York: Modern Library by Random House, 1945), 177—178.

[4] 누가복음 11:46 RSV.

[5] John Temple Bristow, *What Paul Really Said About Women: An Apostle's Liberating Views on Equality in Marriage, Leadership, and Love*(San Francisco: Harper and Row, 1988), 21.

[6] Judith Romney Wegner, *Chattel or Person? The Status of Women in the Mishnah*(New York: Oxford University Press, 1988), 219, 6과 10을 주목.

[7] B. Yevamot 103b. 동일한 가르침이 B. Avodah Zarah 22b와 B. Shabbat 146a에 반복됨.

[8] M. Sotah 3.8.

[9] B. Bava Batra 58a.

[10] M. Horayot 3.7

[11] Wegner, *Chattel or Person?* 220—221, 26을 주목. 원문 강조.

[12] B. Kiddushin 49b.

[13] M. Teharot 7.9.

[14] B. Shabbat 33b.

[15] B. Sanhedrin 100b. Rachel Biale의 *Women and Jewish Law: An Exploration of Women's Issues in Halakhic Sources*(New York: Schocken Books, 1984), 275—276, 13을 주목.

[16] M. Kiddushin 4.12.

[17] *Testament of Reuben* 5:1—5. David M. Scholer의 "Women's Adornment: Some Historical and Hermeneutical Observations on the New Testament Passages," *Daughters of Sarah*, 6:1(1980년 1월 · 2월 호), 4.

[18] B. Berakhot 24a.

[19] B. Gittin 90a—b.

[20] B. Nedarim 20b.

[21] B. Sanhedrin 39a. Browne의 *The Wisdom of Israel*, 211—212에서 인용.

[22] B. Kiddushin 31b.

[23] Wegner, *Chattel or Person?*, 7—8.

[24] Ibid., 48.

[25] M. Gittin 9.10. 이 구절에 대한 언급에서 Wegner는 "미스나적인 이혼은 일방적인 형태다. 남편은 아내와 이혼할 법적 권리가 있지만 아내는 남편과 이혼할 권리가 없다… Hillel과 Shammai의 학교들은 이혼이 일방적인 거래라는 점에는 동의했음에도 불구하고 남편의 범주에 대해서는 의견을 달리한다"고 말한다. Wegner, *Chattel or Person?*, 45—46.

[26] 마태복음 19:5, 마가복음 10:7—8a.

[27] 마태복음 19:6, 마가복음 10:8b—9.

[28] M. Kelim 1.8—9.

[29] J. Sukkah 5a. Spencer의 *Beyond the Curse*, 49에서 인용. 또한 Bristow의 *What Paul Really Said*, 49—50을 보라.

[30] B. Sanhedrin 39a.

[31] Paula Hyman, "The Other Half: Women in the Jewish Tradition" in *The Jewish Woman: New Perspectives*. Elizabeth Koltun 편집(New York: Schocken Books, 1976), 110.

[32] B. Megillah 23a.

[33] Biale, *Women and Jewish Law*, 29.

[34] B. Berakhot 17a.

[35] Spencer, *Beyond the Curse*, 47.

[36] T. Berakhot 2.12. Saul Berman의 "The Status of Women in Halakhic Judaism" in *The Jewish Woman: New Perspectives,* Elizabeth Koltun 편집(New York: Schocken Books, 1976), 119 에서 인용.

[37] Kraemer, *Her Share*, 95ff.

[38] B. Berakhot 17a. Spencer는 이 '연구원(house of study)' 의 희랍 이름이 '남자의' 라는 의미를 가진 andron이라고 말한다(Spencer, *Beyond the Curse*, 49). 여자들은 "유대인 학교에 입학이 허락되지 않았다."(Spencer, *Beyond the Curse*, 57). Roslyn Lack은 "학교의 중심 구조는 '여자들을' 소외시키는 경향이 있었다. 학자들은 수개월 혹은 수년을 그들의 스승과 동료들과 함께 공부하기 위해 장거리를 여행했던 반면 아내들은(필요에 의해?) 집에 남아 있었다…준 수도원과 같은 학교의 분위기, 그리고 탈무드 강연에 있어서의 분위기는 대부분의 경우 탈무드 논쟁과 결정에 여인들을 참여시키지 않았다." (Spencer, *Beyond the Curse*, 47에서 인용).

[39] B. Niddah 45b. 이것은 (여호와 하나님이 가라사대 "사람의 독처하는 것

이 좋지 못하니 내가 그를 위하여 돕는 배필을 지으리라"는 창세기 2:18에 대한 주석에 언급되었다. 그것은 원어의 말장난에서 비롯된다: 만든다와 이해라는 단어는 동일한 히브리 단어에서 연유되었다.

[40] Rachel Adler, "The Jew Who Wasn' t There" in *On Being a Jewish Feminist: A Reader*, Susannah Heschel 편집(New York: Schocken Books, 1983), 15.

[41] Rabbi Hillel. "The Jew Who Wasn' t There," 15에서 Adler가 인용.

[42] M. Sotah 3.4–5.

[43] J. Sotah 19a. "Authority, Hierarchy and Leadership Patterns in the Bible" in *Women, Authority and the Bible*, Alvera Mickelsen 편집(Downer' s Grove: InterVarsity Press, 1986), 70 에서 Richard N. Longnecker가 인용.

[44] Philo, *Philo, Supplement I: Questions and Answers on Genesis*, Ralph Marcus 옮김(Cambridge: Loeb Classical Library, Harvard University Press, 1953), 1.45.

[45] Philo, *Genesis*, 1.33과 1.46.

[46] Philo, *The Embassy of Gaius*, 40.319. Spencer의 *Beyond the Curse*, 51에서 인용.

[47] Philo, *On the Special Laws* in *Philo, 제7권*, F.H. Colson 옮김(Cambridge: Loeb Classical Library, Harvard University Press, 1953), 2.24–25.

[48] Philo, *Philo, Supplement II: Questions and Answers on Exodus*, Ralph Marcus 옮김(Cambridge: Loeb Classical Library, Harvard University Press, 1953), 1.7. 아리스토텔레스의 *The Generation of Animals*, 2.3(737a 25–30); 4.3(767b 4–8); 그리고 4.6(775a 12–16)과 비교.

[49] Philo, *Genesis*, 1.37.

[50] Philo, *Genesis*, 4.15.

[51] Sirach 25:24 RSV.

[52] Sirach 42:12—14 RSV.

[53] 에스겔 18:4, 20.

[54] 로마서 3:22b—24.

CHAPTER 9

[1] Elsie Boulding, *The Underside of History: A View of Women Through Time*(Boulder: Westview Press, 1976), 358.

[2] 요한복음 6:37.

[3] Dorothy L. Sayers, *Are Women Human?*(Grand Rapids: William B. Eerdmans, 1971), 47.

[4] 요한복음 8:2—11.

[5] 레위기 20:10, 신명기 22:22.

[6] Starr, *The Bible Status of Women*, 175.

[7] 요한복음 8:7.

[8] Leonard Swidler, *Biblical Affirmations of Women*(Philadelphia: Westminster Press, 1979), 173—174.

[9] 마가복음 10:5—12.

[10] 해밀턴, *I Commend to You Our Sister*, 87ff.

[11] 창세기 2:24, 마가복음 10:7.

[12] 창세기 2:24, 마가복음 10:8.

[13] 신명기 6:4. 이 절에서 '하나님' 이라고 번역된 단어는 히브리어로 엘로힘(Elohim)이다. 히브리어 '엘' (El)은 '하나님' 을 의미하고, '로힘' (ohim)은 복

수를 의미한다. 그러므로 구약 성경에서 하나님의 이름으로 더 자주 등장하는 Elohim이라는 단어는 직역하면 '하나님들'을 의미하여 삼위일체의 실제성을 암시하고 있다. 그래서 이 유명한 구절은 "이스라엘아 들으라 우리 하나님들이신 여호와는 오직 하나이시니"라고 번역될 수도 있다.

[14] 창세기 1:26—27.

[15] 마태복음 19:6, 마가복음 10:9.

[16] 마태복음 19:10.

[17] 마가복음 10:5.

[18] 마가복음 10:11—12.

[19] 해밀턴, *I Commend to You Our Sister*, 107—108. See also M. Ketubbot 8.1—3; M. Kiddushin 1.1—5; M. Yevamot 13.1; and M. Yevamot 14.1. 로마 법은 여인이 이혼 소송을 할 수 있도록 허락했지만 예수님 시대의 유대인들은 이 법을 거부했다.

[20] 해밀턴, *I Commend to You Our Sister*, 115—116.

[21] 예수님은 초기사역 시절에 회당에서 손 마른 사람을 고치셨다(마태복음 12:9—14, 마가복음 3:1—6, 누가복음 6:6—11). 이 두 치유 사이의 유사성은 괄목할 만하다. 예수님은 남자의 필요에 대답하셨던 것과 동일하게 여자의 필요에도 응답하셨다.

[22] 누가복음 13:16.

[23] 마태복음 1:1, 3:9; 누가복음 3:8, 16:19—31, 19:9을 보라.

[24] "아브라함의 딸들"이라는 구절은 랍비의 가르침 가운데 단지 세 번 나오는데 나라 전체에 대한 비유로 사용되었다. B. Hagigah 3a, B. Sanhedrin 94b, B. Sukkah 49b를 보라.

[25] 해밀턴, *I Commend to You Our Sister*, 부록 J.2. *Textus Receptus*: 내용에 의하면 예수님은 83번 자신을 "인자"라고 부르셨는데 마태복음에서 31번, 마

가복음에서 14번, 누가복음에서 26번, 요한복음에서 12번이다.

[26] 예수님은 인간인 남자의 소생으로 태어나지 않았다. 즉 남자의 아들이 아니었다. 예수님은 한 여인에게서 태어났으나 성령으로 잉태된 분이었고 완전한 인간이며 완전한 신이었다.

[27] 히브리서 2:14—18.

[28] 해밀턴, *I Commend to You Our Sister*, 부록 V. 예수님이 하나님을 칭할 때 가장 많이 사용하셨던 세 단어들은 아버지(189번), 하나님(173번), 주님(46번)이었다. 하나님을 칭하기 위해 예수님은 15가지의 다른 단어들을 가끔 사용하셨다.

[29] 신명기 4:15—16.

[30] 신명기 32:6; 사무엘하 7:14; 역대상 17:13, 22:10, 28:6, 29:10; 시편 68:5, 89:26, 103:13; 잠언 3:12; 이사야 9:6, 63:16a, 16b, 64:8; 예레미야 3:4, 19, 31:9; 말라기 1:6, 2:10. 예수님이 하나님을 칭하실 때 사용하셨던 아버지(189번)는 구약 전체를 통하여 저자들이 사용했던 횟수(19번)의 거의 10배에 달한다.

[31] 신명기 32:18; 시편 131:2—3; 이사야 49:15, 66:9—13.

[32] 마태복음 13:33; 누가복음 15:8—10. 13:20—21.

[33] 마태복음 22:30, 마가복음 12:25.

[34] 마태복음 28:19—20, 마가복음 16:15—16. 예수님의 제자들은 주님이 이 세상에 계셨을 때 이미 신자들에게 세례를 베풀었던 것을 주목하라. 요한복음 3:22—26, 4:1—2을 보라.

[35] 해밀턴, *I Commend to You Our Sister*, 부록 U. 신약의 첫 세 책은 공관복음으로 알려져 있는데 그 이유는 그 안에 여러 가지 공통적인 이야기들이 실려 있기 때문이다. 이 부록은 단지 공관복음과 그 안에 실려 있는 여자들에 관련된 언급만을 비교한다. 공관복음에서 찾아볼수 있는 112군데의 구절들 외에 또 요한은 사마리아 여인, 마르다와 그의 자매 마리아 등 다수의 여자들에 대

해 언급하고 있다.

[36] Sharon Hodgin Gritz, *Paul, Women Teachers, and the Mother Goddess at Ephesus: A Study of 디모데전서 2:9—15 in Light of the Religious and Cultural Milieu of the First Century*(Lanham: University Press of America, 1991), 75.

[37] Leonard Swidler, "Jesus Was a Feminist," *Catholic World*(1971년 1월호), 1—8.

[38] 해밀턴, *I Commend to You Our Sister*, 116—117과 123—124.

[39] 마태복음 14:21, 15:38.

[40] 요한복음 8:20, 10:23.

[41] 누가복음 10:38—42.

[42] Spencer, *Beyond the Curse*, 58.

[43] 사도행전 22:3. 누가가 이 구절을 썼다는 사실은 이것이 적합한 비교임을 확인시켜 준다.

[44] M. Avot 1.4. Spencer의 *Beyond the Curse*, 58에서 인용.

[45] Ibid., 1.5.

[46] 누가복음 10:42.

[47] 요한복음 11:20.

[48] 요한복음 11:25—26.

[49] 해밀턴, *I Commend to You Our Sister*, 부록 T. 마태의 1,071구절 중 적어도 29(2.8%)개의 구절에서 여인들이 등장하고, 마가의 678 구절 중 적어도 26(3.8%)개가, 누가의 1,151 구절 중 적어도 114(9.9%)개가, 요한의 879 구절 중 적어도 57(6.5%)개가 여인들이 등장하거나 언급된 구절들이다. 다른 복음서 보다도 누가가 더 많이 여자를 언급하고 있는 사실은 중요하다. 누가는 바울의 전도 여행 동반자였다. 여자들에 대한 바울의 태도가 예수님보다 덜 호의적이었더라면 누가가 복음서에 여자들에 대한 이야기를 그토록 여러번 언

급하지 않았으리라고 예상 할 수 있다. 정반대로 누가가 바울에게서 예수님이 여자들을 용납하셨던 사실을 중요시하도록 영향을 받았음을 암시해준다.

[50] 요한복음 11:26. 또한 40절에 등장하는 다음 질문을 주목하라.

[51] 요한복음 11:27.

[52] 마태복음 16:16, 마가복음 8:29, 누가복음 9:20.

[53] 마태복음 16:18.

[54] 요한복음 4:4—42.

[55] 요한은 그녀가 "제 육시쯤"(정오 즈음) 우물가로 왔다고 기록하는데 대개 아침 일찍 우물로 나오는 것이 풍습이었던 까닭에 이것은 흔치 않은 일이었다. 그녀가 늦게 나온 이유는 아마도 밤중의 문란한 생활과 혹은 자신의 생활을 꾸짖을 정숙한 여인들과의 접촉을 피하기 위함이었을 것이다.

[56] 요한복음 4:24.

[57] 요한복음 4:25—26.

[58] 예수님의 "나는" 언급은 요한복음 4:26, 6:20, 35, 41, 48, 51; 8:12, 18, 23a, 23b, 24, 28, 58; 10:7, 9, 11, 14; 11:25; 13:19; 14:6; 15:1, 5; 18:5, 6, 8, 37.

[59] 요한복음 3:1—21.

[60] NIV 요한복음 3장에 나오는 예수님과 니고데모의 논의에서는 총 449 단어를 사용하고 있음을 주목하라. 요한복음 4장에 등장하는 예수님과 사마리아 여인과의 논의는 539단어를 필요로 한다. 그러므로 예수님이 버려진 여인들과 함께했던 시간들의 기록은 주님이 남성 지도자들과 만났던 시간들보다 20% 더 길다.

[61] 요한복음 4:27.

[62] 요한복음 4:28—29.

[63] 요한복음 4:39.

[64] 유일하게 "세상의 구주"라는 명칭이 사용되었던 또 한 군데는 요한일서

4:14이다.

[65] 마태복음 9:20—22, 마가복음 5:24—34, 누가복음 8:43—48.

[66] 마가복음 5:31.

[67] 레위기 15:19—30.

[68] 마가복음 5:26.

[69] 마가복음 5:30.

[70] 누가복음 8:47.

[71] 마가복음 5:34.

[72] 누가복음 4:18—19, 이사야 61:1—2.

[73] 사도행전 1:21—26.

[74] 해밀턴, *I Commend to You Our Sister*, 부록 K. diakoneo라는 희랍 단어는 '봉사하다, 시중들다, 섬기다' 를 의미한다. 신약 성경에서 그것은 32회 사용되었다. 그것은 '봉사, 섬김' 이라는 의미의 diakonia(신약에서 34회 사용)와 '종, 목사, 집사' 를 의미하는 diakonos(신약에서 29회 사용) 등 두 단어와 관련이 있다. 사도행전에 나오는 7명의 남자, 복음서에 등장하는 7명의 여자들 모두 diakonos라는 단어로 표기된 적이 없다. 그러나 두 부류의 사람들은 모두 diakonia라는 동사와 연관이 있어서 이같은 비교를 하지 않을 수 없다. 이들 남녀 '집사들' 은 모두 실질적인 면에서 예수님을 섬겼고, 자신들의 경제적인 자원을 가지고 주님의 사역을 후원했으며 부활 사건을 직접 목격했다.

[75] 사도행전 6:1—6.

[76] 사도행전 6:1—6에 등장하는 7명의 남자들이나 복음서에 등장하는 여자들을 위해서 명사 diakonos가 사용된 적이 없음을 주목하라. 우리로 하여금 사도행전에 등장하는 남자들을 '집사들' 이라고 부르게 만든 것은 교회의 전통이다. 성경의 언어에 근거해 보면 섬겼던 남자들(diakoneo라는 동사)과 섬겼던 여자들(diakoneo라는 동사)에 대한 구별이 없었다. 그렇기 때문에 만약

deacons이라는 명사가 한 부류의 사람들에게 적절하게 적용된다면 그것은 또한 다른 부류의 사람들에게도 적용되는 것이다.

[77] 마태복음 8:14, 마가복음 1:30, 누가복음 4:38—39.

[78] 마태복음 27:55—56, 마가복음 15:40—41, 누가복음 8:2.

[79] 마태복음 27:55—56, 마가복음 15:40—41.

[80] Ibid.

[81] 누가복음 8:3.

[82] Ibid.

[83] 누가복음 10:40, 요한복음 12:2.

[84] 누가복음 8:1—3, 강조 추가됨.

[85] Joan Morris, *The Lady Was a Bishop: The Hidden History with Clerical Ordination and Jurisdiction of Bishops*(New York: McMillan, 1973), 114.

[86] 누가복음 23:55. 희랍어 원문에 나타난 정관사에 초점을 두기 위해 강조가 추가됨.

[87] 누가복음 24:22, 24.

[88] 마가복음 3:14b—15.

[89] 누가복음 10:1—17. 열두 제자의 선교 여행(마 10:1—42)에는 물론 여섯 쌍의 남자들이 관여되어 있었지만 이 두 번째 여행은 두 명의 남자, 두 명의 여자, 혹은 한 남자와 한 여자로 구성된 쌍들이 있었을 수도 있다. 실상 베드로가 사역 후기에 아내를 동반하고 다니는 습관이 있었다고(고전 9:5) 말하지 않는가? 그들은 사역의 초기부터 동역하기 시작했을 가능성이 많다. 아마도 베드로와 그의 아내는 그당시 주님께서 내보내셨던 36 사역팀 중의 하나였을지도 모른다. 그 전에 주님께서 베드로의 장모를 치유해 주심(눅 4:38—39)으로 말미암아 베드로의 아내는 어머니의 병간호를 위하여 병상에 머무를 필요가 없어졌고 하나님 나라를 위한 섬김에 남편과 함께 더 적극적으로 관여할 수 있

었는지도 모른다.

[90] 요한복음 20:17.

[91] Starr, *The Bible Status of Woman*, 171.

[92] 마태복음 28:9—10.

[93] 누가복음 11:27.

[94] B. Berakhot 17a.

[95] 누가복음 11:28.

[96] 요한복음 2:4, 19:26.

[97] 요한복음 19:25—27.

CHAPTER 10

[1] 사도행전 17:6 RSV.

[2] 사도행전 19:23—41.

[3] 사도행전 21:27—36.

[4] 에베소서 2:13—16. NIV에서 "한 새사람" 이라고 번역된 구절은 혼돈을 자아낼 수도 있음을 주목하라. 영어에 있어 사람(Man)이라는 용어는 때로는 모든 인류를 의미하고 때로는 단지 한 남자를 의미하기 때문에 모호한 반면에, 희랍어는 구분이 분명해서 혼돈을 빚지 않는다. 그 중 한 희랍 단어(엡 2:15에서 사용된)는 anthropos다. 이것은 성적으로 포괄적인 단어이고 '사람 혹은 인간' 이 가장 적절한 번역이다. 다른 희랍 단어는 aner다. 이것은 남성을 지칭하는 특정 단어이기 때문에 '남자' 로 번역하는 것이 가장 정확하다. 그러므로 이 구절은 예수님이 새로운 인류를 창조하고 계시다는 것을 우리에게 말하고 있다. 남자와 여자 모두가 그분의 구속적인 목적에 포함되어 있다. 더 자세한 것

을 위해서는 해밀턴의 *I Commend to You Our Sister*, 부록 J.1.을 보라.

[5] 사도행전 22:3.

[6] 바울은 자신의 말(행 17:28a)과 글(딛 1:12)에 Epimenides의 말을 인용한다. 이와 유사하게 그는 아덴의 아레오바고에서 했던 연설 가운데(행 17:28b) Aratus와 Cleanthes를 인용하고 고린도인들에게 보내는 그의 편지에(고전 15:33) Menander의 말을 인용한다.

[7] 사도행전 13:1—28:31, 로마서 15:17—29, 고린도후서 11:21b—33, 갈라디아서 1:13—2:10은 바울의 여행을 자세하게 보여준다.

[8] 사도행전 9:1—22.

[9] 우리는 희랍 문학 안에서 가정 준칙의 개념을 발견한다: 아리스토텔레스, *Politics*, 1.2.1—2(1253b), 1.2.21(1255b), 1.5.1—2(1259a—b), 1.5.4—8(1259b—1260a), 3.4.4(1278b); 호머, *The Odyssey*, 11.404—461; Perictione, *Fragments*, 4.28.10. 또한 이와 같은 개념을 로마 문학에서도 찾아볼 수 있다; 키케로, *The Republic*, 1.43.67, Artimidorus Daldanius, *Onirocriticus*, 1.24. 또한 유대 랍비 문학도 고대 가정의 이같은 개념의 모습을 보여준다; M. Bava Metzia 1.5; M. Berakhot 3.3; M. Hagigah 1.1; M. Menahot 9.8; M. Pesahim 8.7; M. Shekalim 1.3,5—6; M. Sukkah 2.8과 3.10; B. Bava Batra 51b; B. Berakhot 17b, 20a, 45a—b, 47b; B. Gittin 52a; B. Nazir 61a; B. Pesahim 4a, 91a; B. Sukkah 28a—b. 심지어 Philo도 이같은 가정 준칙에 의거해서 만사를 처리했다: Philo, *On the Special Laws*, 7.14. 이 대부분의 참고 문헌의 전체 내용과 고전 준칙의 주제들을 검토하려면 해밀턴의 *I Commend to You Our Sister*, 128—138과 연관된 부록을 보라.

[10] 에베소서 1:10.

[11] 에베소서 2:1—3.

[12] 에베소서 2:4—10.

[13] 에베소서 2:22.

[14] 해밀턴의 *I Commend to You Our Sister*, 125—128에서 바울의 문장 구조 분석과 설명을 보라.

[15] 에베소서 5:18—23. NIV 번역은 저자들에 의해 수정되었다.

[16] ellipsis라는 용어가 어떤 독자들에게는 생소할지 모르겠지만 이같은 문법의 사용은 희랍어에서와 마찬가지로 영어에서도 일상 용어로 흔히 사용된다. 마이크로 소프트 Bookshelf 98에 의한 ellipsis의 정의는 "온전한 문장적인 구조를 위해서는 필요하지만 이해하는 데는 필요하지 않은 단어나 구절의 생략"이다. 예를 들면 "나는 가게에 가려고 한다. 동생도 마찬가지다"라고 말하는 것은 흔히 사용되는 표현이다. 그러나 말하지는 않지만 우리는 "동생도 역시 가게에 가려고 한다"라고 이해한다. 만약 "동생도 마찬가지다"라는 구절만을 읽는다면 동생이 무엇을 하려고 하는지에 대해 전혀 감을 잡지 못할 것이다. ellipsis는 동생에 관한 문장 안에 앞에서의 행위를 기억하여 끼워넣기 위해 당신으로 하여금 앞서 나오는 문장을 되돌아보게 한다. 성경의 해석도 이처럼 일상 생활의 실례를 통해 내용을 이해하는 것은 매우 중요하다.

[17] 에베소서 5:22—6:9. 328개의 희랍 단어 가운데 40개는 아내들에 관계되어 사용되었으며 150개는 남편들, 35개는 자녀들, 16개는 아버지들, 59개는 종들, 28개는 상전들에 관하여 사용되었다. 바울이 남편들을 향하여는 아내들에게 전하는 말의 거의 4배나 많은 단어를 사용하였음을 주목하라. 아직도 아내들에게 초점을 맞추고 있지만 바울의 주된 목적은 이 구절 안에서 남편들의 책임을 강조하려는 것이었다. 그것은 분명한 그의 초점이다.

[18] 희랍어는 매우 분명한 동사형을 가지고 있는 까닭에 어떤 동사들이 명령형인지는 단순히 잘 관찰하기만 하면 알 수 있다. 에베소서의 희랍어 원본에서 가장(남편 / 아버지 / 주인)에게 주어지는 명령은 5개다: ① 5:25—"아내 사랑하기를" ② 5:33—"아내 사랑하기를" ③ 6:4a—"자녀를 노엽게 하지 말고"

④ 6:4b—"양육하라" ⑤ 6:9—"너희도 저희에게 이와 같이 하고" / 자녀들에게는 두 개의 명령이 주어졌다: ① 6:1—"부모를 주 안에서 순종하라" ② 6:2—"네 아버지와 어머니를 공경하라" / 종들에게는 단지 한 개의 명령이 주어졌다: 6:5—"육체의 상전에게 순종하기를" / 아내들에게는 아무런 명령도 주어지지 않았다.

[19] 에베소서 6:4.

[20] 에베소서 6:9.

[21] 에베소서 5:25.

[22] 에베소서 5:28.

[23] 에베소서 5:29.

[24] 에베소서 5:33.

[25] 에베소서 5:31.

[26] 이 용어의 실례들을 위하여는 창세기 4:19; 6:2; 11:29; 21:21; 24:3—4, 37—38, 40, 51, 67; 25:1, 20; 26:34, 27:46; 28:2, 6, 9, 31:50; 34:21; 36:2; 38:6; 출애굽기 6:20, 23, 25; 민수기 12:1; 사사기 3:6; 14:2—3; 사무엘상 25:39—40, 43; 사무엘하 5:13; 12:9—10; 열왕기상 4:15; 16:31; 역대상 7:15; 14:3; 역대하 11:18을 보라. 결혼에 대한 왜곡된 개념이 문화 안에 깊이 뿌리내리고 있었기 때문에 그것은 히브리어 형성에도 커다란 영향을 미쳤다. 아브라함, 이삭, 야곱, 모세, 다윗과 같은 이스라엘의 가장 잘 알려진 영웅들을 이 목록 가운데서 발견할 수 있다.

[27] 빌립보서 2:5—11을 고려.

[28] 에베소서 6:9.

[29] T. Berakhot 7.16—18. Spencer의 *Beyond the Curse*, 56에서 인용.

[30] B. Menahot 43b—44a. J. Berakhot 9.1에서 대칭되는 구절을 찾아볼 수 있다.

[31] B. Shabbat 153a. 이것을 누가복음 13:15—16에 나오는 예수님의 교훈과 대조.

[32] B. Yevamot 62a. 유사한 언급을 위하여는 B. Kiddushin 68a와 B. Shabbat 53a를 참조.

[33] B. Berakhot 45b. 이 구절은 유리피데스의 희극, *Iphigeneia at Aulis*, 1374—1394 가운데서 "천 명의 여자보다 귀한 남자는 빛을 추구해야 한다"라고 했던 Iphigeneia의 말에 반영된 것과 유사한 가치 체계를 드러낸다.

[34] 갈라디아서 5:1.

[35] Richard Boldry and Joyce Boldry의 "Women in Paul's Life," *Trinity Studies*, 2(1972), 20.

CHAPTER 11

[1] William Barclay, *The Daily Bible Study Series: The Letters to the Corinthians*, rev. ed.(Philadelphia: Westminster Press, 1975), 4.

[2] Donald Engels, *Roman Corinth: An Alternative Model for the Classical City*(Chicago: University of Chicago Press, 1990), 28.

[3] Aelius Aristeides: Orations 46:23—28. Jerome Murphy—O'Connor의 *St. Paul's Corinth: Texts and Archaeology*(Wilmington: Michael Glazier, 1983)에서 인용.

[4] Alciphron, Letters of Parasites, 24(3.60). Murphy—O'Connor의 *St. Paul's Corinth*, 119—120에서 인용.

[5] Barclay, *Corinthians*, 2—3.

[6] 고린도전서 5:11, 6:10, 11:21.

[7] Menander, Fragments, 764K. 바울은 고린도인들에게 보내는 편지 가운데 "내일 죽을 터이니 먹고 마시자" (고전 15:32)라고 Menander의 Thais에서 인용했음을 주목.

[8] Aelius Aristeides, For Poseidon, 23. Engels의 *Roman Corinth*, 89, 각주 95에서 인용.

[9] 플라톤, *The Republic*, 3.13(404d). Athenaeus of Nauticratis의 *Concerning Women*, 13.558a—560a에서 인용. 또한 Murphy—O' Connor의 *St. Paul's Corinth*, 56에 인용.

[10] Plutarch, *The Dialogue on Love*, 767F—768A.

[11] Strabo, *The Geography of Strabo, Volume IV: Books VIII and IX*, Horace Leonard Jones 번역(Cambridge: Loeb Classical Libray, Harvard University Press, 1927), 8.6.20—23(378—382).

[12] Athenaus of Naucratis, *Concerning Women*, 13.572d—574c.

[13] Richard Kroeger와 Catherine Clark Kroeger, *Women Elders… Called by God?*(Louisville: Women' s Ministry Unit, Presbyterian Church USA, 1992), 36.

[14] Catherine Clark Kroeger, "The Apostle Paul and the Greco—Roman Cults of Women," *Journal of Evangelical Theological Society*, 30.1(March 1987), 33—34.

[15] 고린도전서 2:2.

[16] 사도행전 18:1—3.

[17] 사도행전 18:5.

[18] 고린도전서 1:20—28; 6:12; 7:17—24; 9:19—23; 10:18—21, 23, 32—33; 11:17—22; 12:2. 13.

[19] 그들은 이 구절에서 언급되었을 뿐만 아니라 또한 사도행전 18:18—19, 24—26; 로마서 16:3—5; 고린도전서 16:19; 디모데후서 4:19에서도 언급되었

다. 해밀턴의 *I Commend to You Our Sister*, 부록 10을 보라.

[20] 아볼로의 고린도와의 연관은 사도행전 18:27—19:1; 고린도전서 3:1—4:13, 16:12에 언급되었다.

[21] John Chrysostom, "First Homily on the Greeting to Priscilla and Aquila," Catherine Clark Kroeger 옮김, *Priscilla Papers* 5.3(1991년 여름호), 18. 원문 강조.

[22] Mimi Haddad, "Priscilla, Author of the Epistle to the Hebrews?" *Priscilla Papers* 7.1(1993년 겨울호), 8.

[23] 여자들을 향하여 터툴리안은 "당신들은 악마의 통로이며 금단의 열매를 따 먹은 자들이다. 당신들은 신의 법을 최초로 저버린 자들이다. 그리고 사탄도 용기가 없어서 공격하지 못했던 남자를 죄짓도록 설득했던 장본인이다. 당신들은 인간이 가지고 있던 하나님의 형상을 순식간에 파괴해 버렸다. 당신의 탈선으로 말미암아 죽음이 오게 되었고 심지어는 하나님의 아들마저도 죽을 수밖에 없었다"라고 말했다. 터툴리안, *Concerning the Dress of Women*, 1.1. Rosemary Radford Ruether의 *Sexism and God—Talk: Toward a Feminist Theology*(Boston: Beacon Press, 1983), 167에서 인용. 원본 강조.

[24] 터툴리안. Dorothy Pape, *God and Women: A Fresh Look at What the New Testament Says about Women*(London: Mowbrays, 1977), 200에서 인용.

[25] Gibson은 "브리스길라가 히브리서를 저술했을 것이라는 이론은 Harnack, Harris, Peake 등 세 학자에 의하여 진전되어 왔다. 이 책의 근원은 항상 수수께끼로 남아 있어서 225년에 Origen은 '히브리 서신을 누가 저술했는지는 오직 하나님만 아신다' 라고 말했다. 이같은 익명의 저자는 매우 놀라워서 여자가 그것을 저술했음을 암시하는 하나의 힌트로 간주되기도 한다"라고 말한다. Elsie Gibson, *When the Minister Is a Woman*(New York: Holt, Rinehart & Winston, 1970), 8—9.

[26] Pape, *God and Women*, 201—202.

[27] 앞에서 우리는 바울이 에베소서 5:22에서 ellipsis를 사용하는 것을 관찰하였다(10장 색인 [15] 참조). 마이크로 소프트 Bookshelf 98에 의거한 ellipsis의 정의는 "내용과 상관없이 통어법 구조를 갖추기 위해 필요한 단어나 구절을 생략함" 이다.

[28] 바울은 고린도에 있었던 또 다른 가정 교회, 곧 스데바나의 집에 대하여 언급한다(고전 1:16. 16:15). 이와 유사하게 그는 에베소에서 브리스길라와 아굴라의 지도 아래 있었던 한 가정 교회와(고전 16:19) 오네시보로의 지도 아래 있었던 가정 교회에(딤후 1:16, 4:19) 대하여 언급한다. 그는 또한 눔바라는 여인이 인도했던 골로새의 가정 교회에(골 4:15) 대하여 언급한다. 또한 브리스길라와 아굴라가 로마에서 인도했던 가정 교회도(고전 16:3—5) 언급한다. 이것들은 동등한 표현이었음을 주목하라. 어떤 교회들은 남자가 지도자들이었음을 나타내고 또 다른 교회들은 지도자들이 여자였음을 드러낸다. 만약 이 구절들 중 하나가 교회의 표시를 드러내는 것이라고 이해한다면 그 나머지들도 그와 같이 이해해야 할 것이다. 유사하게 이 구절들 중 하나를 가정 교회의 지도자를 지적하는 것으로 이해한다면 솔직히 나머지 모두도 그와 같이 이해하지 않으면 안된다. 그러므로 우리는 바울이 교회의 지도자 역할을 맡고 있던 남자와 여자들을 아무런 차별없이 언급하는 것을 볼 수 있다.

[29] 요세푸스, *Josephus: Volume IV: Jewish Antiquities, Books I—IV*, H. St. J. Thackeray 옮김(Cambridge: Loeb Classical Library, Harvard University Press, 1930), 4.219(4.8.15). 요세푸스는 자신의 현대판이었던 바울처럼 로마 시민권의 혜택을 누리던 유력한 가정에 태어났던 유대인이었다.

[30] 바울은 자신으로 하여금 이 편지를 쓰도록 만들었던 고린도에 있던 교회의 상황에 관한 정보의 두 가지 출처에 대해 언급한다. 하나는 글로에로부터 들었던 소식이다(고전 1:11). 다른 하나는 고린도전서 7:1에 언급되어 있는 편

지다. 이 두 가지 출처는 동일한 한 가지일지도 모른다. 글로에가 보낸 사자는 바울에게 구두로 소식을 전하고 그리고 글로에가 쓴 편지를 전해주었을지도 모른다. 이것은 단지 가능성에 불과하며 여하한의 확실성을 입증할 수 없다. 그러나 편지 전달자를 통하여 구두로 소식을 전하고 또 동시에 편지를 전달하던 것이 관례였다는 것을 바울의 서신들 가운데서 찾아볼 수 있기에 이것은 전혀 불가능한 것은 아니다(엡 6:21—22, 골 4:7—9을 보라).

[31] Spencer, *Beyond the Curse*, 119.

[32] 고린도전서 16:15b—16: NIV 번역본은 "이런 자들을 알아 주라"(고전 16:18)는 구절로 이 문단을 마친다. 희랍어에는 이곳에서 말하는 '자'(men)라는 단어가 없다. 그 대신에 남성적인 복수 형태의 인격 대명사가 존재한다. 희랍어에서는 형제들이라는 용어와 마찬가지로 이 인격 대명사도 특정한 성(남자들만) 혹은 혼성(남자 혹은 여자)을 가리킬 수 있다. 이 구절에 대한 NIV 번역본은 문법상에 명시되어 있지 않음에도 불구하고 단지 한 가지로만 번역하는 편견을 가진 듯하다. "이런 자들을 알아 주라"는 조금 더 명확하게 번역되어야 한다.

[33] 남성 복수형인 이 용어는 희랍어에서 특정한 성별(NIV의 '형제들'과 마찬가지로 남자들만)을 의미할 수도 있고 혹은 혼성(NRSV의 '형제 자매들'과 마찬가지로 남자 혹은 여자)을 의미할 수도 있다.

[34] 에베소서 5:21과 이 책의 10장에 있는 설명을 보라.

[35] 바울은 에베소서 5:21의 상호복종을 위하여 사용했던 동일한 희랍어 단어를 이곳에서 사용했다.

[36] 빌립보서 4:2—3, 로마서 16:3.

[37] 로마서 16:6, 12.

[38] 해밀턴의 *I Commend to You Our Sister*, 부록 10을 보라.

[39] F. F. Bruce. W. Ward Gasque의 "Biblical Manhood and Womanhood —

Stressing the Differences," *Priscilla Papers* 4.1(1990년 겨울호), 9.

[40] 로마서 16:1–2.

[41] 해밀턴의 *I Commend to You Our Sister*, 부록 L을 보라.

[42] 고린도후서 10:12.

[43] 고린도후서 10:18.

[44] 고린도후서 3:1.

[45] 고린도후서 12:11.

[46] 바울은 자신의 서신 가운데 diakonos라는 희랍 단어를 21번 사용했다. NIV 번역본은 그 단어를 세 번 집사(deacon)라고 번역했고(빌 1:2; 딤전 3:8, 12), 세 번 사역자(minister)라고 번역했으며(고후 3:6; 골 4:7; 딤전 4:6), 열네 번 일꾼(servant)이라고 번역했고(롬 13:4a, 4b; 15:8; 16:1; 고전 4:1; 고후 6:4; 11:15a, 15b, 23; 엡 3:7, 6:21; 골 1:7, 23, 25), 한 번은 갈라디아서 2:17에서 선전하는 자(promoter)라고 생소한 번역을 했다.

[47] 해밀턴의 *I Commend to You Our Sister*, 부록 K를 보라.

[48] Schmidt, *Veiled and Silenced*, 180. 또한 Trombley, *Who Said Women Can't Teach?*, 194; 그리고 Katherine C. Bushnell의 *God's Word to Women: One Hundred Bible Studies on Woman's Place in the Divine Economy*(North Collins: Reprinted by Ray B. Munson, 1978), 366. *The Apostle Constitutions*(기원후 375년 경의 시리아 어 서류)은 diakonos의 여성형을 처음으로 사용한 것으로 알려진 그리스도인 문서다.

[49] 해밀턴의 *I Commend to You Our Sister*, 부록 X를 보라. 바울은 14명의 사람들을 지칭하는 데 diakonos라는 용어 혹은 그와 동일한 어원의 단어를 사용했다. 그 중 12명은 남자들로 아가이고, 아볼로, 아킵보, 에바브라, 브드나도, 마가, 오네시모, 오네시보로, 빌레몬, 디모데, 디도, 두기고다. 열세 번째 사람은 스데바나 또는 스데바나스(고전 16:15ff)이다. 우리가 이 장에서 살펴본 바

와 같이 이 이름은 여자일 수도 있고 또한 남자일 수도 있다. 마지막으로 바울이 이와 같은 방법으로 지칭한 사람은 여자 사역자인 뵈뵈다.

[50] 빌립보서 2:25—30. 빌립보서 2:29의 원문에서는 남자들(men)이라는 단어는 '존귀히 여긴다' 라는 단어와 연관되어 있지 않음을 주목하라. KJV 번역본은 이것을 "그러한 이들을 귀히 여기라" 고 좀더 잘 번역했다. NRSV 번역본도 유사하게 "그와같은 사람들을 존귀히 여기라" 고 번역했다.

[51] NIV, NASB, RSV, TLB, The Message 번역본 모두는 돕는다(help), 혹은 돕는 자(helper)와 같은 단어를 사용했다. KJV 번역본은 구조자(succourer)를 사용했고, NRSV는 후원자(benefactor)를 사용했으며 NEB 번역본은 "그녀가 좋은 친구였다" 라고 말하고, TJB 번역본은 그녀가 "보살펴 왔다" 라고 하며 JBP 번역본은 그녀가 "큰 도움을 주어 왔다" 라고 말한다. 해밀턴의 *I Commend to You Our Sister*, 부록 O를 보라.

[52] 마가복음 9:35.

[53] 더 젊은 현대판 바울이라고 할 수 있는 유명한 유대인 역사가 요세푸스는 그의 대표적인 세 저서에서 이 단어를 20번 사용했다. 이 단어는 보호자나 챔피언의 뜻 외에도 통치자, 군주, 지배자를 묘사하는 수호자의 뜻을 포함한다. 요세푸스는 심지어 이 단어를 '우주의 주인' 으로서의 가이사를 묘사하는 데에도 사용했다. 이것은 인간 지도력의 절정을 묘사하는 데 사용되었던 것으로 이보다 더 거창한 표현을 찾아보기는 힘들 것이다. 해밀턴의 *I Commend to You Our Sister*, 부록 O를 보라.

[54] 희랍 동사 egeneithei는 수동형 과거 부정이다. 이것은 뵈뵈가 그녀 자신의 행동에 의해서가 아니라 다른 사람의 행동에 의해서 프로스타티스가 되었다는 것을 의미한다. 이것은 자기 스스로 임명한 것이 아니라 공식적으로 임명된 책임이었다. "수동형으로 쓰여졌으므로 그 임명이 다른 사람들에 의하여 이루어졌음을 나타낸다. 바울이 자신을 소유격으로 언급한 것은 그 출처나 근

원에 대한 법적인 소유격으로 이해할 수도 있겠다. 그러므로 Kroeger and Kroeger의 *Women Elders?*, 17에 의하면 이 문장은 '그녀는 내가 몸소 많은 사람을 다스리는 간부로 임명했기 때문이다' 라고 표현될 수도 있다." 또한 Catherine Clark Kroeger의 "Toward an Egalitarian Hermeneutic of Faith," *Priscilla Papers*, 4.2(1990년 봄호), 6에 의하면 그것은 "바울이 사역자가 되었다 혹은 사역자로 임명받았다"라고 말하는 것과 똑같은 구조를 사용했다는 것도 주목해야 할 사항이다.

[55] 희랍 단어는 aner다. 고린도전서에 32회 등장하는데 7:2, 3a, 3b, 4a, 4b, 10, 11a, 11b, 13a, 13b, 14, 16a, 16b, 34, 39a, 39b; 11:3a, 3b, 4, 7a, 7b, 8a, 8b, 9a, 9b, 11a, 11b, 12a, 12b, 14; 13:11; 14:35이다. 해밀턴의 *I Commend to You Our Sister*, 부록 J.1을 보라.

[56] 희랍 단어는 gune이다. 고린도전서에 41회 등장하는데 5:1; 7:1, 2, 3a, 3b, 4a, 4b, 10, 11, 12, 13, 14a, 14b, 16a, 16b, 27a, 27b, 27c, 29, 33, 34, 39; 9:5; 11:3, 5, 6a, 6b, 7, 8a, 8b, 9a, 9b, 10, 11a, 11b, 12a, 12b, 13, 15; 14:34, 35. 해밀턴의 *I Commend to You Our Sister*, 부록 J.1을 보라.

[57] 고린도전서 1:17.

[58] 고린도전서 1:18—2:5.

[59] 고린도전서 5:1—5.

[60] 고린도전서 5:1 KJV.

[61] 고린도전서 5:2.

[62] 고린도전서 5:5.

[63] 고린도전서 6:12

[64] 고린도전서 6:13. 15. 18, 20.

[65] 고린도전서 7:1.

[66] 고린도전서 7:7. 희랍 단어는 exousia다.

[67] 이곳에서 사용된 희랍 단어는 혼성 대명사이기 때문에 '혹은 그녀' 라는 구절이 본문에 삽입되었다.

[68] 고린도전서 7:32, 34.

[69] 고린도전서 7:35.

[70] 고린도전서 9:5, 15.

[71] 고린도전서 7:34.

[72] 이곳에서 사용된 것은 NRSV 번역본인데 희랍어 anthropos를 번역하는데 NIV보다 더 나은 번역을 하고 있다. NIV는 그것을 특정한 성별을 나타내는 것으로 이해될 수 있게 남자들(men)이라고 번역하고 있는데 그러나 anthropos는 남자나 여자 모두를 포함하는 혼성 단어다.

[73] 제6일, 두 번째 부분: 창세기 1:26—27.

[74] 제6일, 첫 번째 부분: 창세기 1:24—25.

[75] 제5일, 두 번째 부분: 창세기 1:21b.

[76] 제5일, 첫 번째 부분: 창세기 1:21a.

[77] 이 책 5장을 참고하라.

[78] 고린도전서 15:39.

[79] 고린도전서 15:21—22 NRSV.

CHAPTER 12

[1] 고린도전서 11:3; 희랍어 관사를 정확하게 반영시키기 위해 NIV 번역본은 저자들에 의하여 본문이 변경되었다.

[2] 고린도전서 14:34.

[3] 디모데전서 2:12.

[4] 야고보서 1:5.

[5] 고린도전서 11:2—16; NIV 번역본은 저자들에 의하여 본문이 변경되었다. 변경된 부분은 다음과 같다: 3절에서 "the woman is man"이 "a woman is the man"으로 대치되었다. 10절에서는 "a sign of"라는 구절이 삭제되었고 "on"이 "over"로 대치되었다. 이와 같은 변경의 이유는 이 장에서 설명될 것이다.

[6] 고린도전서 11:3; NIV 번역본은 저자들에 의해 본문이 변경되었다.

[7] Gretchen Gaebelein Hull, *Equal to Serve: Women and Men Working Together Revealing the Gospel*(Tarrytown: Fleming H. Revell Company, 1991), 252.

[8] Mickelsen의 *Women, Authority and the Bible*, 118 에 대한 Philip Barton Payne의 "Response"

[9] Berkley Mickelsen과 Alvera Mickelsen의 "What Does 케팔레 Mean in the New Testament," *Women, Authority and the Bible*, 100.

[10] Payne, "Response," 121—123.

[11] 이 책의 5장을 참고하라. "피타고라스와 거의 동시대 사람이라고 할 수 있는 크로톤의 아르크메니온은 정자가 두뇌에서 생성된다고 믿었던 반면, 아리스토텔레스는 그의 스승 플라톤과 마찬가지로 정액이 머리에서 척추를 타고 생식기로 내려와서 새 생명을 만들어 내기 위해 나온다고 설명했다"는 것을 주목하라. 이것은 Catherine Clark Kroeger의 "부록 3: The Classical Concept of Head as 'Source'" in Hull, *Equal to Serve*, 270에서 인용.

[12] Catherine Clark Kroeger, "부록 3: The Classical Concept of Head as 'Source'" in Hull, *Equal to Serve*, 270. Kroeger는 고대 문헌 가운데 이같은 것이 사용된 실례를 6개 인용.

[13] Exousia.

[14] 고린도전서 11:10; NIV는 "a sign of"라는 구절을 본문 안에 잘못 삽입시키

고 있다. 희랍어본은 그와 같은 구절을 포함하고 있지 않다. 이것에 대하여는 이 장 뒷부분에서 더 자세히 언급될 것이다.

[15] 희랍어본에는 남자 앞에 정관사인 the가 붙어있지만 여자 앞에는 붙어있지 않다. NIV 번역본에는 "그 여자의 머리는 남자이다"라고 되어 있는 반면, 희랍어 본문은 "한 여자의 머리는 그 남자이다"라고 말하고 있다. NIV 번역본에 대한 이 작지만 현저한 변경은 우리가 이 난해한 구절을 이해하는 데 커다란 도움이 될 것이다.

[16] 그 희랍어 동사는 현재 능동형으로 지금 일어나고 있음을 의미한다.

[17] 빌립보서 2:10—11.

[18] 사도행전 17:25, 28. 바울이 첫 번째로 인용하고 있는 것은 Epiminedes' Cretica이다. 두 번째 인용은 Aratus' Phaenomena와 Cleanthes' Hymn to Zeus에서 발견할 수 있다. 흥미롭게도 제우스의 지위는 소위 그의 창의적인 생명을 주는 능력과 연관이 있다. 제우스를 찬미하기 위해 쓰여진 Orphic Poems는 "제우스는 머리요, 몸체이며 모든 것이 제우스에게로부터 만들어졌다"라고 말한다. Kroeger의 *Head as Source*, 89에서 인용.

[19] 고린도전서 8:6.

[20] Gilbert Bilezikian, *Beyond Sex Roles: What the Bible Says about Woman's Place in Church and Family*, 재판.(Grand Rapids: Baker Book House, 1993), 138.

[21] Craig S. Keener, *Paul, Women and Wives: Marriage and Women's Ministry in the Letters of Paul*(Peabody: Hendrickson Publishsers, 1992), 55.

[22] 갈라디아서 4:4—5.

[23] 요한복음 1:1.

[24] 요한복음 1:14.

[25] Cyril of Alexandria, *De Recte Fide ad Arcadiam et Marinam*. Kroeger,

Head as Source, 277에서 인용.

[26] 해밀턴의 *I Commend to You Our Sister*, 128ff를 보라. 바울은 고린도전서 11장 이외의 곳에서는 케팔레를 아홉 번만 사용했다. 한 번은(롬 12:20) 문자적인 의미에서 사용했다. 다른 여덟 번의 경우에 바울은 은유적으로 그 단어를 사용했다(고전 12:21; 엡 1:22, 4:15, 5:23a, 5:23b; 골 1:18, 2:10, 2:19).

[27] 그의 모든 저서에서 바울은 하나님, 예수님을 부를 때 kurios("Lord")라는 단어를 282번 사용했는데 이것은 그가 하나님을 칭할 때 가장 흔히 사용했던 단어였다. 이와는 대조적으로 그는 soter("Savior")라는 단어는 매우 정선하여 사용했기 때문에 그의 서신 가운데 12번밖에 등장하지 않는다. 그가 "Savior"라는 단어를 한번 사용할 때마다 "Lord"라는 단어는 23번씩이나 사용했다는 셈이다. 그가 "Savior"를 사용한 경우가 희귀하기 때문에 에베소서 5:23에 있는 그 단어가 더욱 특별한 것이다.

[28] 에베소서 5:18—22.

[29] 마태복음 3:17, 17:5; 마가복음 1:11, 9:7; 누가복음 3:22, 9:35; 빌립보서 2:9을 보라.

[30] 누가복음 11:13, 24:49; 요한복음 3:34, 14:16, 14:26, 15:26; 사도행전 1:4—5을 보라.

[31] 마태복음 26:39, 26:42; 마가복음 14:36; 누가복음 22:42; 요한복음 4:34, 5:19, 5:30, 6:38, 8:28을 보라.

[32] 요한복음 6:63, 7:37—39, 16:7, 20:22; 사도행전 1:8을 보라.

[33] 요한복음 14:26, 15:26, 16:14—15을 보라.

[34] 요한복음 14:26, 15:26, 16:13; 사도행전 1:4—5을 보라.

[35] Catherine Clark Kroeger, "An Illustration of the Greek NOtion of 'Head' as 'Source'," *Priscilla Papers*, 1.3(1987년 8월호), 5.

[36] 고린도전서 11:8—12; NIV 번역본의 본문이 저자들에 의하여 변경되었다.

10절에서 "a sign of"라는 구절이 삭제되었고 "on"은 "over"로 대치되었는데 희랍어 본문에는 이같은 단어들이 등장하지 않기 때문이다. NIV 번역본에 의한 이같은 단어의 첨가와 또 다른 번역본들은 성경 말씀을 왜곡시켜서 여자들이 권위를 행사하는 것이 아니라 마치 권위에 복종해야 하는 것처럼 보이게 만들었다. "Cities of St. Paul에서 William Ramsey 경은 이것에 관해 '고대와 현대 주석의 대부분은 여자가 머리에 지녀야 했던 "권위"는 그녀가 순복해야 했던 권위였다고 말하는데 이것은 희랍 학자라면 비웃을 만한 말도 안되는 생각이며 신약 성경의 희랍어 단어는 주석학자들이 무엇이라고 하든 그들의 해석을 맹신해야 한다고(여기는 듯한) 생각 때문에 빚어지는 오류다.'", Pape, God and Women, 109.

[37] 창세기 2:22; 해밀턴의 *I Commend to You Our Sister*, 89ff를 보라.

[38] 창세기 2:18; 해밀턴의 *I Commend to You Our Sister*, 91ff를 보라.

[39] 만일 앞서 존재한 것이 더 우월하다면 개구리는 다섯째 날에 창조되었고 인간은 여섯째 날에 창조되었기 때문에 개구리는 인간보다 우월하다. 창세기 1장을 보라.

[40] 고린도전서 15:3—11.

[41] 이 책의 7장을 보라.

[42] 고린도전서 11:10; NIV 번역본의 본문은 저자들에 의해 변경되었다. "a sign of"라는 구절이 10절에서 삭제되었는데 그 이유는 그것이 희랍어 본문에 나타나 있지 않기 때문이다. 해밀턴의 *I Commend to You Our Sister*, 부록 F.1을 보라.

[43] exousia epi라는 희랍어 구절을 포함하고 있는 15개 성경 구절은 마태복음 9:6, 28:18; 마가복음 2:10; 누가복음 5:24, 9:1, 10:19, 19:17; 사도행전 26:18; 고린도전서 11:10; 요한계시록 2:26, 6:8, 11:6, 13:7, 14:18, 16:9.

[44] 해밀턴의 *I Commend to You Our Sister*, 부록 M을 보라. Thayer에 의한

exousia의 정의는 '1) 선택의 권한, 원하는 것을 하는 자유; 떠남 혹은 허락; 2) 신체적, 정신적 권한; 개인이 소유하거나 혹은 행사할 수 있도록 부여받은 능력과 힘; 3) 권위(영향력)와 권한의 능력; 4) 통치의 능력 또는 정부의 권한' 이다. John Henry Thayer, *A Greek–English Lexicon of the New Testament*, 4판.(Milford: Mott Media, 1982), 225. Bauer, Gingrich, Danker는 exousia를 '1) 선택의 자유, 행동의 권한, 결정 혹은 개인의 재산을 자의로 처분할 수 있는 자유; 2) 어떤 것을 할 수 있는 능력, 역량, 힘, 권력; 3) 권위, 절대적인 능력, 권능; 4) 지배자들이나 혹은 고위에 있는 사람들이 그들의 직무에 때라 행사하는 권력: a) 다스리는 권력, 공식적인 권력; b) 권력이 행사되는 범위; c) 권위의 소유자– ⅰ) 권위 인물, 관료, 정부; ⅱ) 영적 세계의 지배자와 활동자들" 이라고 정의했다. Bauer, Gingrich, Danker, 1979, *Logos® Bible Software 2.0*에서.

[45] 고린도전서 11:10; NIV 번역본의 본문이 저자들에 의하여 변경되었다. 'a sign of' 라는 구절이 10절에서 삭제되었는데 그 이유는 그것이 희랍어 본문에 나타나 있지 않기 때문이다. 또한 'on' 은 'over' 로 대치되었다. 해밀턴의 *I Commend to You Our Sister*, 부록 F.1을 보라. 강조가 추가됨.

[46] 마태복음 22:23–33, 마가복음 12:18–27, 누가복음 20:27–40.

[47] 고린도전서 11:13. 바울은 고린도전서 4:5와 10:15 두 구절에서 고린도인들에게 판단할 것을 명하고 있다.

[48] Keener, *Paul, Women and Wives*, 42.

[49] 고린도전서 11:11.

[50] Bristow, *What Paul Really Said*, 59.

[51] Genesis Rabbah 8.9와 22.2. Madeleine Boucher, "Some Unexplored Parallels to I Cor. 11:11–12 and Gal 3:28: The New Testament on the Role of Women," *Catholic Biblial Quarterly*, 31.1(1969년 1월호), 52.

[52] 마태복음 13:33, 누가복음 13:20–21.

[53] 고린도전서 11:12.

[54] 고린도전서 4:7.

CHAPTER 13

[1] 고린도전서 11:4—7.

[2] 에베소서 2:20, 3:5.

[3] 사도행전 1:12—15은 예수님 사역에 동행했던 약 120명의 신자들 가운데 정규적으로 참여했던 두 개의 공인된 무리인 '열두 제자' 와 '여자들' 을 구체적으로 언급하고 있다(9장에 있는 이 주제에 대한 토의를 참조하라). 그들은 오순절에 먼저 성령 충만을 받은 사람들이며 또한 방언을 말하며 공적으로 사역했던 사람들이었다(행 2:1—41). 물론 맛디아는 유다를 대신하여 열두 제자 중 하나가 되었다.

[4] 사도행전 2:17—18. 강조가 추가됨. 해밀턴의 *I Commend to You Our Sister*, 149—150을 보라.

[5] B. Megillah 14a와 B. Sotah 12b를 보라.

[6] 바울은 창세기 25:23을 인용. 해밀턴의 *I Commend to You Our Sister,* 부록 T를 보라.

[7] B. Megillah 23a. Biale의 *Women and Jewish Law,* 26에서 인용.

[8] Adoniram Judson Gordon, "The Ministry of Women," *World Missionary Review*(Christian for Bibilical Equality에 의해 재판됨, 1893), 3.

[9] William Sterns Davis, *A Day in Old Rome: A Picture of Roman Life*(New York: Biblo and Tannen, 1962), 93.

[10] Keener, *Paul, Women and Wives,* 30.

[11] Plutarch, "Bravery of Women," 245C—F. Lefkowitz와 Fant의 *Women's Life*, 129—130에서 인용.

[12] Kroeger, Greco—Roman *Cults*, 37. Kroeger의 주장은 Philostratus의 Imagines 1.2; Aristides의 *Rhetoric* 41.9; Euripides의 *Bacchae* 836 그리고 862; Plutarch의 *Moralia* 268 C—E; Athenaeus 12.525; Lucian의 *Dea Syria* 6에 근거했다.

[13] 고린도전서 11:6. 강조가 추가됨.

[14] 고린도전서 11:7.

[15] 해밀턴의 *I Commend to You Our Sister*, 183—184를 보라.

[16] 접속사 de는 매우 보편적이어서 고린도전서에서만도 193회 사용되었다.

[17] 창세기 2:18.

[18] 창세기 1:31.

[19] 고린도전서 11:13—15.

[20] 고린도전서 11:13.

[21] 고린도전서 11:2—16에는 두 개의 다른 명령형이 있는데 그 두 개 모두 고린도전서 11:6에서 찾아볼 수 있다. 그러나 이 명령형은 여자들에게만 향한 것이다. 해밀턴의 *I Commend to You Our Sister*, 부록 F.5를 보라.

[22] 고린도전서 11:14.

[23] Patricia Gundry의 *Women Be Free! Free to Be God's Women*(Grand Rapids: Zondervan, 1977), 36.

[24] 고린도전서 10:31—11:1. "머리를 쓰거나 혹은 쓴 것을 벗거나, 머리를 기르거나 혹은 머리를 깎거나"의 개념은 비록 본문에 있지는 않다 하더라도 "무엇을 하든지"라는 구절 안에 포함된다는 것은 의심할 여지가 없으며 합법적으로 삽입될 수 있는 것은 바울이 그 다음에 그 주제를 다루기 때문이다. 이 구절의 삽입은 어떻게 우리가 바울의 원칙을 심사숙고하고, 그가 제시하는 특정한

실례들로부터 배우고, 그리고 그같은 진리들을 삶의 모든 분야에 적용해야 할 필요가 있는가를 설명해준다.

[25] 고린도전서 11:16.

CHAPTER 14

[1] 어떤 복음적인 학자들은 이 구절과 이 다음의 구절인 고린도전서 14:35가 후에 서기관들에 의하여 삽입되었다고 믿는데 그 이유는 초기 원본들에서 그것들이 다른 위치에 있기 때문이다. 나는 두 가지 이유에서 우리가 이 두 구절이 사실이라고 받아들여야 한다고 믿는데, 첫째는 구절을 생략한 원본으로 알려진 것이 없다는 것이다. 위치가 바뀐 이유는 하나님의 영감으로 쓰여진 말씀에 의도적으로 부가시켰기 때문이 아니라 필사하는 사람들의 단순한 사무착오였다는 것을 시사한다. 두 번째로 하나님은 보존된 고대 문헌의 형성에도 여전히 통치하고 계심을 나는 믿는다. 비록 바울이 아닌 어떤 사람이 이와 같은 말을 썼다 하더라도 우리는 여전히 그것을 하나님의 영감으로 쓰여진 말씀으로 받아들여야 한다. 결정적인 요소는 인간적인 중개가 아니라 하나님의 영감인 것이다.

[2] 이렇게 하는 번역본은 American Standard Version, the Amplified Bibile, the Catholic Bible, the Jerusalem Bible, the Moffatt Version, the New English Bible, the New International Version, the New Jerusalem Bible, the New Revised Standard Version, the Oxford Study Bible, the Revised Standard Version, Today' s English Version이다.

[3] 이렇게 하는 번역본은 the 1886 Revised Version, the 1911 Bible, the Berkeley Version, J. B. Phillip' s Translation, the King James Version, the Knox

Version, the Modern Language Version, the Modern Reader's Version, the New American Standard Bible, the Scofield Bible, the Thompson Chain Reference Bible이다.

[4] 여러 개의 고대 원본 안에 34절과 35절의 전이는 이 두 구절을 33절과는 별도인 문법적 단위로 만든다. 만약 33절의 마지막 부분이 34절의 도입 구절로 보이도록 의도했더라면 34절과 35절과 함께 전이되었어야 할 것인데 그렇지 않다.

[5] 고린도전서 14:33—34a; NIV 번역본의 본문은 저자들에 의하여 변경됨.

[6] 고린도전서 14:26—40. NIV 번역본의 본문은 저자들에 의하여 다음과 같이 변경되었다. adelphos가 복수형으로 사용될 경우에는 혼성이라는 것을 밝히기 위해 26절에 'and sisters'가 첨가되었다. 잠잠하라는 세 개의 명령은(28절, 30절, 34절) 모두 동일하게 'should be silent'로 표시되었다. 이것은 이 세 경우에 동일한 동사가 동일한 시제로 사용되었음을 반영하여 바울이 의도적으로 반복했음을 우리가 볼 수 있게 한다. 두 곳에서 구두점이 변경되었다. 'as in all the congregation of the saints'라는 구절은 33절의 첫 부분과 관련이 있으며 33절 마지막에 마침표가 첨가되었다. 바울의 가르침과(35a) 고린도 교회의 특정한 사람들의 잘못된 발언을 그가 인용한 것(35b, 지금은 인용 부호 안에 위치함)을 구별하기 위해 35절이 두 문장으로 구분되었다. 마지막으로, 번역되지 않았던 작은 희랍 단어 ἤ를 반영시키기 위해서 36절에 분리를 나타내는 감탄사(말도 안돼! 뭐라고!)가 삽입되었다. 이 장과 다음 장에 걸쳐 이와 같은 모든 변경에 대한 설명이 있을 것이다.

[7] 고린도전서에서 구약을 인용한 경우는 1:19(사 29:14); 1:31(렘 9:24); 2:9(사 64:4); 2:16(사 40:13); 3:19(욥 5:13); 3:20(시 94:11); 5:13(신 17:7, 19:19, 21:21, 22:21, 22:24, 24:7); 6:16(창 2:24); 9:9(신 25:4); 10:7(출 32:6); 10:26(시 24:1); 14:21(사 28:11—12); 15:27(시 8:6); 15:32(사 22:13); 15:45(창 2:7);

15:54(사 25:8); 15:55(호 13:14)이다. 이 17개는 히브리 성경의 세 중요한 범주를(율법서, 예언서, 시가서) 망라하는 구약의 8책에서 인용되었음을 주목.

[8] 고린도전서 11:24—25은 누가복음 22:19—20에 기록된 말을 반영한다.

[9] 고린도전서 15:33. 바울은 Menander의 작품 *Thais*에서 인용.

[10] 고린도전서 4:6. 바울은 후에 B. Makkot 23a에 기록되었던 랍비의 일화를 인용.

[11] 고린도전서 10:28, 12:3, 14:25.

[12] 고린도전서 1:12, 3:4, 6:12—13, 10:23, 12:3, 15:35.

[13] ἤ는 고린도전서 1:13; 2:1; 4:3, 21; 5:10a, 10b, 11a, 11b, 11c, 11d, 11e; 6:2, 9, 15, 19; 7:9, 11, 15, 16; 9:6, 7, 8, 10, 15; 10:19, 22; 11:4, 5, 6, 22, 27; 12:21; 13:1; 14:5, 6a, 6b, 6c, 6d, 7, 19, 23, 24, 27, 29, 36a, 36b, 37; 15:37; 16:6에서 찾아볼 수 있다. 이것은 물론 희랍 신약 성경의 UBS 제3판에 근거한 것이다. Textus Receptus에 관하여는 몇 가지 분쟁이 있지만 이곳에서 토의하고 있는 구조적인 문제에 영향을 미치는 것은 아무것도 없다. Textus Receptus의 고린도전서 6:2에 ἤ가 없지만 고린도전서 3:5, 5:10c, 5:11f, 11:14에 ἤ에 대한 4개의 부가적인 참조가 있어서 총 52개가 존재한다.

[14] Bilezikian, *Beyond the Sex Roles,* 286.

[15] Linda McKinnish Bridges, *Paul's Use of Slogans in the Rhetorical Strategy of I Corinthians 14:34—16*(Richmond: Baptist Seminary, unpublished paper, 1990), 13.

[16] 고린도전서 14:27.

[17] 고린도전서 14:31.

[18] 고린도전서 14:33.

[19] 고린도전서 14:26.

[20] 고린도전서 14:27—28, 39b.

[21] 고린도전서 14:29—32, 39a.

[22] 고린도전서 14:34—38.

CHAPTER 15

[1] 고린도전서 14:34—35a. NIV 번역본의 본문이 저자들에 의하여 변경됨.

[2] 고린도전서 14:39.

[3] 고린도전서 14:40.

[4] 고린도전서 14:31.

[5] 고린도전서 14:32.

[6] 고린도전서 14:31.

[7] 고린도전서 14:26.

[8] 고린도전서 14:2은 "방언을 말하는 자는 사람에게 하지 아니하고 하나님께 하나니"라고 말한다. 이것은 여자들이 대중 가운데서 기도했던 한 형태일 수 있다(고전 11:5, 13). "내가 만일 방언으로 기도하면 나의 영이 기도하거니와 나의 마음은 열매를 맺히지 못하리라 그러면 어떻게 할꼬 내가 영으로 기도하고 또 마음으로 기도하며"라고 말한 고린도전서 14:14—15에서 우리는 방언 말함이 기도와 분명한 연관이 있음을 볼 수 있다.

[9] 고린도전서 11:5.

[10] 고린도전서 14:26, NIV 번역본의 내용은 저자들에 의하여 변경되었으며 강조가 추가되었다. 우리가 앞에서 주목한 바와 마찬가지로 우리가 이곳에서 보는 복수 남성형의 adelphos는 단지 형제들만을 향한 언급에 사용될 수도 있고 혹은 형제와 자매들의 혼합된 무리를 향한 언급에도 사용될 수 있다. 앞에서 바울이 교회 안에서의 사역에 관한 이 부분에서 남자와 여자를 함께 대상

으로 언급했던 것과 마찬가지로 후자의 경우가 이 단어의 가장 보편적인 이해가 될 것이다. 그와 같은 이유로 말미암아 NRSV는 그것을 '친구들' 이라는 중성 용어를 사용하여 번역한다.

[11] 이 두 가지는 고린도전서 14:26에서 표현되었던 사역이 가능한 다양한 형태 중에 속한다. 이 목록은 철저한 것이 아니고 예배 중에 일어나는 다양한 역사의 실례에 불과하다. 깨달음을 가져오는 것은 말씀 전파나 가르침, 혹은 예언이 관여될 수 있음을 주목하라. 그것은 하나님의 말씀으로 대중을 섬기는 것이다.

[12] 고린도전서 14:26.

[13] 고린도전서 14:28, 30, 34.

[14] 고린도전서 14:28, 29.

[15] 고린도전서 11:4—5.

[16] 고린도전서 14:34. 희랍어 동사는 upotasso이다.

[17] 해밀턴의 *I Commend to You Our Sister,* 부록 R을 보라.

[18] 이 책의 160—161면을 보라.

[19] 고린도전서 14:33, 34. 비록 NIV 번역본은 하나를 'congregations' 로 그리고 다른 하나를 'churches' 로 번역했지만 이 두 경우 모두 희랍 명사 *ekklesia* 가 사용되었다.

[20] 고린도전서 14:33.

[21] 고린도전서 13:34의 "must be in submission" 과 14:32의 "are subject" 의 두 구절은 모두 희랍어 동사 upotasso의 번역이다. 다시 한번 바울은 모든 사람들에게 자신이 요구하는 것을 여자들에게도 요구하고 있음을 볼 수 있다.

[22] 권위에 관한 법에 대한 바울의 호소가 처음에는 이상하게 느껴지지만 그는 이 서신에서 다른 두 경우에도(고전 9:8—9, 14:21) 같은 일을 했음을 인식해야 한다.

[23] 70인역은 바울의 시대에 사용되고 있었던 구약의 희랍어 번역이었다.

[24] Kroeger와 Kroeger, *I Suffer Not*, 75—76. 구약 참조 구절은 시편 37:7, 62:1, 62:5이다.

[25] Bushnell, *God's Word to Women*, 299.

[26] 고린도전서 12:1. NIV에 'brothers' 라고 번역된 단어는 adelphos다. 이 희랍 단어의 복수형은 한 무리의 남자들이나 혹은 한 무리의 남녀를 의미할 수도 있다. 'Brothers and sisters' 라고 말하고 있는 NRSV를 보라.

[27] 고린도전서 14:5, 12.

[28] 고린도전서 14:19.

[29] 항상 여자는 지적으로 열등하여 아이의 정신 연령 이상으로 성장할 수 없다고 여겼던 이방의 관습과는 크게 대조되고 있다. 해밀턴의 *I Commend to You Our Sister*, 68을 보라.

[30] 고린도전서 14:20.

[31] 고린도전서 14:31.

[32] 고린도전서 11:6, 14:35; 에베소서 5:12.

[33] Aristophanes, *The Lysistrata*, 524—532.

[34] Aristophanes, Politics, 1.5.4—8(1259b—1260a). 또한 Sophocles, "Ajax" in *Sophocles, Volume II: Aja, Electra, Trachiniae, Philctetes*, F. Storr 옮김(Cambridge: Loeb Classical Library, Harvard University Press, 1929), 293.

[35] Plutarch, *Bride and Groom*, 142D.

[36] Titus Maccius Plautus, *Little Carthaginian*. F. H. Sandbach의 *The Comic Theatre of Greece and Rome*(New York: Norton, 1977), 109에서 인용.

[37] Titus Maccius Plautus, "The Rope(Rudens)" in *Plautus, Volume IV: The Little Carthaginian, Pseudolus, and The Rope*, Paul Nixon 옮김(Cambridge: Loeb Classical Library, Harvard University Press, 1951), 1114.

[38] M. Gittin 4.8.

[39] Sirach 26:14 RSV.

[40] B. Berakhot 24a.

[41] B. Kiddushin 70a.

[42] 고린도전서 14:36.

[43] 고린도전서 14:37—38.

[44] 고린도전서 14:39.

CHAPTER 16

[1] 사도행전은 "바울이 온 이태를 자기 셋집에 유하며 자기에게 오는 사람을 다 영접하고 담대히 하나님 나라를 전파하며 주 예수 그리스도께 관한 것을 가르치되 금하는 사람이 없었더라"(사도행전 28:30—31)는 말로 끝을 맺는다. 2년 후에 어떤 일이 있었는가에 대하여 신약은 아무것도 언급하지 않는다. 초대 교회 역사가 유세비우스는 이 이야기를 이어간다. "사도들의 행전을 기록하는 데 헌신했던 누가 역시 이 부분에서 바울이 2년 동안 로마에서 자유롭게 지내며 방해받지 않고 하나님의 말씀을 전파했다는 언급으로 자신의 글을 마쳤다. 전통에 의하면 자신을 변호한 후에 바울은 다시 복음 전파를 위해 파송되었고 같은 도시에 두 번째로 왔을 때 네로에 의해 순교당했다고 한다. 이 투옥 시절에 그는 자신이 첫 번째 변호를 하게 될 것이며 또한 자신이 순교하게 될 것을 나타내는, 디모데에게 보내는 두 번째 서신을 썼다. Eusebius, *The Ecclesiastical History, Volume II*, J.E.L. Oulton 옮김(Cambridge: Loeb Classical Library, Harvard University Press, 1973), 2.22.1—2.

[2] 비잔티움의 필로는 기원전 225년의 7가지 불가사의를 묘사했다. 그는 에

베소에 위치한 아데미의 신전을 그 중에서 가장 위대한 것으로 칭송했는데 "그곳은 신들이 있는 유일한 장소다. 보는 사람은 누구든지 영원한 하늘나라가 지구상에 임하는 장소의 변화가 일어났다는 것을 확신할 수 있다"라고 선언했다. Philo of Byzantium, *On the Seven Wonders,* 6.1. John and Elizabeth Romer, *The Seven Wonders of the World: A History of the Modern Imagination*(New York: Henry Holt and Company, 1995).

[3] Ovid, "The Heroides 20.5—8, 201—212" in *Ovid: The Heroides and The Amores,* Grant Showerman 옮김(Cambridge: Loeb Classical Library, Harvard University Press).

[4] 사도행전 19:23—41을 보라.

[5] 사도행전 18:26.

[6] 3장과 11장에 나와 있는 뵈뵈에 대한 참고를 참조하라.

[7] 디모데전서 2:1—15. NIV 번역본의 내용은 저자들에 의해 다음과 같이 변경되었다. anthropos의 의미를 더 정확하게 반영시키기 위하여 3절에 "men"이 "persons"로 대치된다; 5절에 "men"이 "humanity"로 또한 "man"이 "person"으로 대치된다; 그리고 6절에 "men"이 "humans"로 대치된다. 10절에 "women"이 "she"로 대치되고 희랍 문법을 더욱 정확하게 반영하기 위해 "childbearing" 앞에 "the"가 삽입된다. 이같은 변경은 이 장과 또한 다음 장에 걸쳐 설명될 것이다.

[8] 디모데전서 2:1.

[9] 고린도전서 16:9.

[10] 디모데전서 2:2.

[11] '고요한' 은 hesuchios이다. 후에 디모데전서 2:11—12에서 같은 어원의 명사 hesuchios가 2번 등장하게 될 것이다. 해밀턴의 *I Commend to You Our Sister*, 부록 N을 보라.

[12] 디모데전서 2:3—4; NIV 번역본의 내용은 저자들에 의해 변경되었다.

[13] 디모데전서 2:5—6a; NIV 번역본의 내용은 저자들에 의해 변경되었다.

[14] 디모데전서 2:8.

[15] 디모데전서 2:7.

[16] 디모데전서 2:9—10; NIV 번역본의 내용은 저자들에 의해 변경되었다.

[17] Thayer, *Greek—English Lexicon*, 682를 보라. Thayer의 사전은 이 단어가 '이와 마찬가지로, 동일하게' 를 의미한다고 말한다.

[18] 이 책 10장에서 에베소서 5:22을 살펴보았을 때 우리는 처음으로 생략의 의미를 숙고했다. 다시 말하지만 Microsoft의 Bookshelf 98에 의한 생략의 정의는 유사한 방법으로 "남자들이 기도하기를 원하노라. 이와 같이 여자들도" 라는 바울의 언급을 독자들은 "이와 같이 여자들도 기도하지 않으면 안된다" 라는 의미라고 이해해야 한다.

[19] 디모데전서 2:1

[20] Gordon, "The Ministry of Women," *World Missionary Review, 2.*

[21] John Chrysostom. Charles Kingsley Barret, *The New Clarendon Bible*(Oxford: Clarendon Press, 1963), 55의 "Pastoral Epistles" 에서 인용. 또한 Keener, *Paul, Women, and Wives,* 102—103: "비록 이 시점에서 문법은 명확하지 않지만 2:9의 '이와 같이' 는 아마도 이제까지 남자들에게 어떻게 기도할 것인가를 가르쳤던 바울이 이제는 동일하게 여자들을 향하여 가르치는 것을 암시하는지도 모른다. 고린도전서 11장에서 볼 수 있는 바와 마찬가지로 여자는 교회에서 잠잠하기를 종용받지 않았으며 기도하도록 허락받았었다."

[22] Richard Kroeger and Catherine Clark Kroeger, "1 Timothy 2:9—10 Revisited," *Priscilla Papers,* 8.1(1994년 겨울), 4. 에베소서에 성적인 문란함이 편만했었기 때문에 이와 같은 바울의 지시는 매우 적절한 것이었다.

[23] *Sentences of Sextus 513.* Gordon Fee, *New International Biblical*

Commentary: 1 and 2 Timothy, Titus(Peabody: Hendrickson Publishers, 1988), 71. 고대의 또 다른 작가는 "절제하는 자유인 여자는 법적인 남편과 동거해야만 하여 적당하게 단장하고, 지나치거나 사치하지 않은 단정하며 소박한 흰 드레스를 입어야 한다. 전체가 보라색이거나 혹은 보라색이나 금색의 줄이 있는 옷은 반드시 피해야 하는데 그 이유는 그런 종류는 매춘부들이 남자들을 유혹할 때 입는 옷이기 때문이다. 그러나 남편만을 즐겁게 하기를 원하는 여자들이 가꾸어야 할 것은 옷이 아니라 성품이다. 자유인 여자는 주변의 남자들이 아니라 자신의 남편에게 아름답게 보여야 한다"라고 저술했다. Pseudo Melissa, *Letter to Kleareta*. Keener의 *Paul, Women and Wives*, 106에서 인용.

[24] Davis, *Old Rome*, 97—98.

[25] Pliny는 '진주를 발에다 사용하고 그리고 신발의 끈뿐만 아니라 신발 전체에 진주를 부착시키기까지 했다' 는 어떤 여인들의 극단적인 행위에 대단한 충격을 받았다. Pliny the Elder, *Natural History*, 9.56.114.

[26] 디모데전서 2:10.

[27] Kroeger and Kroeger, "Timothy Revisited," 5.

[28] 사용되지 않은 것은 *exagello*(출판하다)이며 베드로전서 2:9에서만 찾아볼 수 있다.

[29] *Anagello*는 로마서 15:21, 고린도후서 7:7에서 찾아볼 수 있다.

[30] *Apagello*는 고린도전서 14:25, 데살로니가전서 1:9에서 찾아볼 수 있다.

[31] *Diagello*는 로마서 9:17에서 찾아볼 수 있다.

[32] *Epagello*는 로마서 4:2—3; 갈라디아서 3:19; 디모데전서 2:10, 6:21; 디도서 1:2에서 찾아볼 수 있다.

[33] *Euagello*는 로마서 1:15, 10:15a, 10:15b, 15:20; 고린도전서 1:17, 9:16a, 9:16b, 9:18, 15:1, 15:2; 고린도후서 10:16, 11:7; 갈라디아서 1:8a, 1:8b, 1:9,

1:11, 1:16, 1:23, 4:13; 에베소서 2:17, 3:8; 데살로니가전서 3:6.

[34] *Katagello*는 로마서 1:8; 고린도전서 2:1, 9:14, 11:26, 빌립보서 1:16, 1:18; 골로새서 1:28에서 찾아볼 수 있다.

[35] *Paragello*는 고린도전서 7:10, 11:17; 데살로니가전서 4:11; 데살로니가후서 3:4, 6, 10, 12; 디모데전서 1:3, 4:11, 5:7, 6:13, 6:17에서 찾아볼 수 있다.

[36] 디모데전서 2:11—15a; NIV 번역본의 내용은 저자들에 의해 변경되었다.

[37] 디모데전서 2:1—8.

[38] 디모데전서 2:8.

[39] 디모데전서 2:9—10.

[40] 디모데전서 6:3. 강조 추가됨.

[41] 디모데전서 1:6, 6:21, 4:1. 강조 추가됨.

[42] 디모데전서 1:3; NIV 번역본의 내용이 저자들에 의해 변경되었다.

[43] 디모데전서 4:7.

[44] 디모데전서 5:13.

[45] 디모데후서 3:6—7.

[46] 디모데후서 3:13; anthropos를 정확하게 번역하기 위하여 NIV 번역본의 내용이 저자들에 의해 변경되었다.

[47] 디모데전서 1:20, 디모데후서 2:17.

[48] 디모데전서 1:20, 디모데후서 4:14—15.

[49] 디모데후서 2:17.

[50] 디모데후서 1:15, 디모데후서 4:10.

[51] 고린도전서 5:1에서 바울은 "누가 그 아비의 아내를 취하였다"라고 말했다. 몇 절 뒤에 바울은 다시 "이런 자"(고전 5:5)에 관하여 언급한다. 비록 그들의 이름이 밝혀지지는 않았지만 바울이 이들을 염두에 두었음은 분명하다. 이것은 악명 높은 사건이었기 때문에 바울은 그들의 이름을 밝힐 필요가 없었

다. 바울과 고린도 교인들은 바울이 누구에 관하여 언급하고 있는지를 잘 알고 있었기 때문이다.

[52] 디도서 3:10—11.

[53] 디도서 1:5.

[54] 디도서 1:11.

[55] 디도서 3:10.

[56] 디도서 1:11.

[57] 마태복음 18:15—17.

[58] 디모데전서 2:13.

[59] 바울은 두 차례 그의 서신 가운데서 세상에 죄가 도입된 것은 아담의 잘못이라고 말했는데 로마서 5:12—21과 고린도전서 15:22이다. 바울의 서신 가운데 하와에 관하여 이것과 병행하는 언급은 찾아볼 수 없다.

[60] 죄는 죄이기 때문에 그런 것들은 절대로 변명할 수 없다. 그러나 성경은 의도적으로 저지른 죄와 알지 못하고 지은 죄의 차이를 인정한다. 예수님은 "주인의 뜻을 알고도 예비치 아니하고 그 뜻대로 행치 아니한 종은 많이 맞을 것이요 알지 못하고 맞을 일을 행한 종은 적게 맞으리라"(눅 12:47—48)라고 말씀하신다. 바울은 후메내오와 알렉산더에게 처벌한 것과 달리 이 익명의 여인에게는 다른 처벌을 내림으로 이같은 원칙을 적용하는 듯하다. 그렇기 때문에 아담과 하와의 행동에 대한 바울의 판단이 다른 것에 대해 납득이 간다.

CHAPTER 17

[1] 디모데전서 2:11, 디모데후서 2:17.

[2] Spencer, *Beyond the Curse*, 74. 저자는 'women' 이라는 복수형이 사용되었던 마지막 구절까지 'woman' 을 사용함으로 희랍어 본문의 단수형을 충실하게 반영하고 있다. 나의 인용구는 복수형 대신 괄호 안의 단수형으로 대치함으로 그 오류를 수정했다.

[3] "에베소의 여인들은 교육을 받지 못했다. 그리스 로마에서 여자들은 일반적으로 교육을 받을 수 없었다. '이와 마찬가지로' 유대교도 일반적으로 여자들이 교육을 받도록 허락하지 않았다." Haubert, *Women as Leaders*, 64. 또한 해밀턴의 *I Commend to You Our Sister*, 37—38, 55ff, 110ff를 보라.

[4] 디모데전서 1:20.

[5] 디모데전서 2:11. 이들 두 주요 단어에 대한 완전한 연구를 위해서는 해밀턴의 *I Commend to You Our Sister*, 부록 N과 R을 보라. 이 구절은 누구에게 '복종할 것' 인가를 명시하고 있지 않음을 주목하라. 교사에게인가? 하나님께인가? 혹은 배운 진리에게인가?

[6] Kroeger and Koreger, *I Suffer Not a Woman*, 68.

[7] 디모데전서 2:8.

[8] 디모데전서 2:9.

[9] Spencer, *Beyond the Curse*, 79.

[10] M. Avot 1.17. Aida Dina Besançon Spencer, "Eve at Ephesus: Should Women Be Ordained as Pastors According to the First Letter to Timothy 2:11—15?" *The Journal of the Evangelical Theological Society*(1974년 가을), 218.

[11] Haubert, *Women as Leaders*, 64.

[12] 야고보서 1:19.

[13] Spencer, *Beyond the Curse*, 75.

[14] "이제껏 가르쳐 온 것과 마찬가지로 연구를 목적으로 할 경우에는 문제가 다르다: 그것을 행하려고 배우지는 말아야 하지만 그러나 이해하고 가르치기 위해서는 배울 수도 있다." B. Avodah Zarah 43b.

[15] B. Sotah 37a—b.

[16] 해밀턴의 *I Commend to You Our Sister*, 109ff를 보라. 또한 Biale, *Women and Jewish Law*, 31을 보라.

[17] 에스라 7:9—10. 강조 추가됨.

[18] Kroeger and Koreger, *I Suffer Not a Woman*, 60.

[19] 디모데후서 3:13. 바울이 *anthropos*를 사용했음을 주목하라.

[20] 디모데전서 1:3. 바울이 혼성 대명사를 사용했음을 주목하라.

[21] 디모데전서 1:6—7. 바울이 혼성 대명사를 사용했음을 주목하라.

[22] 디모데후서 2:17.

[23] 디모데전서 1:20.

[24] Berkeley Mickelsen, "Who Are the Women in I Timothy 2:1—15?(Part II)," *Priscilla Papers*, 2.2(1988년 봄), 6.

[25] 디모데전서 4:6.

[26] 디모데후서 1:5.

[27] 디모데후서 3:14—15.

[28] NIV 번역본은 이곳에서 또다시 'men' 을 사용하여 오해를 초래할 수 있도록 만든다. 희랍어는 혼성 명사인 anthropos이므로 정확하게 'persons' 라고 번역되어야 한다.

[29] Kroeger and Kroeger, *I Suffer Not a Woman*, 82.

[30] Authentein.

[31] 이 단어가 어떻게 나타났는가에 대하여 전문가들의 의견이 분분하다. "어원적으로 이 단어는 '살인하다' 를 의미하든가 혹은 '권위를 행사하다' 를 의미할 수도 있다." Sharon Hodgin Gritz, *Paul, Women Teachers, and the Mother Goddess at Ephesus: A Study of 1 Timothy 2:9—15 in Light of the Religious and Cultural Milieu of the First Century*(Lanham: University Press of America, 1991), 134.

이 "중요한 단어는 살인, 시작, 성교를 암시하는데 이것 모두는 소아시아 지역에서 성행하던 신비스러운 종교들의 요소였다." Kroeger and Kroeger, *I Suffer Not a Woman*, 87.

광범위한 의미 안에는 어떤 것을 시작한다, 어떤 상황이나 행동(특히 살인)에 대한 주요한 책임을 지다, 지배하다, 군림하다, 다른 사람의 세력이나 권한을 사용하다, 소유권, 통치권 혹은 권위를 주장하다 등이 있다. Kroeger and Kroeger, *I Suffer Not a Woman*, 84.

[32] 희랍 신약 성경 안에서 권위를 나타내는 정상적인 단어는 exousia다. 해밀턴의 *I Commend to You Our Sister*, 부록 M을 보라.

[33] 디모데전서 3:1—13.

[34] 마가복음 10:42—45. 이와 동일한 가르침이 마태복음 20:25—28과 누가복음 22:25—27에도 기록되어 있다. 복음서 안에서 '권위' 라고 번역된 희랍 단어는 authentein이 아니었고 좀더 통용되던 exousia에서 파생된 단어들임을 주목하라. 해밀턴의 *I Commend to You Our Sister*, 부록 M을 보라.

[35] 디모데전서 4:3에서 바울은 "혼인을 금하고 식물을 폐하라 할 터이나 식물은 하나님이 지으신 바니 믿는 자들과 진리를 아는 자들이 감사함으로 받을 것이니라"라고 말한다. 거짓 교사들의 율법주의적인 관례는 어떻게 '하나님이 창조하셨는지' 에 대한 진리를 왜곡시켰던 듯하다. 이것은 또한 바울이 하나님의 본질을 정의하기 위해서 디모데전서 6:13에 "만물을 살게 하신" 이라는

구절을 부가시킨 이유다.

[36] 이것은 바울이 12절에서 authentein이라는 다른 단어를 사용한 이유인지도 모른다. 이 이유 때문에 저자는 디모데전서 2:12를 '그 여자의 가르치는 것과 자신이 남자를 만들었다고 주장하는 것을 허락지 않는다' 라고 번역한다. Kroeger and Kroeger, *I Suffer Not a Woman*, 189.

[37] 창세기 2:16—17.

[38] 창세기 2:22.

[39] 창세기 3:1.

[40] Trombley, *Who Said?*, 100. 또한 해밀턴의 *I Command to You Our Sister*, 94를 보라.

[41] 창세기 3:9—11.

[42] 창세기 3:15.

[43] 디모데전서 2:3—6, 창세기 3:15, 갈라디아서 4:4을 보라.

[44] 디모데전서 1:15.

[45] 디모데전서 2:2.

[46] 디모데전서 2:15b.

[47] 디모데전서 1:5.

CHAPTER 18

[1] 디모데전서 3:1; NIV 번역본의 내용이 저자들에 의해 변경되었다.

[2] 이곳에서 "anyone"으로 번역된 부정 대명사의 사용을 주목하라. 이것은 희랍어에서 혼성 단어다. 희랍 문장에 다른 대명사가 등장하지 않음을 또한 주목하라. 'his/her' 와 'he/she' 는 두 단수 삼인칭 동사들의 활용 안에 암시되

어 있다. 이 활용 안에는 남성이나 여성 사이에 차이가 없다. 그 동사들은 남자든지 여자든지 사람에게 속할 수 있다. 본문은 특정한 성별의 대명사를 가지고 다른 성별을 묘사해야 할 아무런 문법적인 이유가 존재하지 않는다.

[3] 디모데전서 3:11 NRSV.

[4] 해밀턴의 *I Commend to You Our Sister*, 부록 J.1을 보라.

[5] 디모데전서 1:20.

[6] 디모데전서 3:2—10, 12—13.

[7] 디모데전서 3:7.

마치는 글

[1] Aulus Gellius, *Attic Nights*, 1.6 Lefkowitz와 Fant의 *Women's Life*, 103에서 인용.

[2] Tertullian, *Concerning the Dress of Women*, 1.1. Rosemary Radford Ruether, *Sexism and God—Talk: Toward a Feminist Theology*(Boston: Beacon Press, 1983), 167. 원문 강조.

[3] Emma T. Healy, *Women According to Saint Bonaventure*(New York: Georgian, 1956), 46. Ruth A. Tucker의 *Women in the Maze: Questions and Answers on Bibilical Equality*(Downners Grove: InterVarsity Press, 1992), 156.

[4] 시편 19:12—14.

[5] Franson, qtd. *Women in the Maze: Questions and Answers on Biblical Equality*, Ruth A. Tucker, InterVarsity Press, Downers Grove:1992, p. 179.

옮긴이 소개

현문신은 1951년 제주에서 태어나 1973년 연세대 주생활학과를 졸업했다. 1976년에 미국으로 건너간 후, 뉴욕 안디옥 커넥션의 책임자인 김종원 목사와 결혼하여 두 딸과 함께 현재 뉴욕에 살고 있다. 김종원 목사 부부는 예수전도단(YWAM)의 사역을 시작한 1995년부터 지금까지 8년 동안 뉴욕 안디옥 커넥션에서 섬기고 있다. 이민 1세와 2세들이 함께 하나님을 섬기는 미래를 꿈꾸며 DTS 사역 등을 통해 선교사들과 교회 지도자들을 양육하는 한편, 가정의 회복과 젊은이들의 정체성 확립에도 힘쓰고 있다. 역서로는 「당신의 문화로 그리스도를 존귀케 하라」, 「겨자씨 VS 맥세상」(예수전도단)이 있다.

Why Not Women?

지은이 로렌 커닝햄 · 데이비드 해밀턴 · (제니스 로저스)
옮긴이 현문신

2003년 2월 15일 1판 1쇄 펴냄

펴낸이 이창기
편집 차순이 손화성 이준희
디자인 홍연기 이경화
마케팅 1 홍지욱 김요셉 김은혜 김혜진
마케팅 2 이상헌 정유진 김진훈 정성운
지원 윤원정 김현희
번역 교정 안정임

조판 출력 경운 출력
인쇄 서정 인쇄문화사
제본 서경제책
총판 미션파트너(전화 031-908-9987 · 팩스 031-908-9986)

펴낸곳 도서출판 예수전도단
출판 등록 1989년 2월 24일(제2-761호)
주소 서울 마포구 합정동 376-34
전화 02-3142-9811 · 팩스 02-3142-9815
전자우편 publ@ywamkorea.net
홈페이지 www.ywam.co.kr

ISBN 89-5536-138-6
값 11,000원